Chroniques de l'Université invisible

Maëlle Fierpied

Chroniques de l'Université invisible

Médium
l'école des loisirs
11, rue de Sèvres, Paris 6e

Loi n° 49.956 du 16 juillet 1949 sur les publications destinées à la jeunesse : novembre 2010
Dépôt légal : novembre 2010
Imprimé en France par CPI Firmin Didot à Mesnil-sur-l'Estrée (101925)

ISBN 978-2-211-20319-7

Pour toi qui te reconnaîtras dans cette citation :
Eadem mutata resurgo*

SOMMAIRE

LIVRE I

LE RÉVEIL DE MÉLUSINE

Je ne me souviens pas d'une première fois.

Lire dans les pensées m'a toujours semblé naturel. Ça faisait partie de moi alors pourquoi les autres auraient-ils été différents ? Pourtant, en grandissant, j'ai découvert que ce n'était pas les autres qui étaient anormaux mais bien moi. Eux n'avaient pas de problème, mais moi j'en avais un de taille. Et parce qu'il était hors de question que je devienne un sujet-test de laboratoire, cette différence est devenue mon secret. Personne ne devait savoir. Personne.

Chapitre 1
Du plus loin qu'il m'en souvienne

De ma naissance, je ne me rappelle rien. Le trou noir. Mais du plus loin qu'il m'en souvienne, il me semble avoir grandi en symbiose avec maman. Ce que je garde en mémoire : maman était heureuse et je riais de bonheur, maman avait peur et j'allais me réfugier dans un coin de ma chambre.

Nous n'avions presque jamais échangé de paroles. Ce que je cherche à expliquer, c'est qu'on ne communiquait pas par la voix. Je grandissais imprégnée des sensations, des émotions de maman. Un amour qui n'avait pas besoin d'être dit puisqu'il était matériellement présent, comme une source de chaleur qui irradiait de maman... et de papa.

Il ne faut pas croire que je n'aimais pas mon père. Au contraire. Le lien qui nous unissait était simplement différent. J'avais grandi au sein de maman et je me sentais donc comme une extension d'elle-même. Si maman était la terre sur laquelle j'évoluais, papa était le soleil qui nous réchauffait toutes les deux. Il m'apportait un amour plus distant mais aussi profond que celui de maman.

Pourtant, au bout de trois ans d'une entente parfaite, un brusque changement s'opéra : maman commença à s'effacer tandis que papa ne dirigeait plus seulement ses rayons vers moi, mais vers cette autre chose qui prenait de la place au fil des mois et me bousculait pour s'interposer entre maman et moi. D'ailleurs, même son ventre en faisait les frais. Je ne pouvais plus me serrer contre elle sans rencontrer une bulle de peau qui ne cessait de gonfler et d'ériger une barrière entre moi et cet endroit si chaud entre ses deux seins où j'entendais battre son cœur.

Les pensées de maman n'arrêtaient pas de papillonner vers cet être qui n'était pas moi, cet intrus qu'elle appelait bébé.

J'étais déchirée. Je ressentais bien le bonheur de maman. Il était si fort que je ne pouvais que le partager. Mais en même temps, j'étais hantée par le poids de mes propres émotions. Je ne les avais jamais senties aussi présentes. J'étais moi sans être maman, et maman ne savait pas ce que j'éprouvais.

La déchirure continua maille par maille à s'ouvrir. J'apprenais ce qu'était l'identité. Être soi sans être les autres. Et ça faisait mal.

Puis maman était partie et, quand elle était revenue, elle n'était pas toute seule. Elle portait avec elle une petite chose grouillante d'émotions et de bruits. Un bébé, comme elle disait, qui s'appelait Camille. Et maman parlait, parlait avec sa voix, plus que je ne l'avais jamais entendue parler. J'avais fini par comprendre : je n'étais pas maman. J'étais moi. Mélusine. Fille de maman et de papa, et dorénavant sœur de Camille, petite fille en devenir.

Comme tous les nourrissons, Camille était un bébé bruyant. Papa et maman avaient installé son lit dans ma chambre et mes nuits se trouvaient perturbées par ses cris de nourrisson. J'étais surtout réveillée par des sensations qui n'étaient pas les miennes : pipi-faim-mouillé-froid... Puis venaient les hurlements qui me sortaient de ce flot d'émotions étrangères : ce n'était pas moi c'était bébé qui pleurait, bébé qui avait besoin d'être changé.

Il me fallut plusieurs mois pour apprendre à ne pas me faire attraper par les pensées de Camille. Je réussis laborieusement à faire le tri et à me retrouver seule dans ma tête. Mais uniquement pendant la journée. Car la nuit, c'était encore autre chose. Ma vigilance baissait et, avec elle, mes défenses. Bien souvent je faisais encore des rêves que je sentais ne pas être les miens.

À mon grand soulagement, le problème se régla de lui-même le jour où Camille eut enfin sa propre chambre.

*
* *

Après la maison, je comptais comme autre refuge la demeure de mes grands-parents : un petit havre de paix à deux pas de la mer, niché dans un quartier ouvrier où chaque habitation était prolongée par un profond couloir de verdure que chacun accordait à son gré.

Nous allions au moins une fois par mois, pas assez souvent à mon goût, en vacances chez Mima et papy, comme ma sœur et moi les avions surnommés dès notre plus jeune âge. Papy, le papa de maman, était un homme charismatique. Ancien ouvrier des Chantiers de l'Atlantique, descendant de pêcheurs bretons, il était charpenté comme un Viking et, dans ce corps taillé dans un menhir, se cachait un homme à l'intelligence redoutable. Souffrant d'agoraphobie, Mima était une petite femme potelée qui ne sortait jamais de chez elle. Elle tenait, par conséquent, sa maison d'une main de maître, œuvrant en experte aux fourneaux pour le plus grand plaisir de notre estomac, et se nourrissant en retour de la moindre histoire que pouvaient lui livrer ses invités sur le monde extérieur.

Le royaume de papy s'étendait bien plus loin, sur tout le quartier en fait. C'était toujours à lui qu'on faisait appel pour régler un conflit de voisinage, à lui qu'on demandait de l'aide en cas de problème, à lui qu'on présentait en premier le nouveau-né. Il était le roi incontestable de toute la rue et personne n'y trouvait rien à redire, c'était un suzerain légitime approuvé par tous. Ce qui faisait naturellement de Camille et moi des princesses. Les voisines nous préparaient des tartes et nous invitaient à cueillir des cerises dans leur jardin. Nous étions les petites-filles d'Alioth, le protecteur du quartier et il se faisait une joie de sortir au milieu de la rue, nos petites menottes dans ses gigantesques mains calleuses, et de clamer une chanson de marins de sa voix de stentor juste pour le plaisir d'être entendu et vu en notre compagnie. Nous présenter ainsi à ses sujets, c'était sa façon de nous dire qu'il nous aimait. À travers les paroles de ses chansons, il me semblait entendre un second refrain pensé à tue-tête qui disait : *Voyez mes petites-filles, mes petites princesses ! Voyez comme je suis fier d'elles ! Voyez comme elles sont belles ! Voyez comme elles sont douées !* Je me souviens de ces moments comme des instants de jubilation féroce où nous étions auréolées de sa fierté, couronnées de sa grandiloquence.

Dans son jardin, derrière la maison, il y avait un potager, des fraisiers et une balançoire. Cette dernière avait été fabriquée par papy et, comme sa personne, elle était hors norme : une lourde planche en bois attachée par deux épaisses cordes à un arceau en fer verdâtre qui faisait au moins deux mètres cinquante de haut. Ma sœur et moi pouvions nous y asseoir côte à côte et, balayées par la grosse poigne de papy, nous avions à chaque poussée l'impression de nous envoler vers le ciel. C'étaient des moments de bonheur intense comme seuls les enfants peuvent en ressentir, où le temps semble suspendu comme nous l'étions au bout de notre balançoire de géant.

Un autre lieu magique qui semblait suspendre le temps dans cette maison était son grenier: composé de trois pièces sous les combles aussi poussiéreuses les unes que les autres, il abritait des décennies d'histoire familiale. Dans la plus grande, s'entassaient des malles de vieux vêtements datant de la jeunesse de ma mère et de ses sœurs, des cartables contenant leurs carnets de notes ou leurs cahiers de leçons, ainsi que plusieurs paniers de vieux jouets. Dans une deuxième, plus petite, on trouvait des piles de magazines jaunis, une bibliothèque gavée de livres à la tranche rose ou verte, un tourne-disque et un poste à cassettes inutilisables. Dans la troisième, quasiment un placard, une commode patinée était encombrée par des boîtes à gâteaux remplies de photos noir et blanc d'inconnus qui étaient sûrement mes ancêtres: hommes en uniformes, femmes et nouveau-nés potelés, familles d'un autre siècle en costume traditionnel. Installée dans un vieux fauteuil au cuir élimé, je restais des heures à passer en revue chaque photo cornée, chaque bonnet cousu main, chaque pot à boutons comme autant de trésors. Les lieux étaient plongés dans une pénombre et un silence reposant, les pensées et les voix des autres restant loin de moi. Je dérivais au sommet d'un phare hors du temps et, bien souvent, c'était la voix de mon grand-père qui me sortait de cette transe pour m'annoncer l'heure du goûter.

*
* *

À l'école, on m'avait toujours trouvée un peu bizarre. Ce qui n'était pas pour déplaire à ma meilleure amie, Julia, que tous considéraient également comme un brin

« excentrique ». C'était une petite brune à la peau mate et aux yeux en amande qui pétillaient d'intelligence et de curiosité. Son visage s'illuminait souvent de francs sourires, et elle savait s'émerveiller pour des choses qui auraient pu paraître futiles à d'autres telles que la floraison des cerisiers ou la première neige de décembre. Julia avait un gros défaut qui était aussi sa plus grande qualité : elle semblait incapable du moindre mensonge. Ses pensées étaient toujours en total accord avec ses paroles. Ce comportement dérangeait mais, pour moi, c'était un véritable apaisement de côtoyer quelqu'un qui préférait annoncer la stricte vérité plutôt que de se torturer l'esprit à élucubrer. « La vérité finit toujours par se savoir, alors pourquoi se fatiguer à la cacher ? » disait-elle souvent en excuse à sa franchise. Et chaque fois je me surprenais à espérer qu'elle se trompait.

Le plus étonnant, c'était qu'elle pardonnait entièrement mon côté secret et renfermé. Nous étions comme les deux faces d'une même pièce. Elle, qui faisait preuve d'un manque total d'imagination, se délectait des histoires que j'inventais rien que pour elle. Moi, si introvertie, savourait son opiniâtreté à mettre à nu ses sentiments. Nous étions à la fois faibles et fortes, traînant chacune des failles que l'autre comblait.

Je passais la plupart de mon temps libre chez Julia et je compris vite de qui elle tenait cette incomparable générosité de sentiments. Elle était à l'exacte image de sa mère, véritable concentré de gentillesse qui voyait le monde sous un jour résolument optimiste. De la naïveté, auraient dit certains, mais ce n'était pas ça. C'était juste que la maman de Julia avait choisi de vivre en croyant fermement en la bonté de chaque être humain. Cette volonté farouche cachait inévitablement de profondes blessures, des zones obscures que j'apercevais parfois au détour d'une conversation et qu'elle maintenait éloignées par la seule force de son caractère. Tous les adultes vivent avec leurs ténèbres personnelles et j'avais appris depuis longtemps à détourner le regard quand elles apparaissaient.

En cours, je n'avais jamais été une élève bavarde. J'en avais déjà assez du bla-bla incessant des autres pour avoir envie d'y ajouter le mien.

Vivre en communauté, pour quelqu'un comme moi, était une chose épuisante. J'avais beau me boucher les oreilles, rien ne m'empêchait d'entendre le *murmure-de-tête* de chacun. Si l'on s'arrête parfois de parler (oralement je veux dire), la voix dans notre tête ne se tait jamais. Elle exprime les pensées, les émotions de chacun, les choses très privées qu'on ne veut confier à personne, les secrets qu'on n'oserait même pas avouer à son meilleur ami.

Moi, ces monologues, je les percevais. C'était un don déroutant et exténuant. La solution pour être tranquille était d'y accorder le moins d'attention possible. Ça fonctionnait très bien à la maison ou chez Julia, ces lieux-refuges qui se dressaient en rempart contre les pensées parasites du monde extérieur.

À l'école primaire, pas de souci, car c'était un terrain neutre. Le territoire des enfants était un lieu de partage des mêmes préoccupations immédiates: jouer, apprendre, aimer, détester, se poser des questions, imaginer les réponses, être heureux, être gourmand, dégoûté, généreux, possessif. En un mot, être.

Pourquoi est-ce que tout se compliquait quand on devenait adulte? Je n'ai pas trouvé de réponse. Toujours est-il que j'étais particulièrement attentive à ma *carapace-*

de-tête quand je me déplaçais en ville. Là-bas, c'était le territoire ennemi : beaucoup de monde et beaucoup de *bruits* (pas des bruits qu'on entend avec les oreilles mais des bruits qu'on entend avec la tête). On y croisait des gens beaux ou moches, gentils ou méchants, tristes ou joyeux, amoureux ou mal-aimés. Toute une ribambelle de pensées au contact desquelles je devais veiller à être indifférente.

La tête des gens, c'est un peu comme une chambre. Il y en a des bien rangées, où chaque chose trouve sa place, d'autres confortables mais un peu en bazar. Certaines sont illuminées en permanence par un soleil éclatant, d'autres paraissent filandreuses comme une toile d'araignée. Quelques-unes encore, les plus dangereuses, ne sont pas bien rangées du tout : les choses y flottent, comme si elles étaient immergées au fond d'un océan ; les émotions croisent sans cohérence les souvenirs avant d'être brutalement emportées par le courant violent qui y circule par à-coups. Les propriétaires de ces têtes-là sont vraiment effrayants. Au fond de leur chambre, dans l'obscurité du lit, se cache un monstre grimaçant. Un ogre aux dents en cisaille qui me dévorerait en gigantesques bouchées s'il me prenait la folie de m'aventurer à sa portée.

J'avais donc grandi en m'efforçant d'ignorer toutes les pensées et toutes les émotions qui n'étaient pas miennes. J'avais fui les ogres et je m'étais carapaçonnée dans ma tête. J'avais essayé de faire comme si j'étais normale en jouant à être comme tout le monde.

Jusqu'à mon entrée au collège, le jeu de rôle avait admirablement bien fonctionné. Par rapport à l'école primaire, le collège, c'était le dépaysement total : fini le confort de la petite cour enserrée entre le préau et la salle de classe. Au sein de cet établissement d'un millier d'élèves, la démesure était reine : les couloirs me paraissaient interminables et les heures de cours sans fin.

Heureusement, Julia était avec moi. On avait choisi des langues rares et des options communes pour se retrouver dans la même classe. Depuis, on était inséparables du matin jusqu'au soir où nous faisions nos devoirs ensemble chez elle avant qu'il soit temps pour moi de rentrer à la maison.

L'inconvénient majeur du collège résidait dans le constant vacarme de mille têtes pensant et parlant en même temps. Les premiers jours de la rentrée furent si éprouvants que ma carapace mentale subit de nombreux dégâts. Sa consolidation me demanda du temps et de multiples efforts. Comme j'en avais déjà fait l'expérience, l'imperméabilité de ma protection dépendait surtout de ma capacité du moment à me concentrer. Je devins donc, par la force des choses, une abonnée des visites à l'infirmerie où Mme Benjeloun apaisait mes maux de tête à grands coups d'antalgiques et me serinait chaque fois la même rengaine : « Prends rendez-vous chez un ophtalmo, ce sont peut-être tes yeux qui te fatiguent et provoquent ces migraines », ou encore : « J'avais bien mis en garde les profs de sport contre les dangers de vous faire courir dehors par un froid pareil ! » Je la laissais chercher des explications, redoutant qu'elle finisse par devenir suspicieuse et m'envoie consulter un psychologue scolaire plutôt qu'un médecin.

Pourtant, tous ces petits tracas n'étaient rien en comparaison de ma confrontation avec l'ennemi juré de tous les élèves : Monsieur B., mon professeur de français.

Monsieur B. était le prof que tout le monde regrette un jour d'avoir croisé dans sa vie. Avec lui, les élèves apprenaient ce qu'était la haine, car Monsieur B. était parfaitement et définitivement détestable. Bien sûr, il le savait et faisait tout pour en jouer. Malgré une taille qui avoisinait les deux mètres, il avait fait installer dans sa salle de cours une estrade digne d'une scène. Impossible, ainsi, d'échapper à la vue de cet homme dégingandé, à l'épaisse tignasse châtain, à ses yeux sombres et acérés. Dans sa classe, il valait donc mieux faire profil bas : dos courbé et regard fuyant, même les fortes têtes se soumettaient à la dictature professorale. Dès le premier jour de classe, il avait ainsi énoncé clairement les règles de son jeu :

– Je n'admettrai dans mon cours aucun débordement ! Vous n'êtes pas ici pour vous amuser mais pour apprendre. Les fanfarons, rêveurs et autres ruminants adeptes de gomme à mâcher seront inéluctablement sanctionnés. Mon rôle consiste à vous inculquer les principaux fondements de la Grande Littérature française : Molière, Maupassant et Baudelaire seront nos guides au cours de cette année. Lire n'est pas un plaisir, c'est un travail de l'esprit. Aussi, pour vous éviter de bayer aux corneilles, nous procéderons à deux devoirs sur table par mois.

Murmures de protestation de la classe, vite tus par un gigantesque « SILENCE ! » de Monsieur B. qui embraya aussi sec sur un cours assommant, digne d'un programme de faculté.

*
* *

Ainsi que le professeur l'avait annoncé, une dissertation nous attendait la semaine suivante. La panique envahit la classe quand elle découvrit le sujet : « Approche diachronique et synchronique du thème de l'argent dans les pièces de Molière. » Tout bonnement incompréhensible.

Si, comme la majorité des élèves, j'étais perdue à la simple lecture du sujet, j'avais sur eux un avantage certain :

mon *sixième sens*. À la table de devant, un garçon pianotait déjà sur son clavier comme un forcené, la tête contre l'écran, en pleine inspiration. Ce bosseur s'appelait Dimitri et c'était le surdoué de la classe qui, à tout juste 9 ans, se revendiquait précoce et en profitait pour se faire materner par tous les profs. Sous sa tête brune, bouillonnait un cerveau aussi vaste et profond qu'un océan. Un vrai réservoir de données qui s'offrait à mes sens aiguisés.

Seulement, je savais que si je décidais d'y piocher les réponses au sujet, j'allais du même coup tout droit vers une jolie migraine. C'était malheureusement le prix à payer pour avoir une moyenne convenable. La technique en elle-même était enfantine : ouvrir mon esprit et aller *écouter* le garçon qui pensait aussi fort que s'il avait parlé à voix haute. Je m'appropriai ainsi quelques phrases joliment tournées, deux ou trois dates, des citations. Bref, de quoi remplir quatre pages de réflexions « dimitriennes » sur Molière, son Avare et son or. Je n'en étais pas à ma première pêche à la réponse, je savais ce qu'on risquait à ne pas maquiller son forfait. Je pris donc soin de remplacer le style ampoulé du surdoué par des phrases moins prétentieuses. Par exemple, je mettais « problèmes d'argent » à la place de « ennuis pécuniaires » et « méchanceté » pour dire « intolérance misanthropique ». J'avais réussi à bluffer mon instituteur pendant cinq ans, alors pourquoi pas Monsieur B ?...

Parce que Monsieur B. n'était pas n'importe qui.

Monsieur B. était Monsieur B.

– Un désastre, annonça-t-il deux jours plus tard en distribuant les copies corrigées.

Il trônait en haut de son estrade, rendant, d'un clic de souris, les dissertations ensanglantées par sa police de couleur grenat à leur propriétaire et ne manquant pas de rajouter à leur encontre quelques remarques acerbes. J'appréhendais ma note en voyant les autres pâlir à la lecture de la leur. Même Julia, qui se disait pourtant au-dessus de tout ça, avait les larmes aux yeux devant le 2/20 qui barrait l'écran de son portable. Le nombre de documents en attente baissait, les visages se fermaient un à un, mais mon écran demeurait obstinément vide.

Trois documents… deux… un…

Monsieur B. attendait, silencieux, le doigt suspendu au-dessus de la souris, le regard acéré.

Le spectacle commençait.

Parcourant une dernière fois l'assistance des yeux, il cliqua ostensiblement.

CLIC

Un document apparut alors en même temps sur tous les écrans de la classe et sur le tableau à plasma qui ornait le mur de devant. Une dissertation qui portait un nom: Mélusine Dragon. Il avait mis mon devoir en réseau!

Satisfait de son petit effet, Monsieur B. se redressa et pointa un doigt accusateur sur moi.

– Cette demoiselle a triché!

Un silence de plomb recouvrit la classe. On n'entendait que le souffle de quelques ventilateurs de portables. Le professeur vibrait d'une violence contenue qui irradiait de sa personne et qu'il m'était impossible de ne pas *ressentir.*

– Il apparaît évident que vous avez copié. Non pas sur votre voisine dont le travail plus que lamentable ne pouvait vous être d'aucun secours… (Julia courba un peu plus le dos) mais vraisemblablement sur votre camarade de devant… (Dimitri redressa la tête) que je sais, grand bien lui fasse, incapable d'un tel délit.

Monsieur B. exultait. La peur des élèves était sa drogue, leur désespoir son caviar, et il savourait ce met de choix.

– À moins que vous n'ayez fait appel à la technique non moins répréhensible du piratage de réseau ?

Chaque élève avait un ordinateur portable qu'il branchait en réseau à son entrée en classe (toutes les connexions étaient intégrées dans les tables). Mais seul l'ordi du prof était le serveur qui pouvait accéder, individuellement ou collectivement, aux portables des élèves. Il fallait être un pro de chez pro pour se glisser, à travers le serveur, vers l'ordi d'un autre élève. Et j'étais loin d'en être une.

Je continuais à faire profil bas et à courber l'échine devant le fauve déchaîné. Finalement, Monsieur B. poussa un profond soupir et se pencha à nouveau sur son écran. S'il me rendit l'usage exclusif de mon devoir, ce fut pour gratifier mon écran d'un gigantesque...

– Zéro sur vingt, mademoiselle ! Zéro, c'est tout ce que vous méritez ! Pourtant, réjouissez-vous de l'extrême mansuétude dont je fais preuve à votre égard. Car vous êtes quitte aujourd'hui pour un simple avertissement oral. Qui sera le dernier. La prochaine fois vous écoperez, n'en doutez point, d'un voyage jusqu'au bureau du principal où vous serez l'heureuse bénéficiaire d'un merveilleux mercredi d'heures de colle !

Il se redressa et foudroya toute la classe du regard.

– Et que cela vous serve de leçon à tous ! Ce n'est pas au vieux singe que je suis que vous apprendrez à faire des grimaces. Autrement dit, tant que je serai votre professeur, la tricherie sera impossible !

Sans plus de cérémonie, il embraya sur la correction du devoir, et chaque élève se lança dans une prise de notes effrénée.

La sonnerie fut une délivrance pour tous. Monsieur B. nous rendit la liberté non sans nous avoir distribué le sujet d'un nouveau devoir à la maison. Chacun débrancha et referma son portable, le glissa dans son sac, et quitta précipitamment la salle. Je n'étais pas en reste et, alors que je franchissais le seuil en compagnie de Julia, Monsieur B. me rappela. Rebroussant chemin à contrecœur, je me postai devant le bureau du professeur. Il était adossé à sa chaise et l'estrade le portait à ma hauteur.

– Regardez-moi, jeune fille, quand je m'adresse à vous !

Je relevai les yeux et soutins son regard. La menace qu'il prononça à voix basse fut plus effrayante que tous les cris dont il avait auparavant peuplé la salle de classe.

– Je vous préviens que vous ne pourrez pas me faire deux fois le même coup. J'ai laissé passer pour ce devoir mais sachez bien que je serai à l'affût pour le suivant. Les fraudeurs n'ont pas leur place chez moi. Mettez-vous bien ça dans la tête, *autrement c'est moi qui le ferai.*

Ses derniers mots me pénétrèrent comme une lame glacée. Ils avaient été parlés pour mes oreilles et pour ma tête. Monsieur B. avait *parlé* dans ma tête ! C'était trop saisissant pour ne pas être vrai. Je n'avais pas cherché ses paroles, elles étaient venues à moi.

Je frissonnai devant cette agression inattendue et jetai un regard effrayé au professeur. Celui-ci attendait calmement, un sourire au coin des lèvres. Il savait que le coup avait porté. Un second frisson me parcourut, et je m'aperçus que mes doigts s'étaient inconsciemment agrippés à mes bretelles de sac à dos. J'essayai de les ouvrir. Ils me parurent étrangers. Je dus me concentrer de toutes mes forces sur mes mains pour les obliger à desserrer leur prise. Les phalanges étaient blanches, comme vidées de leur sang.

Revenant à moi, je quittai d'un pas lourd la salle et le regard satisfait de Monsieur B. Une fois dans le couloir, je me mis à courir. Je n'avais plus qu'une idée en tête : fuir… et mettre le plus de distance possible entre cet homme et moi.

Ce n'est qu'une heure plus tard, baignée par le doux brouhaha de la cantine, que je réussis à desserrer les dents. Attablée face à moi, Julia avait fini par se lasser de poser des questions auxquelles je ne voulais pas répondre. Elle semblait donc résolue à monologuer et énumérait les ingrédients nécessaires à la fabrication d'une poupée vaudou Monsieur B.

Le tête-à-tête avec le professeur m'avait tellement bouleversée qu'il libéra Migraine, mon tigre-mal-de-tête. Elle montrait pour l'instant patte de velours, mais je savais que, dans quelques heures, elle se serait confortablement installée dans mon crâne, ronronnant et griffant mes tempes. La crise promettait d'être sérieuse.

Heureusement, Julia ne faisait plus attention à moi. Elle me laissait bouder, mettant mon silence sur le compte de la note de français et sur l'engueulade du prof. Elle avait engagé la conversation avec sa voisine de gauche et les deux filles échangeaient leurs expériences personnelles d'enseignants détestables.

Les cours de l'après-midi se succédèrent avec une lenteur surnaturelle et, avant la dernière heure, je dus me résoudre à me réfugier à l'infirmerie. Migraine traçait dans mon crâne des sillons de souffrance. Même penser me faisait mal. Julia était partie pour assister au cours de musique, m'abandonnant devant la porte marquée d'une croix rouge. Derrière mon front, Migraine tournait en rond en feulant.

Ironie du sort, en poussant la porte, je découvris qu'un fauve bien plus affamé m'attendait de l'autre côté. Monsieur B. était attablé devant un café, en grande discussion avec Mme Benjeloun, l'infirmière. Mon irruption mit fin à leur messe basse et tous deux levèrent les yeux vers l'intrus. Pendant dix secondes d'un silence total, chacun jaugea l'étrangeté de la situation. Puis, un sourire illumina le visage de Mme Benjeloun et elle quitta sa chaise pour m'accueillir.

– Ma petite Mélusine, ça n'a pas l'air d'aller fort.

Monsieur B. en profita pour se lever à son tour. Il enfila son manteau, balbutia quelques remerciements pour un sirop contre la toux et quitta la pièce sans m'accorder un regard.

J'avais l'impression d'évoluer dans un rêve tant Migraine me harcelait. La rencontre avec Monsieur B. m'avait à peine contrariée alors qu'il était la cause de mes maux. Les événements de la journée me faisaient de plus en plus l'effet d'un mauvais songe. Mme Benjeloun me prit par les épaules et me poussa gentiment jusqu'à la pièce voisine. Elle me débarrassa de mon sac à dos, de ma veste et de mes chaussures, et je me laissai faire comme un enfant. Elle fut obligée de me soulever pour me porter dans le lit. Je n'arrivais plus à trouver la scène tangible, les mains de la jeune femme semblaient à peine m'effleurer et je me demandais si toute cette journée n'était pas, après tout, qu'un simple cauchemar.

*
* *

Je m'éveillai dans la chaleur confortable de mon lit. Encore embrumée de sommeil, je tournai la tête vers mon réveil et je fus surprise de ne pas éprouver de douleur.

C'était donc bien un rêve? Juste un cauchemar sacrément réaliste. Je touchai mon front... Pas de fièvre et pas de trace de Migraine. Tant mieux. Je m'en serais voulu de laisser Julia aller toute seule au cours de français.

De français?!

Je me jetai hors du lit et me précipitai sur mon cartable, posé contre le bureau et prêt pour le collège. J'ouvris le sac, balançai tous les CD et les clés USB qui y traînaient et sortis mon ordi dont je dépliai l'écran. L'appareil lança la fenêtre de démarrage puis le bureau apparut. J'amenai alors la souris au-dessus de l'icône de français et serrai les mâchoires pour ce ne soit qu'un rêve.

– Oui, un rêve, rien qu'un rêve complètement stupide, ressassai-je à voix basse quand maman entra dans la chambre. Elle fut surprise de me voir assise sur la moquette, avec l'air de prier devant l'ordinateur déplié sur mes genoux.

– Ma chérie, me dit-elle. Tu n'aurais pas dû te lever, tu nous as fait une de ces peurs à ton père et à moi. L'infirmière nous a appelés...

Mais je n'écoutais pas. Je venais d'ouvrir le dossier «français» et implorais le dieu protecteur des collégiens pour que tout cela n'ait été qu'un rêve. Seulement, en double-cliquant sur le dernier document consulté, je la vis, la sinistre note du sinistre professeur. C'était vrai! Tout! Le zéro, l'humiliation et les mots *parlés* dans ma tête! Je devais faire une drôle de tête parce que maman s'était agenouillée à côté de moi et cherchait apparemment à me consoler.

– Tu sais, ce n'est pas grave ma puce. Ce n'est qu'une note. Tu feras mieux la prochaine fois. Nous ne sommes pas inquiets. Si ça peut te rassurer, on va prendre rendez-vous avec ton professeur pour en dis...

– NON! hurlai-je avant de voir la tête de maman et de me ressaisir. Je baissai le ton.

– Je veux dire… Non, c'est pas la peine maman… Ça va aller… Je suis juste énervée, mais ça va. T'inquiète pas.

– Qu'est-ce que tu crois ? Bien sûr que je m'inquiète ! L'infirmière me téléphone et me demande de venir te récupérer au collège. Je lui demande si je peux te parler et elle m'explique que tu t'es presque évanouie dans ses bras mais que ce n'est pas grave ! Comment tu crois que j'ai réagi ? J'ai foncé au collège, j'ai évité trois carambolages et quand, enfin, j'arrive comme une furie à l'infirmerie, on me dit de ne pas m'inquiéter, que c'est une petite poussée de fièvre, qu'il faut te laisser dormir ! Quand j'essaie malgré tout de te réveiller pour t'emmener dans la voiture, l'infirmière m'explique qu'elle t'a donné un somnifère pour être sûre que tu récupères. Un somnifère ! À une enfant de 11 ans ! Qu'est-ce qu'il ne faut pas entendre ! Elle va avoir de mes nouvelles cette Mme Benjeloun, c'est moi qui te le dis !

Je regardais maman sans chercher à l'interrompre. C'était inutile quand elle s'emportait comme ça. Quand la tornade maman se calma enfin, elle me prit dans ses bras et je la serrai fort. Son amour était plus puissant et plus chaud que tous les volcans du monde. Il cicatrisa en un instant mes peurs et mes doutes. Au diable Monsieur B. et ses tours de passe-passe ! Maman était mon rempart contre sa méchanceté et son intolérance.

On était samedi matin et maman m'avait dispensée de cours. Je pris donc tout mon temps pour m'enfoncer dans un bon bain, brûlant et moussant, pour changer cinq fois de tenue et dévorer un énorme petit déjeuner. Je ne m'étais pas aperçue combien j'étais affamée et je me concoctai de généreuses tartines de chocolat.

Ah, quel bonheur d'être à la maison !

L'après-midi, après avoir fait une visite éclair chez l'homéopathe (qui me diagnostiqua une grosse fatigue et me prescrit plein de granules pour retrouver une forme d'enfer), j'eus la visite de Julia. On passa le reste de la journée à critiquer le prof et à manger des bonbons devant la télé en commentant le programme. Camille nous tourna autour en se bourrant de friandises et en sautant sur le canapé mais elle ne réussit même pas à m'énerver.

Quand, le lundi matin, je retournai au collège, j'étais aussi zen qu'un congrès de moines bouddhistes. Le murmure mental du collège me paraissait aussi doux que le clapotis d'un ruisseau de montagne, il y avait de la mousse au chocolat en dessert à la cantine et, comble de bonheur, le cours de français était annulé, Monsieur B. s'étant fait porter pâle.

Hélas, le répit fut de courte durée car, dès le vendredi suivant, Monsieur B. avait repris son poste. Et, pour faire pardonner son absence, il nous avait mitonné un petit devoir comme lui seul en avait le secret. Le sujet s'afficha sur les écrans et Julia et moi échangeâmes un regard désespéré : dix questions à développer en une heure !

« Merci qui ? Merci Monsieur B. » me souffla Julia et je pouffai de rire. Je rétorquai en lui lançant un « Monsieur B., une expression du bon goût ! » qui l'obligea à se mettre la main sur la bouche pour ne pas exploser de rire. Suivirent un *l'abus de Monsieur B. est dangereux pour la santé. À consommer avec modération. Un Monsieur B. nuit gravement à ma santé mentale* et d'autres formules qui finirent par nous plier en deux au-dessus de notre clavier. Nous mîmes un bon moment à nous remettre. Le moindre coup d'œil échangé, et le fou rire reprenait de plus belle. J'en avais un point de côté tellement c'était drôle. Surtout que Monsieur B. ne se rendait compte de rien. Il était installé à son bureau, les yeux plongés dans son écran, sûr de son autorité toute acquise de dictateur.

Quand le sérieux nous revint enfin, il ne restait plus que vingt minutes pour terminer le devoir, ou plutôt, dans notre cas, pour le commencer. Je lus les dix questions et perdis d'un seul coup tout sens de l'humour. « Dans quelles conditions se faisaient les représentations théâtrales au temps de Molière ? Est-ce que l'Église appréciait les comédies de Molière, pourquoi ? » Je tapotais des bouts de réponses sur mon brouillon électronique.

Quoi ! déjà 12 h 15 ! c'est pas possible ! Vite la troisième question… « Quels rôles Molière affectionnait-il, justifiez ? » Ah oui, les rôles de valets et les personnages ridicules. Pourquoi ? Euh…

12 h 21 ! J'y arriverai jamais ! Encore sept questions et demie. Je peux pas me permettre d'avoir encore une sale note. Tant pis, je prends le joker Dimitri.

Par chance, le surdoué était aujourd'hui au premier rang alors que Julia et moi étions cachées au dernier. Cette fois, on ne pourrait pas m'accuser de copier.

J'ouvris une toute petite fenêtre dans mon esprit et laissai se dérouler un minuscule fil. Je slalomai entre les pensées confuses de filles et de garçons en pleine réflexion et m'approchai de l'esprit de Dimitri, aussi lumineux qu'un phare dans la nuit et aussi bruyant qu'une corne de brume. Même dans sa façon de penser, c'était un petit prétentieux !

J'harponnai quelques bribes de réponses et me frottai (mentalement) les mains pour cette bonne récolte quand je fus d'un seul coup *renvoyée* dans ma tête. Étourdie, je repris mes esprits et me demandai qui avait bien pu couper la communication. Je redressai la tête pour surveiller les alentours. Monsieur B. était toujours la tête derrière son écran, Julia tentait tant bien que mal de rattraper son retard, et Dimitri semblait déjà relire son travail. C'était le moment ou jamais !

Sans prendre une seule précaution, j'ouvris grand mon esprit et, triant vite les pensées étrangères qui s'y précipitaient, je récupérai la piste Dimitri. Mais, alors même que je commençai à taper les réponses dictées malgré lui par le surdoué, je fus brutalement repoussée loin de lui. Manquant de me noyer dans la masse gluante des autres voix, je refis surface et me carapatai vite, vite dans ma tête.

Qu'est-ce qui se passait ? J'étais essoufflée et mes mains, suspendues au-dessus du clavier, tremblaient. C'était bien la première fois que j'échouais à la pêche aux pensées. J'avais l'impression de m'être pris une grosse claque.

Comme mue par un pressentiment, je levai la tête et mon regard rencontra aussitôt celui de Monsieur B. Il me fixait d'un œil sévère comme s'il avait compris ce qui venait de se passer. Je me rassurai silencieusement : non, non, non, ce n'est qu'un prof. Un vilain méchant prof mais juste un prof. Il ne sait pas.

Ne vous croyez pas au-dessus des lois, Mélusine. Je vous ai prévenue. Ce n'est pas à un vieux singe comme moi que vous pourrez jouer un tour. Je vous interdis de quitter votre place, physiquement ou psychiquement !

Ces pensées ne pouvaient être que les siennes et il venait de me les graver au marteau-piqueur dans l'esprit. Monsieur B. continuait à me fixer comme un serpent qui hypnotise sa proie.

La sonnerie retentit et chacun envoya son exemplaire au serveur central avant de plier bagage et de quitter le plus rapidement possible la salle de torture. Julia ne s'aperçut de mon immobilisme qu'au moment de franchir le seuil. Elle eut beau m'appeler, je ne bougeai pas. Malgré le bruit et le mouvement des élèves, Monsieur B. n'avait pas détourné le regard. Il me tenait.

Fatiguée d'appeler, Julia disparut dans le couloir en pensant que j'allais la rejoindre à la cantine. Je le savais parce que, depuis que Monsieur B. m'avait *parlé*, mes fortifications mentales s'étaient écroulées. Toutes les pensées de tous ceux qui peuplaient le collège et ses alentours déferlaient dans mon crâne, y compris celles de Julia.

J'étais paralysée par la présence de Monsieur B. Il semblait maintenir un étau dans mon esprit qui m'empêchait de reconstruire mes défenses et de me boucher les oreilles devant cette avalanche de sensations parasites. Il n'entrait même pas dans ma tête mais se contentait juste de tenir la porte ouverte. J'étais en train de me perdre moi-même. Moi devenait une chose de plus en plus floue. J'allais étouffer sous les identités qui s'entrechoquaient. *Je... vous... tu... je... ils...*

Au moment où le raz-de-marée allait m'engloutir, la pression se relâcha, et mon esprit reconstruisit par automatisme toutes mes murailles abattues. J'avais l'impression de chuter dans un puits sans fond. Je hoquetai en reprenant mon souffle puis un vertige immense m'envahit et je m'évanouis dans une obscurité et un silence plus profonds que le néant.

*
* *

Décidément ça devenait une habitude !

Je m'éveillai dans un lit moelleux. *Ce n'est pas la maison*, me dis-je en sentant l'odeur ambiante. Médicaments, lessive à la lavande, patchouli, je suis à l'infirmerie.

J'ouvris les yeux et le décor confirma mon enquête olfactive. La tête plongée dans un édredon blanc, je contemplai le plafond étoilé décoré par la main experte de Mme Benjeloun. Je bougeai les yeux et sentis une toute petite chaton-Migraine ronronner faiblement entre mes tempes. Prudence, pas de geste brusque, pensai-je.

Je triai les informations pour tenter d'y comprendre quelque chose.

Un : Monsieur B. est comme moi. Il sait lire dans les pensées mais il peut aussi y pénétrer.

Deux : Monsieur B. est l'individu que je déteste le plus au monde.

Trois : Julia avait raison, Monsieur B. nuit gravement à ma santé. La preuve, je suis à l'infirmerie.

Quatre : Pourquoi est-ce que la seule personne qui pourrait m'aider est aussi la plus méchante ?

Cinq : Je n'en sais rien ! Je veux rentrer chez moi et je veux ma mamaaan !

Stop ! C'est pas le moment de pleurer. Il faut que je sorte d'ici.

Un coup d'œil à ma montre m'apprit que les cours de l'après-midi touchaient presque à leur fin. Je me glissai au bas du lit et cherchai mes chaussures.

Alors que je laçais mes baskets, j'entendis des voix auxquelles je n'avais pas fait attention auparavant. Peut-être que mes parents étaient là. Peut-être que maman passait le savon de sa vie à Monsieur B. ! Je m'approchai de la porte prête à savourer les colères mémorables de ma chère maman mais déchantai vite. Plusieurs personnes discutaient vivement et, si je reconnus bien la voix du professeur, je n'entendis ni maman ni papa. J'étais bien tentée de les *écouter* mais le souvenir cuisant de la confrontation avec Monsieur B. m'en dissuada aussitôt. De toute façon, si je collais mon oreille contre l'interstice de la porte, je parvenais à entendre parfaitement. Je reconnus bien la voix du professeur et identifiai celle de Mme Benjeloun. Je distinguai également une troisième voix aux accents calmes et profonds.

Mme Benjeloun : Je t'avais pourtant mis en garde. C'est une enfant fragile… *(c'est de moi qu'elle parlait ?)*… et tu es allé trop vite. Comme d'habitude. Les défenses d'une fillette de 11 ans sont aussi épaisses que du papier de riz. Combien de fois faudra-t-il te le répéter ?

Monsieur B. : Je ne pouvais pas tolérer plus longtemps son petit jeu. Je suis professeur, pas éducateur. J'enseigne, j'inculque des connaissances et je pose des règles. Un point c'est tout. Voilà une semaine, je l'ai avertie oralement et mentalement. Mais la demoiselle se moque de mon autorité ! À la moindre occasion, la voilà qui recommence son petit jeu. Passe encore les horreurs que les élèves pensent sur moi tout bas, pour une fois que je tombe sur une Potentielle, je ne vais pas la laisser me provoquer impunément !

Mme Benjeloun : Enfin Modeste, *(Modeste ! ! ! Hihihi !)* tu crois vraiment que cette fillette pense à mal ? Tu as toujours été le premier à reconnaître combien est grande la tentation d'exploiter ce qu'on a à portée de main, ou plutôt à portée d'esprit dans le cas présent.

Monsieur B. : C'est totalement différent ! Mélusine doit apprendre le plus tôt possible à se contrôler. Elle doit arrêter de *s'éparpiller* comme elle le fait en cours. Croyez-moi, cette jeune fille n'est pas aussi ingénue qu'il y paraît.

Mme Benjeloun : Jeune ! Tu le dis toi-même. C'est une débutante ! Elle n'a aucune notion de son potentiel.

Monsieur B. : Ne la défends pas ! Elle n'en a vraiment pas besoin. De toute façon, le chaton a pris aujourd'hui sa première leçon. Deux tapes sur le bout du nez et elle rentrait les griffes.

L'INCONNU : Tu as tout de même procédé à une Défragmentation*. À son niveau, c'était risqué.

MME BENJELOUN : Tu as osé faire ça !

MONSIEUR B. : Et d'un, je voulais lui montrer qui était le maître à bord ; et de deux, je la savais parfaitement capable de résister. Il faut avouer qu'elle a bien tenu. Elle fera sans conteste une bonne recrue. Et, Azra, avant que tu protestes, sache que je ne suis pas responsable de son évanouissement. Elle a perdu pied alors que je me contentais de la déséquilibrer.

MME BENJELOUN : Toujours aussi arrogant et imbu de ta personne. Tu devrais…

L'INCONNU : Mes amis, il suffit. Vous ne m'avez quand même pas appelé pour être votre arbitre et encore moins pour résoudre vos problèmes de couple. *(Quoi !!! Mme Benjeloun serait la femme de Monsieur B. ? Impossible !)* Modeste, je te fais confiance, je sais que tu as été prudent malgré ce que tu sembles en dire. Azra, ma chère, c'est plutôt bon signe qu'elle se soit évanouie. Son esprit sait lui imposer des limites et son corps y répond.

MME BENJELOUN : Père, vous ne pouvez pas permettre qu'on traumatise cette enfant. Pensez à ses amis, à ses absences répétées. J'ai déjà rencontré sa mère et, croyez-moi, elle se pose des questions sur mes compétences. Pas besoin de lire les pensées pour s'en rendre compte. Je pense qu'il ne faut pas précipiter le mouvement.

L'INCONNU : J'estime au contraire qu'il faut accélérer les choses. J'ai déjà prévenu les Brigades d'Intervention. L'Intégration est commencée depuis 13 heures 0 minute, heure H. À présent, nous ne pouvons plus faire marche arrière.

MME BENJELOUN : Vous avez mis en route l'Intégration ! Mais Père, nous ne sommes qu'au premier semestre de l'année scolaire ! C'est trop rapide !

L'INCONNU : Non, ce n'est pas un mal. Si nous avions attendu qu'elle soit mieux implantée, sa Désintégration* n'en aurait été que plus délicate. *(L'inconnu poussa un profond soupir.)* Il est temps. Elle se pose beaucoup de questions. Ce qui ne va pas arranger son mal de tête. C'est amusant vous savez, elle lui a donné un nom : « Migraine ». C'est une jeune fille très prometteuse, j'en suis certain. Mais l'Intégration va être un moment douloureux pour elle. Il va falloir se montrer patient. Bien, allons-y… Mélusine ! Cesse de te cacher derrière cette porte et viens nous rejoindre, je te prie.

À cette adresse, je tressaillis. Comment pouvait-il savoir que je les écoutais ?

Encore des questions ? Il me semble qu'on vient de vous donner un ordre, fillette !

La voix de Monsieur B. résonna fort dans ma tête. Instinctivement, je reculai et butai contre le pied du lit. Un murmure sucré vint alors souffler à mon oreille.

Allons, chère Mélusine, il est temps. Viens à moi.

Je fus prise d'une irrésistible envie d'obéir et, d'un pas assuré, je franchis la porte et rejoignis celui qui se faisait appeler Père.

Les trois adultes me regardaient marcher avec émerveillement, comme s'il s'agissait de mes premiers pas. À ma grande surprise, Monsieur B. esquissait un sourire. Qui est-il vraiment ? Ami ou ennemi ?

Mme Benjeloun me contemplait avec sa tendresse habituelle. Elle avec lui ! Ce professeur sec et austère comme l'hiver marié à cette femme douce comme une averse d'été. C'est une antithèse incarnée.

– Oui, on est mariés, et alors ? Vous voulez qu'on vous demande la permission ? intervint Monsieur B.

– Oh, Modeste ! Un peu de retenue ! Si tu le permets Mélusine, nous répondrons plus tard à toutes tes questions.

Le vieil homme avait parlé. Ses cheveux étaient les plus blancs qu'il m'eut été donné de voir. Aussi blancs que les neiges éternelles. Au milieu de son visage parcheminé, deux yeux verts me fixaient intensément. On avait l'impression d'être regardé par une panthère blanche.

– C'est adorable ! Une panthère ? Merci pour ce touchant portrait.

– … (Ah non ! Il avait lu dans mes pensées. Il n'avait pas le droit !)

– C'est pourtant ce que tu fais toi-même à ton entourage, et ce, depuis des années, continua-t-il.

– Arrêtez d'écouter ce que je pense ! m'écriai-je.

– Je n'ai même pas besoin d'écouter tellement je t'entends. Tu penses aussi fort que si tu hurlais à la ronde. C'est à toi de garder tes réflexions pour toi.

Je n'avais jamais réfléchi à ça. Est-ce que, comme les autres, je laissais mes pensées flotter tout autour de moi ? Je m'étais toujours protégée de celles qui me parasitaient, mais je n'avais jamais cherché à retenir ce qui me passait par la tête. Est-ce que j'étais aussi bruyante que Dimitri ?

– Hélas, oui. Si vous croyez être la seule à avoir des migraines, imaginez un peu ce que j'entends sur mon compte à longueur de journée… « Monsieur B. nuit gravement à la santé »… C'est ça, non ?

– Ouais, excusez-moi, répondis-je un peu honteuse. Mince alors, je devais être un véritable haut-parleur !

– Bien. Il est temps de nous mettre en route. Léon, veux-tu, je te prie, accompagner Mélusine à la voiture. Je vous y rejoins tout de suite.

Un jeune homme se leva au coin de la pièce. Je ne

l'avais même pas vu ! Il était pourtant tellement grand qu'il paraissait impossible de le rater. Vêtu d'un costume noir digne d'un croque-mort, le dénommé Léon me tendit la main sans un sourire.

– Viens avec moi, petite fille.

Le voyage fut long.

Enfin, je crois.

Il faut dire que la voiture conduite sans heurt par Léon était équipée d'un lecteur 3D-holo, une console dernier cri et un mini-frigo rempli de sodas. Le vieil homme m'accompagnait. Les yeux fermés, il était enfoncé dans son siège, des écouteurs dans ses oreilles diffusaient de la musique classique. Personne ne parlait, j'éclatais tous les méchants dans le jeu vidéo qui défilait sur le petit moniteur intégré dans mon accoudoir et je me goinfrais de gâteaux. Mon personnage venait d'être killé par un boss de feu quand une pensée affreuse émergea de mon cerveau et s'imposa à moi.

Mes parents ?!

Léon lâcha son volant d'une main et consulta sa montre.

– Presque trois heures.

– Quoi ? demandai-je.

– C'est encourageant, accorda le vieil homme.

– Mais de quoi ? répétai-je

– Ce sera une bonne recrue, ajouta Léon.

– En effet, convint le vieux.

– Mais qu'est-ce que vous racontez ? Où sont mes parents ? Et on va où ? Et pourquoi vous ne répondez pas ?!

– *Je pense qu'une jeune fille comme toi devrait être au lit depuis longtemps.*

Avant que je songe à protester, à les traiter de kidnappeurs ou, même pire, d'enleveurs d'enfants, une irrépressible envie de dormir m'envahit, plus forte que tout. Je laissai ma tête retomber sur le dossier du siège et m'enfonçai rapidement dans les limbes brumeux d'un sommeil sans rêves.

Chapitre 2
Ton passé n'est plus que cendres

– Ouvre les yeux, Mélusine.

Ça faisait déjà quelques secondes que j'étais réveillée, mais je n'osais pas écarter les paupières. Je sentais de nombreuses personnes m'entourer, guettant chacune le moindre de mes mouvements. J'avais bien dit que je finirais comme une bête de cirque. Ça n'avait pas manqué, voilà.

Ouvre les yeux, Mélusine !

C'était la voix du vieil homme de l'infirmerie ! Celui qui savait parler dans la tête et lire dans les pensées. D'étonnement plus que de peur, j'obéis.

En face de moi, une jeune femme blonde me souriait sans arrière-pensées. Le vieux aux cheveux plus blancs que blancs se tenait juste derrière elle. Ses yeux verts souriaient comme s'ils avaient eu une vie indépendante du reste de son visage. Père, il s'appelait Père. Un peu en retrait, droit comme un piquet, se dressait un type vêtu d'un costard noir élégant qui contrastait avec ses cheveux châtains en bataille. Le plus étonnant, c'était cette cicatrice hallucinante qui lui barrait la joue. À ses côtés, un autre costard porté par Léon, le chauffeur de la voiture et encore à côté une fille rousse, toujours en costume noir et pas beaucoup plus vieille que moi à première vue. Et puis, au dernier plan, d'autres costards, tous coupés dans le même patron, col Mao, cintré pour les filles. Très classe même si ça donnait l'impression de se retrouver chez les yakusas*.

– Bonjour Mélusine. Ta vie commence à présent, ton passé n'est plus que cendres et tu détiens les clés de ton avenir. Soit la bienvenue parmi nous.

Père, le vieil homme, venait de prononcer ces paroles énigmatiques. J'avoue que je ne compris pas tout. En tout cas, lui eut l'air satisfait puisqu'il sortit de la pièce sans m'accorder un regard supplémentaire. Il fut d'ailleurs suivi de près par le reste de l'assistance. Toute l'assistance ? Non. Il restait juste une personne : la fille rousse. La porte se referma une dernière fois, nous laissant seules dans un face-à-face désagréable. On aurait pu entendre une mouche voler.

L'inconnue se tortilla, sembla ne pas savoir par où commencer et tenta un « Salut ! » peu convaincant auquel je fis l'effort de répondre, sans grande conviction. Je ne comprenais vraiment pas ce qu'elle me voulait.

La fille paraissait aussi mal à l'aise que moi car elle ne dit pas un mot de plus et finit par aller se réfugier sur l'autre lit, collé contre le mur opposé. Elle avait des cheveux rouge-orangé réunis dans deux couettes qui lui donnaient un petit côté enfantin, une impression qui était renforcée par la constellation de taches de rousseur qui parsemait ses pommettes et son nez. Elle semblait terriblement nerveuse et passa plusieurs minutes à se ronger un petit bout d'ongle et à vérifier ses cuticules. Puis elle prit une grande inspiration et se lança.

– Je m'appelle Elsa. Je suis ta tutrice*. Ça veut dire que je ne te quitte pas : je mange avec toi, je dors avec toi, enfin… dans la même chambre que toi et je t'explique tout sur tout. Où, qui, quand, comment, pourquoi, etc. La femme qui était au bord de ton lit tout à l'heure est la responsable du Foyer. Elle s'appelle Mary et c'est une sorte de nurse. Tu as mal quelque part, tu lui dis à elle. Tu as des questions sur tout le reste, tu t'adresses à moi. Pigé ?

Je m'abstins de répondre, me contentant d'opiner de la tête. Je ne saisissais absolument rien à son histoire de tutrice et de Foyer. Les questions se bousculèrent dans ma tête à une vitesse alarmante au fur et à mesure qu'elle continuait ses explications.

– Ah oui... j'oubliais. Je suis comme toi. Je ne sais pas si tu lui as donné un nom. Souvent, les Potentiels appellent ça un pouvoir. Mais ce n'est pas de la magie, c'est de la télépathie. Tu es une Penseuse*, tu peux entendre les pensées des autres et tu peux aussi leur parler comme ça. *C'est pas difficile, c'est comme parler sans bouger les lèvres et sans faire de son. Moi je dis que ça vient de la tête, du cerveau quoi. Y en a d'autres qui disent que ça leur vient du ventre. C'est bizarre. Mais bon, chacun son tr...*

– Arrête !!! hurlai-je avec effroi alors même que sa voix retentissait à l'intérieur de mon crâne, repoussant mes propres pensées pour y faire sa place.

– Quoi ?

– Arrête ! Arrête de faire ça ! Arrête d'entrer dans ma tête !

– *Je n'entre pas dans ta...* Oups, pardon ! Je n'entre pas dans ta tête, qu'est-ce que tu racontes ?

– Je ne veux pas que tu parles dans ma tête, je ne veux pas être une Penseuse, je veux rentrer à la maison. Chez moi ! Avec mes parents, avec Camille, avec Julia !

– Ouais, eh bien, commence par te calmer et puis arrête de penser n'importe quoi. Je ne savais pas qu'une fille de ton âge pouvait connaître autant de gros mots.

– Tu as recommencé ! Tu as lu dans ma tête !

– Je n'ai rien recommencé du tout ! C'est toi qui penses aussi fort qu'un groupe de hard rock. Je préférerais ne pas entendre les horreurs que tu penses sur moi. Et non, Père n'est pas cinglé ! Et je ne suis pas habillée en yakusa, c'est mon uniforme ! Merci pour les compliments ! Tu ferais mieux de réfléchir au lieu de penser des trucs aussi débiles.

– Je... Je... Toi-même !

Je balançai les draps et me précipitai hors de mon lit avec l'intention de fuir le plus loin possible. Mais à peine mes pieds eurent-ils touché le sol que mes jambes refusèrent de supporter mon poids. Je m'écroulai comme une masse sur le carrelage froid avec la désagréable sensation que mon corps entier s'était ligué contre moi pour m'empêcher de quitter cet enfer. Je ne pus retenir plus longtemps les larmes qui menaçaient depuis mon réveil et repoussai avec obstination la cinglée rousse qui s'était approchée pour m'aider. Qu'est-ce que j'avais fait pour me retrouver là, paralysée sur le sol glacé d'une chambre inconnue à regarder mes larmes s'écraser sur mes cuisses inertes ?

C'est ça, reste par terre, puisque tu ne veux pas que je t'aide.

Elsa n'arrangeait rien en m'envoyant des phrases-pensées qui ne cessaient de me mettre chaque fois plus en colère contre elle. Qui était-elle pour s'arroger le droit d'être l'autorité ici ? Étaient-ce mes parents qui lui avaient donné l'autorisation ? Et où étaient-ils d'ailleurs mes parents ?

J'avais beau essayer de me relever, rien n'y faisait. La pesanteur était plus forte. Elsa essayait à présent de m'amadouer en expliquant que nous allions finir par devenir copines et que ce n'était vraiment pas la peine de pleurer pour ça. Je lui renvoyais chaque fois en pensée une image d'elle cornue et entourée de flammes. Elle devait comprendre que je ne m'acoquinais pas avec des gardiens de prison.

Soudain, un homme entra en coup de vent. C'était le balafré si étrange de tout à l'heure. Son regard marron passa de moi, toujours écroulée au sol, à Elsa qui râlait les bras croisés.

– On vous entend depuis l'autre bout du couloir ! nous fit-il remarquer sèchement.

Il se tourna vers moi alors que je m'efforçais d'arrêter de pleurer.

– Je vais t'aider à retrouver l'usage de tes jambes. Seulement, en échange, tu dois y mettre un peu du tien. Arrête de pleurnicher et fais-nous confiance. OK ?

J'acquiesçai timidement et séchai mes dernières larmes du dos de la main. Le balafré s'arrêta à quelques mètres de moi, écarta légèrement les jambes et se planta au sol comme un samouraï. Puis il prit une grande inspiration, ferma à demi les yeux et se concentra. Sa main droite se leva imperceptiblement et, à l'instant même, je sentis mon corps devenir plus léger, plus aérien. En baissant les yeux vers le sol, je constatai, ahurie, que je ne touchais plus terre. J'étais « portée » par le balafré.

Alors que j'étais béate d'étonnement, l'homme m'ordonna de ne pas faire de geste brusque et de me mettre en position de marche. J'allongeai doucement les jambes et sentis mes pieds toucher le carrelage. D'abord les pointes, puis les talons.

– Essaie de marcher maintenant.

Je pliai et dépliai les jambes, marchant avec la sensation irréelle de ne rien peser. On aurait dit Camille dans son youpala. La seule évocation de ma sœur suffit à me faire monter les larmes aux yeux et j'aurais certainement craqué sans l'intervention d'Elsa qui me prouva une fois de plus qu'elle lisait sans gêne dans mes pensées.

– Franky, c'est quoi un youpala ?

Après dix minutes de rééducation où le poids de mon corps me fut rendu petit à petit, je pus sans encombre déambuler à travers la pièce, enfin maîtresse de mes jambes. Franky, puisque c'était le nom du balafré, me complimenta puis quitta la pièce sur un « À demain ».

Elsa resta muette. Elle était assise sur son lit et boudait depuis que Franky lui avait demandé de se taire.

Histoire de la laisser faire la tête un peu plus longtemps, j'allai ouvrir l'armoire qui trônait de mon côté de la pièce. Elle contenait des vêtements inconnus qui, bizarrement, étaient parfaitement à ma taille et à mon goût. J'en profitai pour quitter mon pyjama, passer un jean, un tee-shirt fleuri et un gros pull à col roulé tout doux. Enfin prête (pour aller où ?), je m'assis sur mon lit et considérai Elsa installée en face. C'était la seule personne que je connaissais ici et je ne pouvais me permettre d'être fâchée avec elle. Je tentai une approche en douceur.

– Je m'excuse de t'avoir traitée de grosse vache rousse.

Elsa leva la tête.

Ce n'est pas comme ça que je veux entendre tes excuses.

Je frissonnai au contact de ces pensées étrangères mais me raisonnai. Elle acceptait la réconciliation, à moi de faire un effort. Je me concentrai et, sans savoir vraiment comment faire, pensai à son intention.

JE M'EXCUSE DE T'AVOIR…

C'est bon ! C'est bon !… C'est pas la peine de hurler ! Tu veux me faire cramer les synapses, ou quoi ?

– Excuse-moi, je… je ne voulais pas…

– C'est pas grave, je plaisante. Je m'en remettrai.

DING-DONG

À peine la sonnerie eut-elle retenti qu'Elsa sauta prestement sur ses pieds.

– C'est la cloche du repas ! Juste à temps, je commençais à mourir de faim. Suis-moi !

Nous sortîmes dans le couloir, dévalâmes deux étages et parvînmes dans une grande salle à manger qui jouxtait un petit hall. Ça sentait bon le poulet et, malgré ma tristesse, mes papilles me titillèrent.

Peu après, le plateau chargé de victuailles, Elsa me guida vers une table où six personnes étaient déjà en plein repas. Nous nous installâmes face à face, et ma tutrice me présenta.

– Mélu, je peux t'appeler Mélu, hein ? Ça te dérange pas ? Mélu voici Vassili et Amédéo.

Deux garçons d'une douzaine d'années acquiescèrent en lançant un *Salut* !

– Amédéo est un petit nouveau aussi, il est arrivé il y a… trois mois, c'est ça ?

Oui, c'est ça.

– Et Vassili est son tuteur. Après il y a Lizzie et Anna. La première est la tutrice de la deuxième. Ça va, Anna ?

Très bien. Aujourd'hui on est allés faire des exercices derrière la grande serre. C'était géant ! On a même vu les rapaces. Tu aimes les faucons, Mélusine ?

– Je sais pas. J'en ai jamais vu.

Je n'étais pas à l'aise. Toutes ces voix dans ma tête, ça me donnait mal au cœur. Et Anna qui continuait à blablater sur son après-midi… *blablabla*… sur son entraînement… *blablabla*… sans faire vraiment attention au fait que je blanchissais à vue d'œil.

Anna, arrête de l'embêter. Lizzie s'était penchée vers moi comprenant sûrement mon malaise.

– Tu préfères qu'on parle à voix haute, Mélusine ?

Je hochai vigoureusement la tête. Tout le monde saisit le message et le silence qui occupait la table s'allégea aussitôt, chacun continuant sa discussion en parlant. L'ambiance à la table redevint celle de toute cantine scolaire et le malaise qui m'étreignait disparut petit à petit.

– Je suis bête, j'aurais dû y penser, râla Elsa.

– C'est peut-être son premier jour mais c'est aussi le tien en tant que tutrice, rappela Lizzie.

– Ouais… Et c'est pas gagné pour l'instant.

– Donnez-vous du temps. Ça ira déjà mieux demain. Bon, tu les termines ces présentations ou je m'en occupe ?

Lizzie se tourna vers moi alors que je triturais le contenu de mon assiette. Je n'avais jamais vu des haricots verts de cette couleur et de cette consistance. Et la chair du poulet me semblait étonnamment ferme. Suspect ! s'emballait mon cerveau. Nourris-moi ! protestait mon estomac.

– Ce sont des légumes frais, Mélusine. Ici, tout ce qu'on mange vient du Jardin. Je suppose qu'Elsa te fera bientôt faire le tour de l'île. Tu verras donc ce que c'est qu'un vrai jardin où poussent de vraies plantes dans de la terre naturelle. Jamais tu ne mangeras de produits déshydratés ou lyophilisés. Le lait, les œufs, la viande viennent des animaux élevés sur l'île. Nous sommes donc capables de vivre en autonomie totale. Bon… puisque ta tutrice démissionne pour l'instant, je continue le tour de table. Donc, je te présente Akira et le petit à côté de toi c'est Léo, son élève.

– Salut Mélu !

– Léo fait son bonhomme, mais, il y a six mois, il n'en menait pas large, comme toi aujourd'hui. Et malgré ce que tu penses, Elsa est une chouette fille qui a plein de trucs à t'apprendre. Tu verras.

– Merci Akira, rougit Elsa.

Elsa est en train de passer de taches de rousseur à taches de rougeur, me glissa Léo. Je ne pus retenir un éclat de rire.

– Quoi ! Qu'est-ce qu'il y a ?

Suspicieuse, Elsa me dévisagea alors que j'essayais de ne pas m'étouffer de rire avec un haricot. Le garçon avait la peau café au lait et une coupe hallucinante à la Jackson Five. Il m'envoya un clin d'œil espiègle tout en répondant d'un ton innocent à ma tutrice.

– Rien. Elle apprend.

*
* *

Au fil des minutes, je repris du poil de la bête. J'avais bien des centaines de questions qui se bousculaient mais je préférai les mettre de côté pour l'instant. J'avais l'impression d'être dans une colonie de vacances. Mis à part les gens de la cuisine, on dénombrait une trentaine d'ados de 10 à 16 ans. En observant les tables voisines, on constatait le même comportement qui m'avait tant troublée chez les amis d'Elsa : les enfants *parlaient* entre eux comme s'il n'y avait rien de plus naturel. C'était un peu comme avoir l'image sans le son. Les lèvres ne bougeaient pas et pourtant on voyait au langage du corps que les discussions allaient bon train.

Ils sont tous comme moi, compris-je enfin.

– Non pas tous, intervint Léo qui avait entendu mes pensées. Regarde là-bas.

Je suivis des yeux la direction qu'il m'indiquait et repérai aussitôt un groupe de six personnes qui parlaient à voix haute sans se soucier du bruit qu'elles faisaient. Pourtant, ce n'était pas leur discussion qui était le plus étonnant, mais plutôt les bouteilles, poivrières et autres plats qui volaient au-dessus de la table, comme suspendus à des fils invisibles.

– Ce sont des Voleurs*, expliqua Léo. Pas des voleurs qui volent des trucs, non, non. Des Voleurs qui font voler des objets, des gens ou des machins dans le même genre.

J'arrivai aussitôt à la conclusion qu'ils étaient comme Franky.

– Ah ouais ? Tu as rencontré Franky ? T'as de la chance parce qu'il ne se montre pas beaucoup celui-là. Toujours en mission... *Quel genre de mission ?* Ça, c'est une info top-secrète. Arrête de froncer les sourcils chaque fois que je lis dans ta tête. Tu n'as qu'à pas penser à voix haute.

– Plus facile à dire qu'à faire.

– Ça viendra. C'est un des premiers trucs qu'on apprend. Il vaut mieux parce que sinon tu imagines la volière ici ?

À ces mots, je compris pourquoi cet endroit me paraissait si silencieux. Je n'*entendais* pas les autres. Aucune pensée ne s'échappait des enfants attablés. Ils contrôlaient leur monologue intérieur et ne parlaient que quand ils le désiraient. Je me tournai vers les Voleurs mais, là non plus, il n'y avait pas de sons parasites. Enfin... presque pas. Si trois des Voleurs semblaient absolument muets, les trois autres laissaient encore papillonner des réflexions et des sentiments autour d'eux.

– Ce sont des débutants, il faut leur laisser le temps de comprendre le processus, précisa Léo. C'est plus difficile pour les Voleurs parce qu'ils n'ont aucun repère. Ils ne savent pas ce que ça fait d'*entendre*. Les pauvres... Ça doit être terriblement bizarre de ne pas savoir ce que l'autre pense, d'être tout seul dans sa tête. On doit se sentir perdu, isolé. J'ai souvent essayé de m'imaginer ce que je serais devenu si je n'avais pas été un Penseur. J'ai 10 ans, alors il semble que je serais encore à l'école, à faire des dictées et du calcul. Vu mon niveau en maths, j'aurais sûrement déjà redoublé. Ça serait vraiment craignos... Mais à la place du cauchemar, vive moi ! Je suis Penseur, enfin seulement élève pour l'instant, à la moins connue de toutes les écoles : l'Université invisible !

– Mais attends ! Tes parents... tu devais bien en avoir des parents ! Où est-ce qu'ils sont ? Tu les vois encore ? Et mes parents à moi, je vais les revoir ? Est-ce qu...

– MÉLUSINE !

Le cri d'Elsa coupa court à mon interrogatoire.

Je m'étonnai du silence soudain. Léo était devenu muet et une étrange lueur brillait dans ses yeux. Je levai la tête : tous les enfants me dévisageaient avec insistance. Non seulement ceux de ma table mais aussi ceux de toute la cantine.

Les mangeurs s'étaient arrêtés de manger, les Penseurs de *parler*, les Voleurs de faire voler. Tous me regardaient comme si je venais de perturber l'équilibre précieux qui régnait ici.

Une pensée s'engouffra brutalement dans mon crâne, gluante et terrifiante.

Des parents ? Mais tu n'as plus de parents.

Puis d'autres voix parasites suivirent le même chemin et envahirent sauvagement le siège de mes pensées.

Comment étaient tes parents ?...

Des parents ? qu'est-ce que c'est ?...

Papa ?...

Mes parents n'existent plus...

Maman ?...

Pourquoi ?...

Je ne connais que Père et Mère...

Je ne savais pas de qui venaient ces voix. Je savais seulement que c'étaient des mots qui faisaient mal. Des mots de tristesse et de poussière. Des mots qu'on utilisait pour parler des morts.

Mais non, répondis-je à ces voix, *mes parents ne sont pas morts. Ils sont ma vie. Ils ne peuvent pas mourir.*

Elsa m'attrapa brusquement par la manche et m'entraîna fermement hors de la cantine débitant des paroles incompréhensibles.

– Arrête de leur parler ! Tu dois les empêcher de t'écouter sinon le Vagalam* envahira les Penseurs. Il n'y a rien de plus dangereux que le Vagalam. C'est une maladie de l'esprit, un cercle vicieux de la pensée. Quelle crétine je fais ! Je me suis laissée surprendre. Je ne t'ai pas surveillée et tu t'es mise à discuter avec Léo, ce petit imbécile. J'aurais jamais dû te quitter d'une seule pensée. « Toujours garder un œil et une *oreille* sur elle » c'est ce que n'a cessé de répéter le Commandeur Vasco. Et voilà que ce morveux de Léo te ramène en tête la seule chose qui n'y a pas sa place : ton passé. Je vais encore me récolter un avertissement, c'est certain. Ça ne fera que le troisième du semestre.

M'agrippant toujours comme si je n'étais qu'un vulgaire paquet de linge, Elsa regagna à grands pas notre chambre où elle me jeta violemment sur mon lit.

– Il faut que je me calme, répéta-t-elle en prenant de profondes inspirations alors même que son visage virait seconde après seconde au rouge vif annonçant une explosion imminente. Espèce de petite idiote ! Tu pouvais pas la fermer ! Mais enfin, qu'est-ce que tu t'imagines ? Que tu vas retrouver tes parents ? Qu'ils sont à ta recherche ? Tu te plantes complètement !

Elle se mit à arpenter de long en large l'espace entre les deux lits en crachant son venin. Je restai figée sur mon matelas attendant la suite, m'imaginant que, dans sa colère, Elsa allait peut-être livrer réponse à certaines de mes questions.

– Tu veux savoir la vérité, hein ? Tu veux vraiment la connaître ? Écoute-moi bien, ma petite. Tu ne vas pas être déçue. Tes parents t'ont oubliée. Même mieux, ils sont persuadés de n'avoir jamais eu qu'une enfant unique, Camille. Eh oui ! Ta jolie sœurette est devenue leur enfant chérie ! Oh non ! tu penses que Julia viendra te sauver ? Tu n'as rien compris. Julia ne sait même pas qui tu es. Elle ne t'a jamais eue comme amie. Tu ne comprends toujours pas ? Tu n'existes plus ! Pour personne ! Tu n'as plus de famille, plus d'amis, plus de passé. Là d'où tu viens, tu n'es plus rien. Tu n'as jamais existé ! Tu n'es pers...

– *TU MENS !* hurlai-je de toute mon âme.

Mon cri parut frapper Elsa au visage car elle bascula en arrière et s'effondra au sol comme une masse, les yeux révulsés. Ce qu'elle avait dit était tellement méchant, tellement injuste que ça ne pouvait être que faux. L'horreur, la peur et la souffrance de ces dernières heures étaient soudain devenues trop dures à supporter et je venais de m'en débarrasser brutalement sous la forme d'un projectile mental qui avait explosé dans la tête d'Elsa.

Je ne pouvais pas dire que j'étais fière de moi en voyant celle qui se disait ma tutrice étalée par terre et agitée par des spasmes qui ressemblaient fort à une crise d'épilepsie. Mais j'étais incapable de l'aider, la colère et la tristesse me rongeaient de l'intérieur et me secouaient de sanglots, noyant tout contact avec la réalité. Je me recroquevillai sur mon lit, tentant de me faire la plus insignifiante possible. Je n'avais aucune place dans ce monde de mensonge qui singeait une vie d'internat peuplée d'intrus aux uniformes morbides.

Sans que je sache réellement depuis combien de temps j'étais prostrée sur mon lit, je pris conscience de la présence de trois personnes dans la pièce. Parmi elles, je reconnus la femme de mon réveil, Mary, ainsi que Lizzie et Akira, rencontrés à la cantine. La première se précipita vers moi et me souleva dans ses bras avec une tendresse qui me surprit tandis que les deux autres se penchaient vers le corps sans connaissance d'Elsa.

Je me sentais totalement épuisée, comme si toutes mes forces m'avaient abandonnée si bien que la femme put me garder dans les bras sans que j'esquisse le moindre mouvement. Quel intérêt de toute façon ? Où aurais-je bien pu aller si personne ne se souvenait plus de moi ?

Me portant sans effort apparent, Mary quitta la chaleur lumineuse de la chambre puis sortit du bâtiment qu'était le Foyer et pressa le pas vers l'ombre massive qui se profilait entre les arbres. Semblant à peine gênée par le froid vif de ce mois de novembre, elle se détourna de l'allée pavée qu'elle suivait jusqu'alors pour s'engager d'un pas assuré sur un chemin caillouteux rendu presque invisible par les ténèbres environnantes. Parvenue devant un nouveau bâtiment, elle ne ralentit pas l'allure et entra par une porte vitrée qui s'ouvrit puis se referma silencieusement sur notre passage. À l'intérieur, une chaude obscurité nous accueillit, bientôt repoussée par la lueur des lampadaires qui s'allumèrent au fur et à mesure que Mary les doublait. La nurse s'arrêta enfin devant un banc et m'y déposa. Elle prit place à mes côtés et, d'un geste sûr, alluma à distance le reste des éclairages.

Quelques oiseaux réveillés par ces soleils artificiels traversèrent à tire-d'aile l'immense serre où nous avions trouvé refuge, Mary et moi. De grands arbres dressaient leurs branches au-dessus du banc. L'air était saturé d'humidité et, au loin, le bruissement aquatique d'une fontaine rythmait discrètement le silence. La nature dormait.

Malgré la chaleur tropicale, j'étais parcourue de frissons ; ce gigantesque paysage me paraissait terriblement irréel après ce qui venait de se passer. Semblant comprendre ce qui m'angoissait, Mary passa affectueusement un bras autour de mes épaules. Sa voix était grave et paisible.

– Mélusine, écoute-moi. Ce que t'a dit Elsa était cruel mais ce que tu lui as fait subir était très, très dangereux. Tu as meurtri non seulement sa chair mais aussi son esprit. Elle ne s'attendait pas à ce que tu l'agresses et je crois que toi non plus. Mais le fait est que c'est arrivé et que ça aurait pu être vraiment grave.

– Mais… elle ne va pas mourir ? demandai-je d'un souffle de voix.

– Non, elle ne va pas mourir. Mais elle va souffrir du contrecoup de ton attaque pendant plusieurs jours.

Mary soupira profondément comme si le plus dur restait encore à dire. Un oiseau insomniaque vint se percher non loin de nous. Une tache jaune dans la verdure qui semblait bien décidée à réveiller toute la serre de ses gazouillis. En voilà un qui n'était pas encombré par les soucis. Mary reprit lentement.

– Tu sais Mélusine, ce qu'Elsa t'a dit est la vérité. C'est l'épreuve la plus difficile quand on entre à l'Université. Il va falloir que tu fasses le deuil de tes parents. Ils sont encore en vie, mais ton souvenir a disparu de leur mémoire. Ils ne te connaissent plus, ils ne te reconnaîtraient même pas si tu les croisais dans la rue. Ils n'existent plus que dans ton souvenir. Ta maison, ta famille, tes amis font partie de ton passé.

Le petit oiseau jaune avait quitté son perchoir et sautillait à présent autour du banc sur lequel nous étions installées. Je refrénai mes larmes, me focalisant sur le volatile pour ne pas laisser les mots de Mary me percuter de plein fouet.

– Comprends-moi bien, Mélusine. Ton présent et ton seul avenir sont parmi nous, ici, à l'Université invisible. Je sais que tu n'as rien choisi, qu'on ne t'a rien demandé. On ne t'a pas laissé le choix. Mais tu n'es pas en prison. Tu pourras un jour décider si tu veux retourner dans ton ancien monde ou si tu veux intégrer pleinement nos rangs. En attendant, tu vas apprendre à développer ton potentiel. Tu vas découvrir ce que ça veut vraiment dire, être un Penseur.

Le moineau s'était encore approché. Il semblait très intéressé par mes chaussures et se risquait à en picorer les semelles.

– Il faut que tu saches qu'on est tous passés par là. Moi aussi j'ai dû vivre sans la présence de mes parents. Quand, au soir de mon Intégration, je me suis réveillée à l'Université, j'étais en colère contre la Terre entière. Je ne voulais écouter aucune explication. Je balançais tous les objets qui étaient à ma portée sur ma tutrice. Heureusement qu'elle était une bonne Voleuse, parce que, à la fin de notre dispute, la chambre ressemblait à un champ de bataille. Il y avait des stylos plantés dans le mur comme des fléchettes et tout ce qui pouvait être cassé gisait en mille morceaux sur le sol. Seule ma tutrice était encore debout. Elle avait la tête de quelqu'un qui vient d'échapper à une tornade. Après ça, tout le monde m'appelait Mary la tornade* !

Mary laissa échapper un petit rire cristallin auquel je répondis par un gloussement. Dérangé dans son auscultation des lacets, l'oiseau s'envola en protestant bruyamment.

– Bientôt tu seras aussi à l'aise ici que ce passereau, je te le promets. En attendant, tout ce que je peux te conseiller c'est de ne pas oublier. Souviens-toi de ton passé, de ton amour pour tes parents, de ton amitié pour Julia. Garde-les en mémoire comme les marques de ta vie d'avant. Écris tes souvenirs si cela peut t'aider. Ils seront précieux dans quelques années.

L'oiseau jaune était revenu. Caché dans un arbuste face au banc, il exprimait à présent son désaccord par des trilles effrontés.

– Bien... il est très tard. Nous devrions rentrer. Veille à ne pas faire de bruit en réintégrant ta chambre. Elsa dort.

– Mais je croyais qu...

– Que je n'étais que Voleuse ? C'est le cas. Ce qui ne m'empêche pas de recevoir des messages de Penseurs. Lizzie m'a *contactée* pour me prévenir. Allons-y maintenant.

Mary se leva et se tourna vers moi. Je restai obstinément assise sur le banc, les yeux rivés à mes chaussures. Je détestais les conflits qui avaient le don de me mettre mal à l'aise. Rien ne comptait plus que de désamorcer rapidement la situation pour se coucher l'esprit apaisé.

– Je m'excuse.

Mary ne put s'empêcher de sourire en attrapant ma main pour me guider dans l'allée sablonneuse.

– Oh mais ma chère enfant, ce n'est pas à moi que tu dois dire ça, c'est à Elsa. Et ne t'inquiète pas. C'est aussi un peu sa faute. Elle n'aurait jamais dû baisser sa garde, même devant une débutante comme toi. Tu lui as donné une sacrée leçon.

Avant de sortir, Mary se retourna vers le moineau qui

nous avait suivies de branche en branche. Elle fouilla dans sa poche et finit par tirer un morceau de pain tout écrasé.

– Donne-moi tes mains, ordonna-t-elle.

Elle effrita le bout de pain au creux de mes mains tendues et émit un court sifflement entre ses dents. Aussitôt, l'oiseau vint se poser sur mes doigts. Mes lèvres se fendirent d'un sourire émerveillé.

– Il n'attendait que ça depuis tout à l'heure, expliqua Mary. C'est Pan, un passereau orphelin que j'ai recueilli. Depuis, il me prend pour sa mère et il râle comme un gosse quand je ne lui donne rien. C'est un enfant gâté, voilà tout!

Tandis que Mary s'amusait à disputer Pan, je ne pus m'empêcher de contempler la beauté de l'oiseau qui picorait entre mes doigts. C'était la première fois que j'en voyais un d'aussi près. Ça semblait à la fois si fragile et si déterminé.

L'oiseau, qui ne se rendait pas compte de la fascination qu'il exerçait sur ma personne (après tout, ce n'était qu'un oiseau), s'empiffra aussi vite que possible des miettes qu'il trouva. Il ne resta bientôt plus que des tout petits bouts qu'il picora tant bien que mal. Mais je fus surprise par le bec du volatile.

– Aïe, il me mange les doigts!

J'ouvris vivement les mains et laissai s'envoler Pan.

– Les oiseaux ne mangent pas les petites filles, plaisanta Mary.

Quelques instants plus tard, nous nous séparâmes dans le hall du Foyer et regagnâmes toutes deux notre chambre respective. Le bâtiment était plongé dans le silence. Seul le ronron des robots de ménage peuplait les couloirs.

Quand je poussai la porte, je perçus la respiration calme d'Elsa et constatai qu'elle dormait d'un profond sommeil.

Sans le moindre bruit, j'enfilai un pyjama et me glissai dans les draps glacés du lit. Bien que fatiguée, je n'avais pas envie de dormir. Trop de choses se bousculaient en moi : des souvenirs passés, des bribes d'aujourd'hui et une terrible appréhension de l'avenir.

Je regardai tristement la veilleuse dont la lumière pleuvait sur une pile de cahiers entassés sur le grand bureau qui trônait devant les fenêtres. Une idée germa dans ma tête. Je me levai à pas feutrés et m'emparai d'un stylo ainsi que d'un cahier aux pages encore vierges, puis je regagnai le lit tiède et remontai la couette jusqu'à mon menton. Bien installée, je tournai la couverture et posai la pointe de mon stylo en haut de la première page.

Soigneusement je me mis à écrire :

Je ne me souviens pas d'une première fois.

Lire dans les pensées m'a toujours semblé naturel. Ça faisait partie de moi…

*
*   *

La journée du lendemain fut consacrée à la découverte de l'île. Elsa avait le visage crispé par une migraine mais consentit tout de même à remplir son rôle de tutrice. J'avais essayé de m'excuser dès le petit déjeuner à propos des événements de la veille mais elle avait balayé la discussion d'un revers de la main en expliquant que tout était sa faute et que ce genre de dispute ne se reproduirait plus.

Alors que nous sortions du Foyer, Elsa commença à m'expliquer rapidement les origines de l'Université invisible en précisant que j'aurai de toute façon un cours consacré à ce sujet. Elle raconta d'un ton pressé qu'à l'époque où l'île avait été découverte, il n'y subsistait que les ruines d'une medersa* et de ses dépendances. C'était pourtant ce lieu que le Fondateur et Père avaient choisi. Retirée, à des centaines de milles de toute côte, personne ne risquait de connaître son existence, d'où le terme « invisible ». La construction de l'Université demanda plusieurs années aussi les admissions démarrèrent-elles doucement. Les six premiers élèves furent ainsi les professeurs des générations suivantes : Artémus dit Père, Galilée, Nicholas, Indira, Tirso et Akbar. Leur but était totalement altruiste, ils souhaitaient accueillir les enfants doués et leur apporter ce dont ils n'avaient jamais bénéficié eux-mêmes : un cadre serein et des professeurs compétents pour apprendre à maîtriser leurs pouvoirs.

L'île était agencée en plusieurs groupes de bâtiments noyés au milieu des eucalyptus. Les plus anciens, au sommet et au centre de l'île, étaient d'une époque reculée et rappelaient l'architecture marocaine traditionnelle, toute en zelliges, bois taillé et tuiles vertes. La Medersa, la surnomma Elsa, accueillait l'administration et constituait le lieu de vie des étudiants les plus âgés. Disséminés autour, des édifices plus récents, hauts d'un seul étage, composaient l'essentiel des bâtiments dédiés aux élèves : la Médina. Murs ocre, escaliers en bois, pas de salles de cours mais des salons de travail confortables composés de fauteuils et tables basses. Tout avait été pensé pour rendre les lieux douillets et je comprenais qu'on puisse s'y sentir chez soi.

Et partout sur l'île, des petites fontaines marquaient le centre de placettes où il faisait bon prendre son temps et où chacun paraissait s'arrêter avec plaisir pour discuter.

Deux structures plus modernes dénotaient dans cette ambiance méditerranéenne et avaient été complètement dissimulées au sein d'une épaisse végétation dans des petits encaissements naturels de l'île. Il s'agissait en premier lieu de la bibliothèque, m'apprit Elsa, assemblée en panneaux de mercure vitrifié qui lui garantissaient une solidité sans faille. À l'intérieur, l'Université avait amassé un véritable trésor de papier : des livres datant parfois de cinq siècles, des romans, des dictionnaires, des encyclopédies, tout ce que l'homme avait pu coucher par écrit avant que l'électronique vienne compresser ces données… et parfois même les modifier. Afin que le papier ou l'encre ne pourrisse ni ne parte en miettes, la bibliothèque était climatisée jour et nuit par un système d'air pulsé humidifié au milligramme près. Quand j'y pensais… les seuls livres que j'avais jamais vus à la maison appartenaient à papa et maman. Moi, quand j'avais besoin d'un livre je le téléchargeais sur mon ordinateur, c'était simple et rapide. Les livres, les vrais, de la maison sentaient toujours la poussière à force d'être figés sur leur étagère. Seule maman les feuilletait parfois avec amour, les reniflant comme s'ils étaient porteurs de fragrances inconnues. Sur mon écran, les livres n'avaient pas d'odeur, pas de texture, juste des mots.

Elsa comprit à mon air interloqué que mon expérience avec les vrais livres était limitée et elle poussa la visite jusqu'à m'emmener à l'intérieur de l'édifice. L'odeur me sauta immédiatement au nez et une image de ma mère au milieu de sa bibliothèque surgit dans ma mémoire. Elsa se retourna immédiatement vers moi le doigt levé. L'avertissement était manifeste et je me forçai à réprimer le souvenir maternel. Nous pénétrâmes dans un univers de lumière tamisée et de discussions *silencieuses*. C'était finalement un sacré avantage de Penseur que de pouvoir discuter sans émettre le moindre son. Les rayonnages montaient haut et des petits escaliers en bois sur roulettes permettaient d'accéder aux ouvrages rangés en hauteur.

Elsa m'expliqua en pensée que les livres continuaient à affluer de partout dans le monde et qu'il y avait des archivistes dont l'unique occupation se résumait à enregistrer et classer les nouveaux arrivants. Certains étaient en mauvais état dans leur colis et il fallait alors les réparer pour les rendre lisibles.

– *Tu auras aussi ta part de restauration de vieux livres, ne t'inquiète pas. J'imagine que c'est leur technique pour nous apprendre leur valeur et leur fragilité. Ça ne m'a pas passionnée mais ça m'a donné envie de lire les romans sur leur support papier plutôt que sur un écran. Tenir un livre dans ses mains, c'est un peu comme l'écouter parler. Ta mère avait de la chance d'avoir une bibliothèque,* précisa-t-elle, les pommettes rougissantes.

Elle parut aussitôt gênée de s'être ainsi laissée aller à la confidence, car son visage se ferma et elle enchaîna d'un ton distant.

– *Tous les ouvrages ne tiendraient pas dans ce seul et gigantesque espace. Les rayonnages continuent en sous-sol sur plusieurs pièces. Un vrai labyrinthe. Il faut une autorisation pour y pénétrer.*

Le second bâtiment d'envergure n'était autre que la serre, véritable concentré de chlorophylle, à la chaleur moite qu'il m'avait déjà été donné de découvrir la veille. De jour, celle-ci n'en paraissait que plus immense. Avec la chaleur et les arrosages automatiques qui brumisaient régulièrement un brouillard d'eau, les lieux étaient terriblement dépaysants. Sans la structure vitrée de la serre qui barrait l'horizon, on se serait cru dans une forêt équatoriale. Les oiseaux et les petits animaux bruissaient dans les fourrés, les régimes s'épanouissaient sous les larges feuilles des bananiers, les plans de tomates rougissaient à vue d'œil.

Derrière la serre, un pan entier de l'île était réservé aux fermes et aux jardins dont Lizzie m'avait parlé. Des champs verdoyants laissaient paître vaches et moutons, d'autres se couvraient de blé ondoyant. Cette île recelait vraiment des trésors insoupçonnés. Dire que je n'avais jamais vu de vache ailleurs qu'en photo ou en vidéo. Et aujourd'hui j'en avais des dizaines bien vivantes devant les yeux ! Si seulement mes parents avaient pu connaître cet endroit.

– Ne remets pas ça sur le tapis, intervint aussitôt Elsa qui semblait entendre la moindre de mes pensées.

Je m'excusai en rougissant. N'allais-je donc pouvoir profiter d'aucune intimité ?

– On s'occupe de ça cet après-midi. Ça sera à ton tour de te coltiner une jolie migraine.

Nous suivîmes un petit chemin pavé qui nous ramenait à travers champs vers le Foyer. Dans un pré à moitié dissimulé par l'orée d'un petit bois, nous tombâmes sur un spectacle singulier : un entraînement de Voleurs de haut niveau. Un professeur qui n'était autre que Franky était posté devant une petite catapulte. Comme pour le tir aux pigeons, celle-ci tirait des assiettes d'argile que tour à tour quatre élèves s'évertuaient à faire exploser. Ainsi, le pouvoir de Voleur ne servait pas qu'à faire voler des choses, il pouvait aussi briser. Certains élèves avaient encore quelques problèmes de précision puisque nous vîmes à deux ou trois reprises des branches d'arbres voler en éclats.

– Ne nous attardons pas, intervint Elsa en m'attrapant par le bras. Tout comme nous n'aimons pas voir les Voleurs assister à nos cours, ces derniers n'aiment pas trop nous voir traîner dans le coin pendant qu'ils travaillent.

– Voleurs et Penseurs n'ont donc aucun cours en commun ?

– Si, quelques-uns. Nous partageons les mêmes matières généralistes : histoire de l'Université, géographie mondiale, etc. Mais les deux groupes ne se mêlent pas. Tu as vu leur comportement à la cantine.

– Pourquoi ? Qu'est-ce qu'on leur a fait ?

– Rien. C'est comme ça. Voleurs et Penseurs ne sont pas pareils. Les uns ne veulent pas que les autres lisent dans leurs pensées, les autres craignent un pouvoir qu'ils ne comprennent pas.

– C'est juste pour une question de point de vue, alors ?

Elsa se contenta de hausser les épaules. Nous reprîmes notre chemin, laissant les bruits d'argile cassée derrière nous.

Je ne compris que quelques heures plus tard en quoi consistait son avertissement concernant la migraine.

Un salon avait été installé dans une petite cour intérieure du dortoir pour profiter du soleil encore timide. Là aussi il y avait une fontaine dont l'eau chantait en se déversant dans un bassin peu profond. Nous étions une petite dizaine à être assis en cercle en compagnie de Thomas, un homme qui devait avoir une trentaine d'années et qui était aujourd'hui notre professeur. Dans les élèves, je reconnus Amédéo, son tuteur Vassili, Anna et Léo qui eux, n'étaient pas accompagnés. Elsa ne me quittait toujours pas d'une semelle et je me demandais combien de temps allait durer cette association forcée. Cette dernière dut m'entendre car elle soupira bruyamment. Ce fut pourtant Thomas qui répondit à la question que je n'avais pas posée.

– Dans six mois, tu seras autorisée à te déplacer seule. Elsa sera toujours ta tutrice mais elle jouera uniquement un rôle de conseillère. Oui, je t'ai entendue, Mélusine. Il est difficile de faire autrement puisque tu ne protèges absolument pas tes pensées. C'est pour cette raison que nous sommes réunis. Ce cours s'intitule Protection mentale et il a pour but de t'aider à garder tes pensées pour toi.

Je fis un sourire gêné qui montrait combien l'exercice me paraissait obscur. Thomas continua sur sa lancée.

– La chose est assez simple à concevoir : il faut que tu dresses une barricade dans ta tête. Ce lieu virtuel sera le siège de tes moindres pensées. Il peut prendre la forme que tu désires : une maison aux murs solides, une sphère sans aspérité, une forêt impénétrable. L'important c'est que tu puisses à tout moment te représenter ce lieu et en épaissir, si besoin les frontières. Pour l'instant, tu vas apprendre à le construire et à le maintenir érigé jusqu'à ce que ça devienne un automatisme. L'étape suivante sera d'empêcher les intrus d'entrer dans cette « maison » puis de les garder à l'extérieur. Enfin, beaucoup plus tard, nous verrons comment repousser des adversaires agressifs qui chercheraient à s'imposer par la force brute. Mais avant tout, tu dois trouver la représentation qui sera tienne, celle où tu te sentiras en sécurité. Les autres, vous voulez bien dire à Mélusine à quoi ressemble le siège de vos pensées ?

Chacun s'exécuta. Vassili trouvait refuge dans une grotte, Amédéo dans un coffre-fort, Anna au cœur d'un gigantesque œuf, Léo siégeait au sommet d'une petite île entourée d'alligators et Elsa en haut d'un phare. Les autres citèrent une cave, leur chambre ou bien une cabane.

– Bien sûr, les lieux de certains sont encore mal définis ou loin d'amener une sécurité totale, précisa le professeur. Ils découvriront plus tard leurs failles et les combleront. C'est un lieu qui n'est jamais figé et doit évoluer avec nous. À ton tour, Mélusine. Imagine-toi au centre d'une pièce.

Je fermai les yeux et m'assis en pensée au milieu d'un endroit complètement vide. À la demande du professeur, je projetai d'abord le plancher, puis les murs et le plafond. Je scellai ensuite le tout afin que rien n'entre ni ne sorte. L'ensemble se modifia naturellement sans que j'y sois pour quelque chose. Des poutres solides transformèrent le plafond en toit puis se couvrirent de lambris, le sol devint un parquet rugueux et poussiéreux, les murs se chargèrent de malles et de coffres massifs. En quelques secondes je me retrouvais assise dans le fauteuil aux accoudoirs troués du grenier de mon papy.

– Intéressant. Est-ce là que tu te sens en sécurité? demanda Thomas qui avait visualisé ma représentation. Dans ce cas, habitue-toi à t'y réfugier, car ce grenier est désormais le seul lieu où peuvent résonner tes pensées. Il doit t'accompagner à toute heure et dresser une barricade entre toi et les autres. C'est compris?

Je hochai la tête, une partie de moi toujours installée dans le fauteuil élimé de mes pensées. Le cours continua et la résistance de Léo fut éprouvée. Son île aux crocodiles ne plaisait pas au professeur qui la considérait trop instable. Le temps passait et mon grenier était de plus en plus difficile à maintenir. Chaque fois qu'il menaçait de se déliter, Thomas me rappelait à l'ordre par un *Concentre-toi, Mélusine!* Il semblait capable de se maintenir à l'affût de nos moindres pensées, le fait qu'on soit presque dix ne le gênant pas outre mesure.

La fin du cours me permit de relâcher un peu ma concentration et de découvrir Migraine, mon mal de tête, qui m'attendait au tournant. Le dîner approchant à grands pas, mon lit n'en devenait que plus proche et serait suffisant pour faire taire les tiraillements de mon cerveau.

À mon grand dam, il me fallut reconnaître, une fois couchée sous ma couette douillette, que cette journée avait été passionnante et que j'étais impatiente de découvrir celle du lendemain. Pourtant mes parents me manquaient toujours terriblement, et la brèche ouverte par leur absence continuait de saigner abondamment.

Chapitre 3
Zone de détention. Complexe Avenir.
*Shiva**

Alioth éteint la bouilloire qui hurle son eau bouillante. Il l'empoigne, verse le liquide fumant dans sa tasse puis y jette un sachet de thé. L'eau prend peu à peu une couleur orangée. Le vieil homme observe son thé infuser et laisse son esprit s'échapper.

Combien de temps déjà depuis que tout a changé ? Depuis qu'ils ont emmené Mélusine ? Le temps lui file entre les doigts, mais pas les souvenirs. Ils pensent lui avoir fait oublier mais ils se trompent. Il est coriace, on ne la fait pas à un vieux matou comme lui. Alioth les a pris à leur propre piège. Ils sont venus lui faire oublier, mais sa mémoire, elle, reste intacte. C'est bien une des seules choses qui lui restent.

Il retire le sachet et le pose dans sa cuillère. Les yeux plongés sur le contenu de sa tasse, il entoure la porcelaine brûlante de ses deux mains. Plus aucune douleur. Son sens du toucher n'existe plus. La partie du cerveau qui reçoit l'influx nerveux est morte, noyée dans du sang mort. Mais lui, Alioth, lui, il n'est pas mort. Il ne leur aurait pas fait ce plaisir.

Il se souvient du jour où ils ont débarqué, sûrs d'eux, sûrs de leur capacité à passer inaperçus. Alioth avait lu en eux et il avait compris. Ils lui avaient pris Mélusine, sa Mélusine. Sa petite-fille si sensible et si douée, ils l'avaient emmenée, ils l'avaient effacée du souvenir de ses parents.

Alioth s'était mis en colère. Il en voulait à ces inconnus d'avoir volé la vie de sa petite-fille.

Ils s'étaient approchés, étaient entrés dans le jardinet puis dans la maison, en toute impunité. Ils avaient anesthésié Marguerite avec leurs pensées néfastes. Ils l'avaient noyée sous une fausse vérité jusqu'à ce qu'elle les croie. Et puis ils l'avaient vu et ils avaient commis une erreur : ils l'avaient sous-estimé.

Quand cet homme en noir, gonflé d'arrogance et déjà pressé d'en finir, s'était arrêté face à lui, Alioth avait éclaté de rire. Oui, il s'était marré devant ces inconnus qui se croyaient si forts. Eux n'avaient pas compris. Ils avaient pensé qu'il était fou et avaient ricané à leur tour.

Mais quand ce « Léon » en noir s'était approché encore pour le toucher, Alioth s'était arrêté brusquement de rire. Il avait tourné ses yeux et ses pensées vers le jeune homme et l'avait envoyé au tapis d'un regard.

À partir de là, les autres avaient effacé ce petit sourire de leur visage. Ils avaient même commencé à avoir peur. Une sensation nouvelle pour eux. Surtout pour Léon qui se relevait difficilement avec l'aide du grand homme raide qui le fixait avec une incompréhension grandissante.

Alioth était resté assis dans son fauteuil préféré et les avait regardés tous les deux : l'homme en noir aux jambes flageolantes et le grand échalas.

Il n'avait pas pu lire dans le grand, comme si celui-ci mettait toute sa force à cacher ce qu'il était. Sans intérêt.

Non. Le seul qui l'intéressait, c'était ce garçon qui, parce qu'il était habillé en costard, se prenait pour un homme. Léon vibrait de colère. Il s'était fait drôlement surprendre et paraissait vouloir lui faire payer cet outrage.

Viens, mon petit. Je t'attends, lui avait glissé Alioth.

Ils s'étaient tout deux tenus face à face. Léon avait repoussé son compagnon qui s'était d'abord tenu en retrait avant de disparaître pour appeler de l'aide.

Eh bien, qu'ils viennent, avait pensé Alioth à son intention.

Et Léon et lui s'étaient affrontés. Un duel qui ne faisait aucun bruit et ne déplaçait pas d'air. Un duel où les deux combattants semblaient plongés dans une immobilité de marbre. Un duel avec les yeux, avec la force de la pensée.

Léon cherchait la faille dans la carapace d'Alioth et Alioth faisait de même. Où se cachait donc cette faiblesse ?

Tout à coup, il avait poussé un peu fort sur une pierre de la muraille et celle-ci s'était disloquée. Se concentrant un peu plus, il avait réussi à ouvrir une brèche et à s'y engouffrer. Ne cherchant pas à faire dans la dentelle, il avait explosé dans la tête de Léon, le plongeant de force dans l'inconscience.

Alioth avait ensuite recouvré ses esprits et contemplé le corps livide du jeune homme sans connaissance. Rassuré, il avait fermé les yeux et s'était plongé dans un demi-sommeil qui lui avait permis de reconstruire ses propres murailles elles-mêmes bien entamées par Léon. Il n'avait osé se l'admettre mais ça avait été juste. Le jeune avait de quoi être fier de ses capacités.

Sa méditation durait déjà depuis vingt minutes quand il avait senti les renforts arriver : trois nouveaux venus débarquaient dans sa maison. Vraisemblablement ceux que le grand maigre avait appelés. Tous des gamins habillés en noir et inquiétés par la teneur inhabituelle de la mission.

Venait d'abord un grand type au visage barré d'une énorme cicatrice. Alioth l'avait sondé et s'était heurté immédiatement à un mur sans pensée. Un vrai robot, ce balafré. Suivait l'échalas escorté de deux enfants anormalement identiques. Des jumeaux, comprit-il.

Quelle équipe ! avait-il ironisé. Mais une douleur oppressante à la poitrine lui avait fait perdre toute envie de plaisanter.

– J'aimerais que vous vous laissiez faire, avait expliqué le robot balafré d'une voix sans expression.

– Est-ce ainsi qu'on parle à un vieillard ? avait grogné Alioth.

La pression s'était aussitôt intensifiée et le vieil homme avait cru que son cœur allait lâcher. Des papillons avaient dansé devant ses yeux et il s'était obligé à fermer les paupières.

– Faites vite, avait dit la voix du balafré.

Il avait senti les jumeaux s'approcher et lui prendre chacun une main. Il avait voulu les *repousser* mais la douleur l'empêchait de se concentrer.

Des flots de pensées étrangères avaient alors pénétré en force dans sa tête. Il ne voulait pas les écouter mais il ne pouvait faire autrement. Elles s'immisçaient partout, tentant de lui faire oublier Mélusine. Il n'avait eu d'autre choix que d'abandonner son corps douloureux pour se forcer à clôturer sa tête et avait aussitôt basculé dans l'inconscience.

Une sensation de piqûre l'avait réveillé. Il était allongé dans son lit où l'un des jumeaux s'évertuait à lui injecter le contenu d'une seringue. Son bras le chauffait, sa poitrine l'oppressait et une migraine pulsait dans son crâne. Pourtant, en quelques battements de cœur, il avait senti une douce quiétude l'envahir. De la drogue ! avait-il eu le réflexe de penser avant que ce détail soit emporté avec des centaines d'autres parmi le flot sanguin qui irriguait son cerveau.

Deux voix étaient venues chanter aux oreilles de ses synapses. Deux chants doux et enivrants qui disaient détenir la vérité. Il voulait les écouter, les croire.

Un soubresaut dans sa poitrine avait brisé momentanément la mélodie des voix. Puis tout était redevenu simple et harmonieux, comme un soleil qui aurait coulé dans ses veines. Un formatage en douceur de son disque dur, un effaçage partiel de ses données concernant... qui déjà ?

Mais un nouveau pincement au cœur, plus sévère celui là, avait expulsé les pensées-sangsues. Son cœur ! Son cœur battait de façon totalement anarchique. Il expulsait le sang dans un rythme désordonné. Une violente douleur l'avait submergé et puis plus rien. Le noir. Le silence.

Alioth avale les dernières gorgées de son thé. Sans cette crise cardiaque, il serait aujourd'hui amnésique.

Combien de temps avant qu'il se réveille ? Il s'était retrouvé dans son lit avec la bouche sèche et des souvenirs épars. Marguerite dormait comme d'habitude à ses côtés, un rayon de soleil venait caresser ses magnifiques cheveux blancs. Que s'était-il passé ? Les meubles de sa chambre semblaient avoir ète déplacés. Pas de beaucoup, au plus de quelques centimètres. Assez pour que ça paraisse incongru à son œil aguerri.

Cette étrange sensation l'avait forcé à se lever et à traîner sa grande carcasse vers la cuisine, après un passage obligé par les toilettes, prostate oblige. Dans le jardin rien ne semblait avoir changé. Le soleil était radieux pour la saison. Un peu trop, peut-être. Il s'avança vers la porte qui donnait sur son petit carré de verdure et de potager et appuya sur la poignée.

Rien ne se passa.

Il poussa de toutes ses forces, secoua, tira. L'huis ne bougea pas d'un souffle. Écoutant son instinct, il n'insista pas mais se figea plutôt pour observer le décor verdoyant qui s'étalait devant lui. Il resta immobile dix à quinze minutes avant de comprendre ce qui ne tournait pas rond. Ou ce qui tournait trop rond, justement.

Ce papillon vert, au-dessus des courges, était déjà passé deux fois. Voilà qu'il virevoltait pour la troisième fois en suivant l'exact itinéraire des deux précédents. Puis, après le papillon… Le voilà ! Le merle sautillant qui débusquait un ver et s'envolait pour aller le déposer dans le gosier d'un de ses petits réfugiés au creux du grand cerisier, celui qui ne donnait presque plus de fruits, au fond du jardin. Des deux, c'était toujours le même oisillon qui remportait la cagnotte, le plus gros, un peu hirsute.

Ce décor tournait en boucle, pas de doute possible. Les séquences faisaient cinq minutes environ et se répétaient inlassablement comme un vinyle rayé. Un sentiment glacé lui parcourut la colonne vertébrale.

Retournant sur ses pas, il se précipita vers l'opposé de la maison, là où la porte d'entrée donnait sur la rue. En chemin, il se cogna violemment sur le coin de la table basse qui n'était pas à sa place exacte. Pourtant, il aurait pu faire ce trajet les yeux fermés s'il l'avait voulu. Pressentant avec horreur le résultat de son investigation, il tenta d'appuyer sur la poignée de la porte d'entrée. Rien à faire, elle non plus ne bougea pas. En observant bien, il réalisa qu'aucun des gonds de porte ni de fenêtre n'était capable de tourner sur lui-même. Fausse porte, finit-il par admettre. Faux jardin, faux décor. Pas d'issue.

Bon sang. Ils m'ont eu.

Le vieil homme serre l'anse de la tasse mais ne la sent pas. Il passe la main sur son crâne chauve. Ni ses doigts, ni la peau de sa tête ne renvoient le message nerveux du toucher. Il soupire et pose sa tasse. Tout perd de la consistance au fur et à mesure que le temps passe. Dans le décor terriblement réaliste de sa propre maison, il tourne en rond.

Marguerite souffrait d'agoraphobie depuis sa plus tendre enfance, aussi le changement la laissa-t-elle de marbre. Elle continua à vivre son petit train-train quotidien sans jamais réaliser qu'elle se trouvait dans une cage. La télé transmettait les mêmes débilités habituelles qui ravissaient sa femme. Les placards se remplissaient régulièrement de leurs ingrédients préférés pendant leur sommeil de plomb. Alioth suspectait d'ailleurs qu'il soit en partie artificiel. Il pencha pour une substance somnifère diffusée chaque nuit *via* le système d'aération.

De nouveaux livres apparaissaient régulièrement sur les étagères de leur bibliothèque. De bons livres, parfaitement dans ses goûts. Et des magazines de mots fléchés pour le plus grand plaisir de Marguerite.

Un prisonnier. Voilà ce qu'il était. Un cobaye inutile qu'on garderait entre ces quatre murs aussi longtemps que durerait sa vie inconsistante.

LIVRE II

FRAMBOISE CONTRE LES VAMPIRES

1

Un jour, j'ai dit à mes parents que je voulais faire de la danse classique. J'avais vu un reportage à la télé sur les petits rats de l'opéra et moi aussi je voulais être un petit rat. Conciliants, mes parents m'avaient donc inscrite dans un cours pour débutants et, pendant un an, tous les mercredis après-midi, j'avais dansé. C'était exercices à la barre, justaucorps, tutu et tout le tralala.

Disons que l'année s'était à peu près bien passée, sauf que je pensais qu'il suffisait de le désirer très fort pour être un petit rat (c'est ce qu'avait affirmé la dame à la télé). Moi, pour le vouloir je le voulais, mais ça n'avait jamais suffi. Mes jambes étaient toujours obstinément plus longues que mes bras, la barre vraiment trop haute et la prof vraiment pas sympa.

– La danse est une discipline beaucoup trop distinguée pour une jeune fille aussi peu gracieuse que vous, mâdemoazelle, me répétait-elle avec un plaisir évident.

Et puis quoi encore ! Les petits rats étaient en train de me déclarer la guerre ! Elle allait vite voir, la Mâdâme Distinguée, qu'on ne se moquait pas impunément de mon manque de grâce. Ce fut seulement au spectacle de fin d'année que je mangeai le plat froid de la vengeance. Même si c'était une vengeance pas préméditée, mais alors pas du tout.

Le thème choisi par la professeure était vraiment craignos : « la Compagnie des lapins bleus ». Chaque danseuse avait été affublée d'un pompon sur les fesses en guise de queue et portait deux longues oreilles plantées sur la tête. Toutes les mamans nous trouvaient a-d-o-r-a-b-l-e-s. Moi je nous trouvais ridicules. Tout avait été chorégraphié au millimètre près, les parents attendaient sagement dans la salle, les papas préparaient les appareils photos parés à mitrailler leur fifille chérie.

Le spectacle débuta par les tout-petits et leur libre interprétation des *Trois petits cochons* (ça ressemblait à s'y méprendre à une pub pour de la charcuterie), puis vint le tour des moyens (c'était nous).

Le rideau s'ouvrit au son de la musique et révéla treize lapins bleus qui bientôt sautillèrent et se dandinèrent en rythme. La prof avait placé ses chouchoutes devant et avait caché les autres derrière. Et, bien sûr, comme je ne faisais pas partie des « distinguées et gracieuses », j'avais le plaisir d'être reléguée là où personne ne risquait de me voir, au bout du dernier rang à côté de Sonia, une fille qui avait deux passions incompatibles : la danse et la nourriture. Je n'en faisais pas moins de mon mieux pour danser au rythme des autres et respecter la chorégraphie qu'on avait maintes et maintes fois répétée.

Jusqu'à ce qu'on aborde la seconde moitié de la représentation où le déroulement des événements prit un tour… beaucoup plus chaotique.

Et un p'tit bond sur la droite, et je remuais mon p'tit popotin, et un pas chassé sur la gauche, et un autre pas chassé sur la g… et BAOUM ! je rentrai de plein fouet dans ma voisine qui avait sauté comme toutes les autres sur la droite. Tout aurait pu s'arrêter là si cette idiote de Sonia n'avait cherché à se rattraper à son autre voisine qui continuait à danser et ne s'y attendait pas du tout. À la manière d'une cascade de dominos géants, les lapins bleus se percutèrent et s'écroulèrent les uns sur les autres pour se retrouver au tapis.

Il ne resta bientôt plus qu'un seul lapin piteusement debout : moi. Je préférai d'ailleurs m'éclipser discrètement dans les coulisses et abandonner l'amas de danseuses qui pleuraient de rage et de honte sur le parquet de la scène.

Me bousculant au passage, la prof se précipita pour démêler le fouillis de tutus et d'oreilles bleus. Personne n'avait eu le réflexe de fermer le rideau et, devant ce spectacle inattendu, un fou rire secouait la salle. Quelques mères bien intentionnées, qui ne riaient pas du tout, couraient vers la scène pour libérer leur fille chérie de cette honte publique.

Autant dire qu'après cet « incident », je n'ai jamais plus remis de tutu de ma vie.

C'était aussi parce que, l'année suivante, j'avais préféré faire de l'équitation. Après le pimpant des costumes de danse, ça me faisait du bien de rentrer à la maison sale et fatiguée. Aux dires du prof, je me débrouillais pas mal. Les poneys et les monos étaient vraiment sympas, et tout se passait sans anicroche.

C'était sans compter sur cette matinée de balade estivale où une guêpe piqua méchamment mon poney sur le naseau et où je me fis embarquer au galop. Si j'arrivai sans encombre au poney-club, agrippée à la crinière de mon fou furieux destrier, il n'en fut pas de même pour les autres membres de la troupe, entraînés à ma suite et qui arrivèrent une bonne demi-heure après leur monture. Ce jour-là, le centre équestre comptabilisa un nombre record de fractures : deux bras cassés, trois humérus brisés, des litres de larmes et la visite du Samu.

Je ne suis jamais retournée faire du poney depuis ce jour, plusieurs cavaliers exprimant une certaine animosité à mon égard.

Après cette mésaventure, j'avais choisi d'apprendre le basket. Mais j'abandonnai vite l'entraînement le jour où la capitaine de l'équipe eut un malencontreux accident : elle avait trébuché sur une chaussure qui traînait dans les vestiaires et, après un splendide vol plané, elle était allée s'écraser le nez sur le mur carrelé. Cette chaussure n'avait bien sûr qu'une seule et unique propriétaire.

Moi ! Moi qui provoque des catastrophes comme s'il en pleuvait. Je ne le fais jamais exprès et le pire, c'est que je sors toujours indemne de ce déferlement d'accidents. Heureusement, ma famille et mes proches semblent immunisés contre ma maladresse. Il vaut finalement mieux être mon ami que mon ennemi. Je tiens tout de même à ajouter pour ma défense que je n'ai jamais tué personne.

Ça fait quatorze ans que ça dure et mon chemin est parsemé des plaies et des bosses des autres. Par exemple, la nourrice qui me gardait quand j'avais six mois s'était ouvert le cuir chevelu sur un coin de table en allant récupérer le hochet que j'avais jeté par terre. Elle venait à peine de faire enlever ses points de suture quand elle se cassa la figure (et la jambe) en essayant de me rattraper. J'étais partie à la découverte des escaliers.

Je préfère passer sous silence ce qui avait pu se passer en maternelle, puis à l'école primaire. Je semblais génétiquement programmée pour porter la poisse. Maman m'avait un jour expliqué que c'était un héritage familial et qu'à chaque génération venait au monde un Enfant de la Chance. Je n'avais pas compris au début ce qu'elle voulait dire par « de la chance ». Pour moi, c'était plutôt « de la malchance». Mais elle m'avait raconté que la famille était en quelque sorte «protégée» de cette maladresse. Et puis elle avait parlé de la tante Agathe, et là j'avais tout de suite compris.

C'est tante Agathe qui m'avait gardée quand mes nourrices avaient déclaré forfait et quand les baby-sitters n'avaient plus osé venir. Je la connaissais depuis que j'étais née et je la trouvais géniale. Toute ma famille est un peu hors norme. Les gens du voisinage racontent des choses bizarres sur notre compte mais ce ne sont que des bavardages de commères. Seule la moitié de leurs anecdotes est véridique, le reste n'est que pure affabulation.

Pour en revenir à ma tantine, c'est vrai qu'elle est maladroite. C'est vrai aussi qu'elle a de la chance.

Il y a quelques années, ma tatie avait subi un très grave accident de voiture. Le décor est facile à dresser: l'été, une autoroute chargée, un ralentissement brusque, la voiture d'Agathe entre deux poids lourds, le camion de derrière qui freine trop tard… Pas la peine de faire un dessin, le résultat était catastrophique, le destin de ma tatie scellé. Pourtant, en désincarcérant le conducteur, les pompiers eurent la surprise de découvrir un être humain parfaitement conscient et quasi indemne dans un habitacle à peine déformé. Les seules blessures étaient des coupures provoquées par le pare-brise qui avait explosé au moment du choc ainsi qu'une petite atteinte à son amour-propre (elle supportait mal le fait de se savoir ensanglantée et décoiffée au milieu de tous ces pompiers).

Un comité d'experts s'étaient penchés, dubitatifs, sur la carcasse du véhicule. Tous s'étaient concertés et étaient unanimes pour conclure que cette préservation du conducteur était impossible. Ils n'avaient jamais vu ça de leur vie. À l'extérieur, la voiture ressemblait à une feuille d'aluminium froissée dans un poing; à l'intérieur, elle épousait la forme du corps humain sans le léser. Ma tante aurait été Superwoman que ça ne les aurait pas autant étonné.

En tout cas, maman avait raison, le gène de la Chance était en moi. J'aurais préféré que ce soit la Force. Mais bon, n'est pas Skywalker qui veut.

2

Je m'appelle Framboise et j'ai 14 ans. J'habite avec mes parents, mon grand frère Mathieu et ma sœur Françoise, dans une maison sympa pas très loin des berges de la Seine. Une petite précision : Françoise et moi sommes sœurs jumelles. Ça confirme un peu ce que les voisins colportent : notre famille est plutôt originale (Françoise et Framboise, il faut oser donner ces noms-là à des jumelles !) mais nous, on s'en fiche et on laisse les gens penser ce qu'ils veulent. Mes catastrophes font bien rire Mathieu et Françoise, ça leur donne une excuse pour se moquer de leur petite sœur (Françoise est née deux minutes avant moi et en profite pour jouer les grandes).

Je suis au collège depuis quatre ans et, pour l'instant, rien n'a pris feu et je n'ai cassé personne hormis quelques tubes à essais en sciences et des verres à la cantine, autrement dit rien du tout.

Cette année, j'avais voulu expérimenter un nouveau sport. Je m'étais donc fait offrir une paire de rollers pour mon anniversaire. Dans la ville où j'habitais, les berges de la Seine étaient bétonnées pour accueillir tout ce qui roule sans moteur, surtout les rollers qui en avaient fait leur lieu de rendez-vous privilégié. C'était là qu'on se retrouvait, tous les mercredis après-midi, avec mes copines Rouleuses (c'est comme ça qu'on s'appelait) : Carole, Fati et Zaza. On s'apprenait mutuellement à tourner, accélérer et freiner (mais ça, je n'y arrivais pas encore, à moins de rentrer dans quelqu'un ou de m'écrouler par terre).

Je dois avouer que j'étais bien décidée à prouver à Mathieu et Françoise que je pouvais faire un truc jusqu'au bout sans mettre personne en danger. Et pour ça, je n'avais qu'une seule solution : m'entraîner dur.

3

Le mercredi où toute ma vie a basculé, je venais de quitter, comme d'habitude, les Rouleuses.

Il était 18 heures, Carole et Zaza montaient prendre leur bus et Fati se dépêchait de rejoindre le métro. J'avais une demi-heure de battement avant de rentrer à la maison. De quoi faire une bonne longueur de bitume.

18 heures. L'heure où les gens prenaient tous le chemin de leur chez-eux et où les promeneurs désertaient les quais. Alors normalement, il n'y avait plus aucun risque de foncer sur une poussette ou un vieux pépé.

18 heures. C'était l'automne, la nuit tombait vite et la température aussi. Mon gros pull et mes mitaines n'allaient bientôt plus suffire à me tenir chaud. Mon haleine commençait d'ailleurs à former des petits nuages devant mon nez.

Autant me réchauffer !! Je resserrai les bretelles de mon sac à dos et m'élançai pour une bonne pointe de vitesse ! Vzzz… Vzzz faisaient mes patins sur le bitume. Tout à coup, les réverbères s'allumèrent et tracèrent une gigantesque piste d'atterrissage juste pour moi. J'accélérai le plus possible. C'est fou ce que je pouvais aller vite ! Les mains dans le dos comme une professionnelle, le regard haut et fier, Framboise, reine de la vitesse ! Si Mathieu et Françoise avaient pu voir ça !

Le bitume rose défilait à toute allure et je me laissai griser par le vent vif qui s'engouffrait dans mes oreilles et faisait pleurer mes yeux. Les lampadaires bleus s'alignaient à ma droite comme une guirlande de Noël. Mais leur brusque changement de couleur me fit bientôt ralentir. Les lumières jaunâtres n'avaient plus rien du bleu rassurant de tout à l'heure. Je venais de changer de quartier.

Je m'arrêtai doucement (au risque de me répéter: je ne sais pas freiner) et essuyai d'un revers de mitaine les larmes qui me brouillaient la vue. La surprise fit une pointe dans ma poitrine: j'étais où là ? J'avais dû dépasser d'un bon kilomètre le pont qui me servait de point de repère. C'était normalement à partir de là que je remontais vers la maison.

Un coup d'œil à ma montre m'apprit que je n'avais plus que dix minutes pour regagner la maison avant l'ultimatum fixé par papa.

Un autre coup d'œil autour de moi m'indiqua que j'étais dans le quartier désaffecté qui séparait les quais de la grande avenue. Là-bas, je pourrai certainement retrouver mon chemin. Pas le choix, il me fallait couper par les petites rues qui se glissaient entre les vieux bâtiments.

Seulement, je n'avais pas le temps de retirer mes patins. D'abord parce que, le temps de remettre mes chaussures, il serait déjà 18 h 30, ensuite parce que ça irait cent fois plus vite en rollers, enfin parce que… parce que pas le temps de trouver une troisième raison !

Je quittai ma piste d'atterrissage et m'enfonçai entre deux bâtiments en brique. Je devais être à environ deux kilomètres de mon quartier et de mes rues à moi et à cinq cents mètres de la fameuse grande avenue.

Ce fut presque à tâtons que j'évoluai entre les entrepôts abandonnés et les hangars aux carreaux cassés. C'était un quartier un peu (que dis-je un peu !) franchement glauque où la lumière de quelques réverbères (ceux qui étaient encore en état de marche) dégoulinait des murs jusqu'au sol. La seule trace de vie résidait dans les chats noirs qui croisaient ma route, le noir semblant bien l'unique couleur de chat autorisée à habiter le quartier. J'avais l'impression d'avoir basculé dans un film d'horreur. Le tueur à la tronçonneuse allait forcément déboucher au coin et hacher menu la petite adolescente égarée...

Framboise ! Reprends-toi, ma fille ! Tu regardes droit devant, tu traces et dans dix minutes tu es en territoire connu !

A priori, il me suffisait de couper trois, quatre rues, de longer quelques murs... Mais avec l'état de la route, il n'était pas facile de patiner sans encombre. Quand ça n'était pas les pavés ! Ça m'obligeait à me rabattre sur le trottoir caillouteux et surtout à rentrer dans l'ombre des bâtiments.

La championne du roller y repenserait à deux fois avant de passer à nouveau par là. En attendant, c'était trop tard pour faire marche arrière. Autant continuer à avancer.

Et mais au fait ! Mon portable ! Je pouvais passer un coup de fil à maman ! Elle prendrait la voiture et zou ! Retour direct à la maison ! Je fouillai dans mon sac à dos, agrippai mon portable mais, évidemment, en digne héroïne de film d'horreur, Framboise ne captait pas dans ce quartier pourri !

J'entendais déjà le synopsis du film qu'on ferait sur moi après ma mort : « Framboise est une jeune adolescente seule, perdue dans les nocturnes profondeurs d'un quartier à l'abandon. Son portable ? En rade. Sa maison ? Encore bien trop loin. Une ombre approche... » Si le tueur surgissait maintenant, j'allais mourir d'une crise cardiaque avant qu'il ait le temps de me torturer.

Finalement, ce ne fut pas un psychopathe qui vint à ma rencontre mais un mur. Un mur solide, très bétonné et très très dur. En fait, ce fut plutôt moi qui vins à sa rencontre. Je fonçai même carrément dedans.

En fait, alors que j'avançais avec précaution, le sol prit brusquement une pente inattendue. Déséquilibrée par les petits cailloux qui jonchaient la rue et grésillaient sous la gomme de mes roues, je tentais tant bien que mal de garder mon équilibre quand je rentrai dans une zone d'ombre. Là m'attendait un ennemi de choix (un mur) que je ne vis pas, trop occupée que j'étais à regarder par terre, mais qui ne me rata pas pour autant puisque, surprise par la brusque obscurité, je relevai la tête juste à temps pour que sa façade de briques sales vienne m'aplatir le visage avec un craquement sinistre.

Bêtement, ma dernière pensée fut pour me rappeler d'apprendre d'urgence à freiner puis je basculai dans l'inconscience.

4

– Ouhou ! ? Tout va bien, mademoiselle ?

– Très bien, maman. Laisse-moi dormir encore un peu s'il te plaît, répondis-je avant de me rendre compte qu'il n'y avait jamais eu de cailloux dans mon lit et que je dormais rarement avec des poids de deux kilos aux pieds.

Peu à peu, tout me revint en mémoire : rollers… mur… et tous mes sens se rappelèrent brutalement à moi. Je sentis les gravillons dans mon dos, la douleur partout et des mains qui me secouaient doucement mais sûrement. Mon nez semblait avoir triplé de volume et je laissai échapper une grimace à la pensée que j'allais pouvoir me lancer dans une carrière fulgurante de boxeuse. Mais la grimace fit immédiatement exploser la douleur dans mon nez et je hurlai de surprise.

– Aouaïeu !

– Au moins vous êtes réveillée.

Je soulevai les paupières et découvris deux yeux noirs qui me fixaient, amusés.

– De retour parmi nous ! Bonjour jeune damoiselle.

Je clignai plusieurs fois des yeux pour faire le net et finis par voir celui qui m'avait réveillée. Yeux noirs, cheveux noirs coupés court, la vingtaine et des doigts de pianiste occupés à délacer mes rollers.

Pas mal pour un sauveur ! me dis-je avant de me souvenir que mon nez devait être en bouillie et que, par conséquent, mon capital séduction frôlait les pâquerettes.

Je portai la main à mon visage tout en essayant de me redresser. C'était trop à la fois : des paillettes scintillèrent devant mes yeux tandis que mes oreilles se mirent à jouer les cornes de brume. J'eus l'impression d'avoir des billes à la place du cerveau et tout ça fit un boucan d'enfer.

– Doucement, ce n'est pas la peine de retomber dans les limbes.

Les limbes ? De quoi est-ce qu'il parlait ?

Mais je n'eus pas le temps de m'attarder sur la question puisque ses deux mains me redressèrent et retournèrent au délaçage du second roller (visiblement avec beaucoup de difficulté) tandis que j'essayai effectivement de ne pas retomber dans « les limbes » tant mon corps hurlait de partout. Je restai donc bêtement à regarder mon sauveur se débattre avec les lacets. Il levait de temps en temps ses yeux noirs vers moi comme pour vérifier que je ne retournais pas faire un petit somme.

Je réalisai alors qu'il n'avait entendu que des grognements sortir de ma bouche. Je me demandai si cette saleté de mur ne m'avait pas arraché la moitié des neurones en me laissant sur le carreau avec le Q.I. d'un chou-fleur. Mon sauveur devait sûrement me prendre pour une débile. Il fallait que je parle. Vite, un truc à dire…

– Mon sac !

Bravo, j'avais réussi à sortir deux mots. Prix Nobel de littérature pour mademoiselle Framboise qui est parvenue à séduire son prince charmant de deux syllabes éloquentes ! Sûr que mes neurones s'étaient volatilisés avec mon nez.

– Mon nez !

De mieux en mieux. Il allait vraiment finir par me prendre pour une évadée de l'asile !

– Votre nez est intact et j'ai récupéré votre sac. Vous allez pouvoir marcher pieds nus ?

– Mes chaussures… elles sont… dans mon sac.

Framboise a réussi à faire une phrase avec un verbe ! Elle n'a pas le Q.I. d'une femme préhistorique ! Youpi !

Le sauveur fouilla dans mon sac et sortit mes Docs bordeaux pour y fourrer mes rollers délacés.

– Vous allez pouvoir les lacer ?

– Chuis pas un bébé !

Finalement, la femme préhistorique n'était pas partie. Du calme, Framboise. Sûre que ton sauveur va te planter là si tu continues à être aussi aimable.

– Je veux dire, hum… oui, je peux le faire toute seule.

Mes mains tremblaient tellement que je dus m'y reprendre à trois fois pour faire ma rosette. La chute avait finalement été plus dure que je ne pensais. C'était les parents qui allaient être… Les parents ! Mince, quelle heure il était ? 20 h 02 !!! La maison devait être en alerte rouge.

« Branle-bas le combat – Le soldat Framboise n'est pas rentrée à l'heure H – Vérification effectuée, elle n'est pas chez une amie – Général papa et Capitaine maman sur le pied de guerre – Soldats Mathieu et Françoise réquisitionnés. »

Me mettant debout sur deux jambes tremblantes, j'agrippai mon sauveur et m'écriai :

– Il faut que je rentre chez moi !

Je n'entendis pas sa réponse parce que mes oreilles bourdonnèrent de nouveau et qu'il neigea devant mes yeux. Si deux bras ne m'avaient soutenue, je crois que ces fameux « limbes » m'auraient emportée. Je me serais évanouie, quoi !

Bientôt, le paysage arrêta de me tourner autour et j'entendis une voix qui me disait :

– Dans l'état où vous êtes, je ferais mieux de vous accompagner.

Il me passa un bras sous l'épaule, mit mon sac sur son dos et m'emmena doucement.

5

Pour la première fois depuis ma chute (ou plutôt mon choc front-mur), je regardai où j'étais. Il faisait très noir et la nuit était bien installée. Je me retournai pour voir le mur mais l'ombre du bâtiment qui le jouxtait le cachait totalement à ma vue. Un vrai mur embusqué, absolument invisible d'où je venais. Un vrai cul-de-sac en fait, puisque nous fûmes obligés de revenir sur nos pas pour prendre une ruelle adjacente.

Brusquement, je fus envahie par une affreuse question : comment avait-il fait pour m'apercevoir couchée au pied du mur ? Il avait peut-être une torche ?

Je levai les yeux vers cet homme qui m'accompagnait. L'obscurité ne semblait pas le gêner comme s'il connaissait le quartier par cœur. S'il avait vraiment eu une torche, il s'en serait servi maintenant, non ?

Un nouveau doute me titilla le cerveau. Est-ce que mon sauveur avait vraiment l'intention de me ramener chez moi ? Et si c'était un dealer ou un tueur complètement cinglé du genre : « Il sauve des jeunes filles pour les assassiner après ! » ? Qui pouvait traîner dans un coin pareil, à cette heure, si ce n'est un type qui aurait tendance à se cacher de la police ? Pourquoi n'avait-il pas appelé les pompiers quand il m'avait trouvée évanouie ? Parce qu'il fuyait les forces de l'ordre !

D'un faible coup d'épaule, je me dégageai de cet homme que je ne connaissais pas du tout. Comme s'il s'était attendu à ce sursaut de conscience de ma part, il me laissa faire et me regarda en souriant. Je me reculai de deux pas et demandai d'une toute petite voix :

– Est-ce que vous allez me tuer ?

La perspective d'avoir un nez de boxeuse me paraissait d'un seul coup complètement puérile face à la montagne de trucs affreux qui pouvaient m'arriver. Un lieu inconnu, un type inconnu... Il m'avait paru bien séduisant tout à l'heure, mais je n'étais plus aussi certaine de lui trouver du charme. Est-ce qu'il n'avait pas un regard où brillait l'étincelle du crime ? Est-ce que ce sourire tranquille ne ressemblait pas trop à celui du carnassier sûr de sa victoire ? Sûr de sa proie ? Et cette proie ce serait moi ? Si je fuyais maintenant, il trouverait mon adresse dans le portefeuille de mon sac et irait massacrer toute ma famille !

Ne pleure pas, ne pleure pas, reste digne devant la mort, me dis-je en sentant les larmes ruisseler le long de mes joues.

Mais, contre toute attente, au lieu de se jeter sur moi pour m'empêcher de fuir et de hurler (ce que j'aurais pu faire si je n'avais pas été aussi tétanisée par la peur), l'homme aux cheveux noirs posa un genou à terre et me fixa droit dans les yeux. Le silence devint pesant, et son regard sombre me paralysa. Je ne savais plus comment réagir et je me sentais comme un lapin devant les phares d'une voiture : incapable d'esquisser le moindre mouvement.

Je pouvais peut-être l'assommer avec une grosse pierre (il devait bien y avoir une grosse pierre qui traînait dans le coin !) et prendre mes jambes (qui me faisaient mal) à mon cou (qui me faisait aussi très mal).

Finalement, il se mit à parler, coupant court à mon plan de fuite.

– Je m'appelle Dante et j'habite dans un entrepôt un peu plus loin. Quand, au crépuscule, je suis sorti comme à mon habitude pour me promener le long du fleuve, je vous ai trouvée. Vous étiez allongée et du sang maculait votre pourpoint. J'ai craint qu'il ne vous soit arrivé quelque chose... de plus grave. Quelque chose qui eût été lourd de conséquences. Mais votre cœur battait et j'ai compris que vous étiez seulement inconsciente. Je vous ai réveillée et je ne souhaite à présent qu'une chose : vous accompagner jusque chez vous en toute sécurité. Me laisserez-vous vous emmener ?

Il tendit la main vers moi pour m'inviter à la prendre mais je ne pouvais plus bouger. J'étais tellement fatiguée ! Je voulais être à la maison, au chaud, recroquevillée entre papa et maman dans le canapé devant un film débile. Au lieu de cela, j'avais peur, j'avais froid et tout mon corps me faisait mal. Je déclarais forfait. Qu'il me tue s'il en avait envie, qu'il me ramène à la maison s'il voulait, moi en tout cas je ne bougerais plus.

Dante (quel nom étrange) eut l'air de comprendre mon immobilisme. Il finit par se redresser et, en deux enjambées, il se tint devant moi (je n'avais pas remarqué combien il était grand). Passant un bras sous mes épaules et un autre sous mes genoux, il me souleva et m'emporta comme si je n'étais pas plus lourde qu'un brin d'herbe.

Tout en avançant à grands pas, il baissa les yeux vers moi.

– Votre adresse ?

Mécaniquement, je lui récitai mon numéro, ma rue, mon code postal, ma ville. Un vrai bébé ! La prochaine fois je sortirai avec un carton autour du cou et j'écrirai dessus : « Bonjour, je m'appelle Framboise, j'ai 14 ans, j'habite au... nananana... »

6

Dante marchait d'un pas vif et, au bout de cinq minutes, je commençai déjà à reconnaître le quartier. Oh ! un chemin que je connais ! Oh ! là, les lampadaires de ma rue. Ohh ! ma maison ! mon adorée maison !

Dante ouvrit la barrière qui grinça avec un bruit si familier. Il traversa le petit jardin broussailleux et frappa sans hésitation à la porte. Celle-ci s'ouvrit presque aussitôt, révélant une maman au visage décomposé par la panique. Elle fixa Dante des yeux puis, dans un clignement de paupière, son regard tomba sur moi, serrée dans les bras de l'homme. Après un imperceptible haussement de sourcil, le masque de la panique s'évapora et révéla le soulagement de maman.

– Oh, ma chérie ! Mais où... ? Que t'est-il... ?

Papa, qui avait réussi à se glisser devant maman, coupa court aux questions, me prit des bras de l'homme et m'emmena dans la chaleur réconfortante du salon. Je ne m'étais pas rendu compte à quel point j'avais froid.

Déposée sur le canapé (te voilà enfin cher canapé !), j'entendis maman et Dante qui discutaient dehors.

Elle allait penser que je m'étais fait raccompagner par un dealer ou un type louche dans le même genre. Mais non. Papa et elle revinrent au bout de cinq minutes, un sourire satisfait sur les lèvres, et maman parvint même à ajouter :

– Charmant ton ami. Drôle de façon de s'exprimer mais charmant. Il n'a pas voulu entrer, ni même que je lui offre à boire pour le réchauffer. Il veut juste que tu lui rendes visite dans une semaine pour être rassuré sur ton état de santé. Tiens, il a laissé ça pour toi.

Ce disant, elle me tendit une carte de visite sur laquelle on pouvait lire :

DANTE
Ancienne Cuverie de la rue des Distilleurs
Bâtiment 12. Quartier du Port

Au dos de cette carte déjà bizarre se trouvait une fine écriture calligraphiée qui disait :

Je vous attends mardi soir
à la tombée de la nuit, devant le n° 12.
Ne soyez pas en retard.
Vos parents sont d'accord.

Mais qu'est-ce que c'était que ce plan foireux ? Comment les parents pouvaient-ils être d'accord pour me laisser sortir la nuit alors que je venais de leur faire frôler la crise cardiaque ? Je levai les yeux vers papa et maman qui continuaient à sourire comme si je venais de recevoir l'Oscar de la meilleure actrice.

À ce moment, entrèrent en trombe Mathieu et Françoise. Voilà qui va remettre les choses en ordre, me dis-je intérieurement. Seulement, tous deux eurent l'air ravis de me voir. Ils balancèrent leur manteau sur le canapé et me regardèrent en souriant comme deux idiots.

– On vient de rencontrer ton ami Dante. Un type super sympa. J'espère qu'il repassera un de ces jours, annonça Mathieu.

– Oui, surtout qu'il est carrément beau gosse. Pourquoi tu ne me l'as jamais présenté ? Je suis ta sœur jumelle je te signale. On doit tout partager, rajouta Françoise comme si on s'était quittées il y avait juste cinq minutes et qu'on était les meilleures sœurs du monde.

– Mais qu'est-ce qui vous arrive ? commençai-je à protester. Pourquoi vous ne me disputez pas ? Maman, tu n'étais pas inquiète ? Et toi papa, tu ne me préviens pas, jeune fille, qu'il est hors de question que cela se reproduise et que je suis privée de sortie jusqu'à nouvel ordre ?

Semblant reprendre ses esprits, papa cligna des paupières une fois, deux fois, puis me regarda d'un air sévère.

– Je te préviens jeune fille qu'il est hors de question que tout cela se reproduise un jour. D'autre part, tu es privée de sortie jusqu'à nouvel ordre. Monte dans ta chambre.

C'était à moi de prendre un air complètement ahuri. À son tour, maman s'approcha de moi et me prit par les épaules.

– J'étais morte d'inquiétude. Tu te rends compte que tu n'as prévenu personne de ton rendez-vous de soutien scolaire. Et moi qui pensais que tu t'étais fait kidnapper. Tu aurais pu téléphoner, tout de même. Tu t'es fait quelque chose au nez ? Mathieu, va ranger ton manteau et enlève tes chaussures. Toi aussi, Françoise. Et toi, Framboise, ne laisse pas traîner ton sac à dos sur le canapé. Montez tous les trois dans votre chambre. Qu'est-ce que c'est que ces enfants qui se couchent après 23 heures. Vous avez école demain !

Devant ce flot de paroles ininterrompu, je restai bouche bée. Qu'est-ce que c'était que cette histoire de soutien scolaire ? Qu'est-ce qui était arrivé à ma famille ? J'étais passée dans la quatrième dimension ou quoi ?

Mais je n'eus même pas le temps d'y réfléchir car Mathieu et Françoise (depuis quand ils faisaient tout de suite ce qu'on leur demandait?) avaient déjà grimpé l'escalier qui menait aux chambres. Je n'eus qu'une solution : les suivre avant de laisser les parents se souvenir qu'ils étaient très en colère contre moi.

Je me déchaussai tant bien que mal, attrapai mon sac et gravis avec difficulté les marches qui montaient à l'étage. Clopin-clopant, je pénétrai dans la salle de bains qui s'illumina sur mon passage et jetai un regard désespéré au grand miroir qui trônait au-dessus du lavabo.

Mon reflet me soulagea : je n'étais pas difforme. Mon nez semblait normal, quoique un peu râpé et très rouge virant sur le bleu, tout comme mon front et mes pommettes. Mon pull rose était en revanche imbibé de sang, le même qui me recouvrait les lèvres, le menton et le jeans. Et maman qui n'avait même pas hurlé en me voyant tout abîmée. Il se passait des choses bizarres. Seulement je n'avais pas très envie d'éclaircir tout ça pour le moment. Je voulais du désinfectant et un lit.

Dix minutes plus tard, mon vœu était exaucé. Je m'enfonçai sous ma couette, laissant mes soucis de beauté et de santé mentalofamiliale à demain.

Bonne nuit.

7

Le reste de la semaine fut étrange et déconcertant : mes parents avaient l'air d'avoir totalement assimilé le fait que j'étais en cours de soutien mercredi soir. De soutien de quoi ? Ils auraient été bien incapables de le dire, et moi aussi puisqu'il n'y avait jamais eu cours de soutien !

D'autre part, mon nez semblait être devenu complètement invisible à ma famille parce que ni papa ni maman et encore moins Mathieu ou Françoise n'eurent l'air de remarquer les griffures qui me barraient le visage. Enfin, ils rabâchaient sans arrêt tous les quatre qu'il était extrêmement important que je me présente à mon rendez-vous de mardi soir.

– Pourquoi ? leur demandais-je chaque fois.

– Parce que, me répondaient-ils systématiquement avec un aplomb qui dépassait l'entendement.

Du côté du collège, rien à signaler. Mes copines voyaient mon nez et croyaient mon histoire. Fati était persuadée que Dante était « un prince charmant ou quelque chose comme ça ». Carole pensait qu'il était « un extraterrestre et qu'il avait aspiré le cerveau de ma famille pour les transformer en légumes et conquérir le monde ». Quant à Zaza, elle se demandait si elle ne m'avait pas entendue parler d'un rendez-vous pour un cours de soutien, mais c'était juste pour m'entendre hurler d'exaspération.

Bref, la semaine se déroula à l'instar de toutes les précédentes : Mathieu et Françoise étaient redevenus les monstres qu'ils avaient toujours été. C'est-à-dire que le premier ne rabattait pas la cuvette des toilettes et me volait la télécommande et que la seconde se permettait de fouiller impunément dans mes affaires et de pomper mes exercices de géométrie.

Le mardi fin d'après-midi arriva plus vite que je l'avais redouté.

Je ressassais que ce n'était pas grave. Je n'avais qu'à faire semblant d'y aller et traîner un peu sur les quais. Tout rentrerait dans l'ordre le lendemain matin.

C'était sans compter sur l'entêtement de ma mère qui, contrairement à son habitude, était venue me chercher à la sortie du collège. Elle avait pris la voiture pour me conduire jusqu'au lieu de rendez-vous. Comme le soleil n'était pas encore couché, elle se gara devant le bâtiment en brique marqué du numéro douze, actionna la fermeture centralisée qui condamna les portes et retira les clés du contact pour les glisser dans sa poche.

Ainsi, j'étais séquestrée par ma propre mère dans notre propre voiture.

Quand je lui demandai ce qu'elle faisait, elle sembla ne pas m'entendre. Elle s'était mise à fredonner un petit air joyeux et regardait dehors comme si je n'avais pas été en sa compagnie. Je criai « Maman ! Maman ! » mais elle ne réagit pas d'un cheveu.

Au bout de vingt minutes, alors que le soleil baissait inexorablement, elle sembla se rappeler quelque chose. Sans se tourner vers moi, elle me tendit la main et exigea d'un ton qui n'appelait aucun refus :

– Donne-moi ton portable, ma chérie.

– Non ! m'exclamai-je, outrée.

Mais, continuant à fixer un point invisible sur le pare-brise, elle remua les doigts à quelques centimètres de mon visage et répéta :

– Donne-moi ton portable. Tu sais que je ne sais pas nager. Tu veux que j'ouvre la portière et que j'aille me jeter dans la Seine ? Tu veux voir ta mère se noyer. Non ? Alors donne-moi ton portable immédiatement.

D'une main tremblante je fouillais dans mon cartable pour en extraire mon téléphone quand elle ajouta :

– Laisse-moi ton cartable aussi. Tu n'en auras pas besoin là où tu vas.

J'échouai à balbutier une réponse, trop désespérée par ce chantage affectif et ces déclarations saugrenues. Maman me prit le cartable des mains et le rangea sous son siège avec le portable.

– Maman, mais qu'est-ce qui t'arrive ? Qu'est-ce que tu racontes ? Arrête de me faire peur ! Viens, on rentre à la maison !

Mais elle s'était déjà remise à chantonner, les yeux sur le soleil flamboyant qui achevait de se coucher sur la rive gauche. J'essayais désespérément d'ouvrir la portière, de baisser la vitre électrique et même de la briser, mais rien n'y faisait. J'étais emprisonnée au côté d'un gardien nommé maman.

8

Résolue à attendre plutôt qu'à me fracasser le bras sur la vitre de ma portière, je regardai en compagnie de maman le dernier rayon de soleil disparaître à l'horizon. Le ciel devint rouge, puis le rose laissa la place au violet.

Un grincement sur ma droite me fit tourner la tête. Je sursautai en découvrant un géant moustachu debout de mon côté de la voiture. Se penchant vers la vitre, il eut un geste du petit doigt. Aussitôt, le loquet se souleva et ma portière s'ouvrit d'elle-même laissant le passage au grand type qui en profita pour se pencher à l'intérieur de l'habitacle. Je m'enfonçai dans mon siège pour mettre le plus de distance possible entre moi et ce parfait inconnu qui agissait avec une décontraction totale, donnant l'impression que l'on se connaissait depuis des dizaines d'années.

– Salut Framboise (mais comment connaissait-il mon prénom ?). Salam alekoum, madame la Mère de Framboise, ajouta-t-il à l'adresse de maman en posant sa main sur le cœur. Vous pouvez me la laisser, on prendra soin d'elle, ne vous inquiétez pas.

Sur ce, il m'attrapa le bras, défit ma ceinture et me fit sortir d'une poigne de fer de la voiture. Aussitôt après, la portière se referma toute seule, maman démarra en trombe, roula le long du quai avant de disparaître à un coin de hangar. Si j'avais été l'héroïne d'un film d'horreur, j'aurais dit un truc du genre «Je ne devais plus jamais la revoir» mais qu'est-ce que j'en savais, moi qui n'étais l'héroïne d'aucun film. C'était ma vie que je vivais, ma VRAIE vie !

– Elle ne devait plus jamais la revoir, fit le moustachu. C'est très mélodramatique comme phrase.

Je levai les yeux vers le grand homme qui me martyrisait l'épaule à force de serrer mon bras.

– Oups ! Pardon, je ne me rendais pas compte, dit-il en relâchant la pression.

C'était pas possible ! Il lisait dans mes pensées ou quoi ? Au moment où je l'interrogeai du regard, il se mit à siffloter le nez en l'air avec la tête de celui qui n'a rien entendu. Étrange... Mon souci premier fut de me libérer de ce sinistre inconnu. Il ne serrait quasiment plus mon bras de peur de me blesser, aussi me dis-je que la solution était peut-être là. Je prétextai des fourmis dans la main et il laissa juste ses grands doigts en anneau autour de mon bras. C'était maintenant ou jamais. Alors que je m'apprêtais à m'arracher à lui et à m'élancer le long des quais, la voix du moustachu gronda dans les basses :

– C'est pas possible, jeune fille. Tu ne peux aller nulle part... Oh zut ! Attends, ce n'est pas assez sentencieux. Je sais : Impossible, jeune mortelle ! Ton destin est désormais lié au nôtre. C'est mieux là ?

– Vous êtes complètement cinglés !

– Merci.

– Mous, arrête de jouer avec elle.

Je sursautai en entendant la voix de Dante. Il venait d'apparaître là où il n'y avait personne deux secondes plus tôt. C'était de la magie !

– Mais non. Qu'est-ce qu'elle est naïve ! Je peux le faire moi aussi si je veux. Regarde...

Soudain, la pression sur mon bras se relâcha totalement et le géant moustachu disparut pour réapparaître dix mètres plus loin sur les quais en criant «Tadaaa!». Je ne demandai pas un bis et en profitai pour mettre rapidement les voiles. Mais à peine eus-je esquissé un mouvement de fuite que Dante, pourtant dos à moi, m'avertit:

– Ne t'en va pas, auquel cas je serai très contrarié et je ne te ferai plus confiance.

Alors que je prenais bonne note de ses menaces, une ombre se dressa devant moi. Le géant était revenu.

– Tu voulais t'en aller? me demanda-t-il d'un air qui semblait sincèrement triste. Elle voulait s'en aller? répéta-t-il à Dante, toujours impassible.

– Rentrons, fit celui-ci en guise de réponse.

9

Ils semblaient prendre leur rôle de kidnappeurs très au sérieux, aussi me résignai-je à jouer temporairement à l'otage soumis. Je suivis sans broncher le géant à l'intérieur du bâtiment.

– Je m'appelle Moustafa, pas le géant, dit ce dernier d'une voix forte qui résonna contre les parois démesurées du hangar. Tu peux aussi m'appeler Moustache, ou Mous parce que c'est comme ça que Dante m'appelle. Au fait, la nouvelle, bienvenue à Bab-el-Web ! s'écria-t-il en désignant la cinquantaine de télévisions qui ornait le mur du fond.

Toutes branchées sur une chaîne différente, elles formaient une mosaïque mouvante de couleurs et d'images silencieuses. Au bas du mur, trônaient six écrans plats d'ordinateurs et trois claviers devant lesquels Moustafa alla s'installer. Il enfila des lunettes de soleil auparavant posées à côté de la souris et commença à pianoter, semblant définitivement oublier ma présence et celle de Dante qui revenait après avoir fermé la porte.

Je restais complètement sidérée par ce que je voyais et ce qui m'arrivait. Je devais sûrement être endormie sur la banquette arrière de la voiture en train de faire un rêve qui s'expliquerait par ma trop forte consommation de chocolat. Je n'avais aucune autre explication.

– Suis-moi, dit Dante en passant devant pour grimper des escaliers qui menaient à une gigantesque mezzanine.

Là-haut, le décor était tout autre. Si le rez-de-chaussée ressemblait à un magasin de télé, l'étage semblait tout droit sorti d'un film de détective en noir et blanc. Un vieux bureau disparaissait sous une montagne de feuilles de papier manuscrites tandis qu'un antique fauteuil en cuir faisait face à un canapé tout aussi usé. Seul anachronisme, la dizaine d'épées accrochées au mur ou posées contre les montants des meubles.

– Installe-toi, gamine, ajouta le jeune homme en prenant place dans le fauteuil et en me désignant le canapé.

Il régnait une ambiance étrange, renforcée par la lueur bleutée qui montait des dizaines de télés regroupées en bas. Je m'assis timidement dans les profondeurs du coussin et attendis que le verdict tombe.

Dante soupira et me fixa sans un mot, le menton appuyé sur les mains. J'entendais Moustache pianoter frénétiquement sur ses claviers, je sentais l'odeur du cuir monter du canapé et le goût âcre de la peur dans ma bouche. Je pensais à maman, plus bizarre qu'elle ne l'avait jamais été, qui m'avait déposée dans les griffes des grands méchants loups : à papa qui allait voir rentrer maman seule et qui lui poserait rapidement des questions sur mon absence ; à Mathieu et Françoise qui se frotteraient les mains de ma nouvelle escapade avant de s'inquiéter sérieusement sur le sort de leur sœur chérie.

J'en étais là de mes réflexions quand Dante prit la parole.

– Ta mère n'est pour rien dans toute cette histoire. C'est moi qui lui ai demandé de t'emmener ici. Elle n'a pas eu le choix.

– Je ne comprends pas, répondis-je. Une maman n'abandonne pas son enfant, même sous la menace. Mais là, c'est elle qui m'a demandé de partir en me menaçant.

– Je te répète qu'elle n'a pas eu le choix. Je lui ai suggéré qu'il était d'une importance capitale pour elle de t'amener au rendez-vous que j'avais fixé.

Je ne comprenais toujours pas, mais préférais me taire plutôt que de provoquer la colère de mon kidnappeur.

– Je ne me mets que très rarement en colère.

– Vous lisez dans mes pensées !

– Tu as mis du temps à t'en rendre compte.

Tout s'expliquait soudain comme, par exemple, la curieuse impression de trouver réponse aux questions que se posait ma petite voix de tête. Oui, mais non ! Ça n'était pas possible. Personne ne pouvait lire dans l'esprit des autres.

– Bien sûr que si. On appelle ça de la télépathie. Je connais des enfants de ton âge qui en sont parfaitement capables.

– Et moi je pourrais le faire ?

– Non, ça ne s'apprend pas. C'est inscrit dans les gènes. Comme une anomalie génétique qui serait bénéfique. Dans tes gènes à toi il y a autre chose.

– Quoi ? Où çà ? demandai-je en m'examinant comme si mon programme génétique était écrit sur mes mains.

Il n'y avait rien dans mes gènes à part un sacré bazar qui faisait de moi une miss catastrophe.

– Tu as déjà entendu parler de la télékinésie ?

– La télé qui n'est quoi ?

– Télékinésie, l'art de déplacer les objets par la pensée.

– Très marrant.

– Je ne suis pas ici pour être marrant. Regarde, tu vois ce papier roulé en boule qui traîne là-bas à côté de la corbeille ?

– Oui... NON !

Le papier venait de bouger tout seul et avait roulé jusqu'à mes pieds comme si un courant d'air invisible avait soufflé dessus.

– Non, non, non… c'est pas possible, répétai-je alors que je soulevais les pieds pour laisser le passage à la boule qui s'élevait à présent dans les airs et atterrissait finalement dans la main de Dante.

– Plus difficile, maintenant, dit Dante en tournant la tête.

Je suivis son regard et aperçus un scintillement sur le bureau. Une petite dague s'élevait tranquillement dans les airs. On avait l'impression que des minuscules fils invisibles la suspendaient, comme dans les trucages bidons des vieux films fantastiques. Seulement, j'étais certaine qu'en passant la main dessous et dessus je ne trouverais ni fil ni attache. Ce n'était pas de la prestidigitation, c'était pour de vrai.

La dague voletait mollement en s'approchant de nous. Sa lame captait la lumière et renvoyait un éclat argenté quelque peu menaçant. Il faut dire que l'arme n'avait rien d'un couteau à beurre. Elle ressemblait plutôt à une épée en miniature avec deux côtés tranchants, un bout bien pointu et une garde pour y mettre la main. Sauf qu'il n'y avait aucune main pour la tenir.

– Attention, gamine ! s'exclama Dante en faisant un mouvement de la tête (comme s'il avait lancé la dague avec son front).

Aussitôt l'arme se précipita vers moi. Je n'eus pas le temps de réagir, je poussai juste un cri d'effroi. Au même instant, la pointe de l'arme sembla rebondir loin de mon visage comme frappée par un obstacle invisible. Elle alla se ficher dans le plancher aux pieds de Dante qui ne cilla pas mais continua à me fixer l'air satisfait.

– Mais vous êtes complètement cinglés ! hurlai-je en m'élançant hors du canapé. Vous ne croyez pas que mon nez en a assez pris ? Ça vous amuse de me faire mourir de peur ? Vous enlevez des enfants et vous les torturez en leur foutant la frousse de leur vie ?

J'étais hors de moi et bien décidée à quitter au plus vite cet asile de fous furieux.

10

– *Assieds-toi.*

Mes jambes retournèrent s'asseoir alors que ma tête ne pensait encore qu'à la fuite. J'avais beau leur dire « Non ! Jambes, dans l'autre sens ! » elles posèrent leurs fesses sur le canapé et je me retrouvai à nouveau en face de Dante.

– *Ne t'avise plus de quitter ce canapé sans mon autorisation.*

Je trouvai d'un seul coup que ce vieux canapé en cuir était l'endroit le plus accueillant au monde. Je n'avais plus envie d'en bouger. On m'aurait laissé le choix entre rentrer à la maison et rester sur le canapé délabré, j'aurais opté sans hésitation pour la deuxième proposition.

– Bien, nous allons pouvoir continuer. Pourquoi la dague ne t'a-t-elle pas touchée ?

– Parce que vous l'avez empêchée de le faire.

– Faux. Parce que TU l'as empêchée de t'atteindre.

– N'importe quoi.

– Ne me fais pas perdre mon temps, fillette. J'ai autre chose à faire cette nuit que jouer au chat et à la souris avec une môme.

– Et moi, j'ai autre chose à faire qu'écouter vos histoires de dingue. Je veux...

– ... rentrer chez toi, revoir ta famille, porter plainte pour séquestration et torture.

– Arrêtez de lire mes pensées, c'est privé !

– Alors, arrête de te faire plus stupide que tu ne l'es.

Je sais que tu es déjà en train d'évaluer les probabilités pour que certains événements soient dus à autre chose qu'à ta maladresse. Les verres qui cassent justement les jours où tu es énervée, l'accident de voiture de ta tante dont elle sort indemne, ta collision avec un mur qui ne te laisse que quelques égratignures et je suppose que la liste est encore longue.

Je ne savais plus quoi dire pour me sortir de cette situation.

– Alors ne dis rien. Essaie plutôt de te concentrer et de bouger cette boule de papier.

La feuille chiffonnée qu'il avait déplacée tout à l'heure gisait sur le plancher non loin de la dague. Mais j'avais beau lui dire *bouge, bouge!* Elle ne remuait pas d'un cheveu. Elle semblait bien ancrée dans le sol, prête à y rester des années, voire des siècles, si personne ne la dérangeait. Toute cette histoire de télépensékifêbouger, c'était vraiment stupide!

– Pfff... C'est ridicule, soupirai-je à l'intention de l'homme qui me faisait face.

Fais bouger ce morceau de papier.

Sans même réfléchir, réagissant d'instinct à l'ordre mental qui venait de me traverser le cerveau, je me tendis et poussai avec mon esprit sur la boule. Aussitôt le papier roula au loin et chuta dans les escaliers.

– Très bien. Repousser, c'est facile. Attirer à soi est bien plus compliqué, et manipuler des objets demande beaucoup de pratique. Mais ce n'est ni le moment ni le lieu pour t'apprendre ça. Nous savons maintenant tous deux de quoi tu es capable, alors ne t'avise plus de me contredire. Je t'autorise à quitter le canapé mais je t'interdis de sortir du hangar. Mous reste là pour veiller sur toi. Quant à moi, je vais faire des courses.

Dante se leva, s'approcha de la rambarde qui séparait l'étage du vide et, se tournant vers moi, il répéta mentalement sa mise en garde : *Interdiction de quitter le hangar !* Ce qui eut pour conséquence de me la marquer en lettres de feu dans le cerveau. Sur ce, il sauta d'un geste ample au-dessus de la balustrade et atterrit souplement au rez-de-chaussée. Je me précipitai juste à temps pour le voir sortir par la petite porte en bois (la même par où j'étais entrée) qui ouvrait dans un grand porche donnant sur les quais. Il venait de faire une chute de six mètres aussi naturellement qu'on descend une marche. Étonnant.

11

Je me retrouvais seule avec mes réflexions. Alors comme ça, je pouvais faire bouger des trucs ? Je m'assis à même le plancher et me tournai vers la corbeille qui débordait de boules de papier chiffonné. J'en choisis une et tentai de reproduire ce que j'avais fait avec sa jumelle.

– *Bouge, bouge,* lui disais-je.

Mais la boulette restait obstinément immobile.

– *Mais bouge, saleté de boule de papier débile !*

Je sentis un minuscule fil de puissance partir de moi pour aller frapper la boulette. Celle-ci eut un léger balancement, puis plus rien. Je commençais à comprendre. Ça ne venait pas que de la tête mais de tout mon corps. Comme quand on est en colère et que le corps le devient aussi. Il fallait le vouloir non seulement dans son esprit mais aussi dans toutes les fibres de son être.

Je pris une autre boule et la posai devant moi. Je lui ordonnai de bouger. Tous les muscles de mon corps se tendirent tandis que j'imposais mon ordre à la boulette. Celle-ci se mit à rouler comme si un vent impalpable l'avait poussée. J'avais réussi !

Je continuai à m'entraîner. Il y eut bientôt des boules de papier aux quatre coins de la pièce.

Le seul problème, c'était qu'autant de concentration était épuisant. Au bout de cinq minutes de « repousse-papier », je fus aussi crevée que si j'avais couru un marathon. Et les boules refusaient désormais de bouger. J'étais à sec.

Pour me changer les idées, je décidai d'aller voir ce que tramait le dénommé Moustafa. Je descendis donc les escaliers jonchés de boulettes et pénétrai timidement sur le territoire du moustachu. Il ne tourna même pas la tête vers moi, complètement plongé dans les écrans qui lui faisaient face.

Puisqu'il y avait le choix dans les télés, je choisis un programme qui m'intéressait et m'installai par terre face à un écran diffusant une série que je connaissais par cœur. Et c'était tant mieux parce qu'aucune des télés n'avait le son.

Enfin... ce n'est pas tout à fait vrai. Il y avait une bouillie sonore où se mêlaient des voix, des musiques, des bruits issus des quarante-huit télés (j'avais compté) réglées à leur volume minimum. Impossible d'y récupérer les dialogues qui correspondaient à l'image que je regardais.

– Tu sais qu'Ils vont venir te chercher demain matin, dit tout d'un coup Moustafa.

Je sursautai. Il y avait presque une demi-heure que j'étais plongée dans l'intrigue de la série. L'héroïne enchaînait cascades et bagarres contre des vampires qui attendaient chacun leur tour pour se faire massacrer. Je demandai :

– Qui ça ?

– Eux, ils vont venir. Ils sont si sûrs d'eux, si sûrs de leur puissance, ces petits enfants de l'Université.

– Ce sont des étudiants ? Qu'est-ce qu'ils me veulent ?

Mais Moustafa ne répondit pas. Il avait déjà replongé la tête dans son écran. Des fenêtres bleues s'entrechoquaient dans le reflet de ses lunettes.

– Tu comprendras en temps utile.

Dante venait encore une fois d'apparaître à côté de moi (heureusement que je n'étais pas cardiaque) et il s'obstinait à ne proférer que des phrases énigmatiques. Cette fois, Moustafa sortit bel et bien de son état hypnotique. Il fit tourner son siège et contempla son ami d'un air réjoui.

– C'est pas trop tôt ! Je commençais à avoir la dalle. Et c'était pas le moment avec cette gamine qui bouge partout. J'espère que t'as pensé à lui ramener un truc.

– Je ne savais pas quoi prendre alors je suis passé dans un fast-food. Tiens, c'est pour toi, petite.

Dante me tendit un menu enfant de chez Kouik. Formidable, j'aurais eu 6 ans, j'aurais été ravie. Mon estomac me cria d'oublier ma dignité et de vite le remplir. Je me jetai alors sur le sac en papier et en sortis un hamburger dégoulinant de graisse dans lequel je mordis à pleines dents.

– Bon, à nous maintenant. On va pas jeûner parce qu'on a une visiteuse quand même.

– Monte, Framboise.

– Pourquoi ? Je ne peux pas rester manger avec vous ?

– *Monte, Framboise.*

Encore un ordre-pensée ! Si les parents savaient se servir de ça, on serait tous des enfants modèles. Mes jambes prirent donc le chemin de l'étage. J'eus, avant de monter l'escalier, la vision fugitive de Dante jetant à son compagnon deux paquets opaques remplis d'un liquide rouge sombre que je pris pour de la soupe. J'entendis le rire de Moustache « Ah, ah, ah ! D'la soupe ! C'est la meilleure ! Elle est rigolote cette gamine ! » mais je n'eus pas le temps d'y réfléchir plus longtemps parce qu'au même moment, je glissai sur une boulette de papier, ratai la dernière marche et renversai ma boisson sur le parquet du premier étage.

12

Passons les descriptions de serpillière, boisson sucrée qui colle partout, etc. De toute façon, rien de vraiment passionnant. J'avais épongé (Dante m'avait lancé une serpillière du rez-de-chaussée), j'avais terminé de manger (dégoûtantes frites froides), je m'étais installée dans le canapé où je m'étais endormie (je me demande si ça ne m'avait pas été fortement conseillé par Dante d'ailleurs ?). Quand je m'étais réveillée, il était 7 heures du mat à ma montre (l'habitude du collège). Je repoussai la couverture que quelqu'un avait eu la gentille attention de poser sur moi et descendis les escaliers, les yeux encore à moitié fermés.

En bas, les télés n'avaient pas bougé, mais Moustafa si. Sa chaise était déserte et je m'empressai de l'essayer. C'était un vrai siège de bureau sur un pied à six roues qui tournait dans tous les sens et pouvait glisser d'un écran à l'autre en un élan. Au fait, je pouvais peut-être envoyer un mail d'au secours à la maison ? Ou même mieux, à la police ?

Alors que je cherchais sur un des six écrans, le moyen d'accéder à la boîte aux lettres, Moustafa sortit d'une petite pièce sur la gauche et se précipita vers moi. Il avait encore la brosse à dents dans la bouche et postillonnait de protestation :

– Qu'êchke tu fais là ? Cha va pas du tout cha ! Pouch-toi dlà toutchuite, echpèce de chale petite fouineuse ! Dante ! Elle touche à mes chordinateurs !

– Avec le nombre de sécurités que tu y as installé, elle n'aurait rien pu envoyer, tu le sais très bien.

J'en revenais pas ! Dante était assis dans un fauteuil à cinq mètres de moi depuis le début et je ne l'avais même pas vu !

– Oui, mais elle touche quand même à mes chordinateurs !

Moustafa envoya un postillon de dentifrice sur un clavier, eut une mine horrifiée et se précipita dans la salle de bains (puisque je suppose que la petite pièce était une salle de bains) pour se rincer la bouche. Puis il revint aussi vite qu'il était parti, avec de la mousse encore sur la moustache, me poussa jalousement hors de la chaise et reprit vite sa place devant les ordis. Il entreprit ensuite de nettoyer le clavier à l'aide d'un Coton-Tige qui paraissait minuscule entre ses gros doigts.

Virée sans ménagement, je regardai Dante assis dans une attitude bizarre. Les yeux dans le vague, on avait l'impression qu'il observait très attentivement quelque chose qu'il était le seul à voir. En tout cas, ça expliquait pourquoi je ne l'avais pas vu avant ; il était tellement immobile qu'on aurait pu le prendre pour une sculpture de lui très bien imitée et avec une peau aussi blanche, il aurait pu rivaliser avec n'importe quelle statue de cire.

Puisque personne ne faisait attention à moi, je retournai m'installer là où j'étais déjà assise la veille pour regarder la télé et plongeai rapidement dans un dessin animé pré-heure d'aller à l'école.

Quelques minutes plus tard, mon kidnappeur en chef se leva en annonçant « les voilà ». Deux secondes s'étaient à peine écoulées quand on frappa à la porte. Dante avait déjà la main posée sur la poignée et entrouvrait l'huis.

Dehors, le ciel commençait timidement à s'éclaircir. Dante s'écarta pour laisser entrer les visiteurs : deux hommes et une jeune fille, tous en uniforme noir, pantalon et veste à col chinois.

Dante referma rapidement la porte et regagna le fauteuil qu'il venait de quitter, reprenant la même position d'observateur qu'il avait tout à l'heure.

Les trois personnes saluèrent Moustafa. Mais ce dernier, qui ne semblait pas ravi de les voir, ne leur répondit pas. Il continua à pianoter furieusement sans leur accorder le moindre regard.

Enfin les nouveaux se tournèrent vers moi. La fille, qui avait l'air d'avoir mon âge, souriait. Sa peau, ses cheveux et son costume noirs contrastaient avec le blanc de ses dents et de la chemise qu'on devinait en dessous de sa veste. Avec ses cheveux coiffés en une multitude de minuscules tresses, elle paraissait sympa. En revanche, les deux types derrière elle avaient l'air super sérieux. L'un avait une vilaine cicatrice qui lui barrait la joue, l'autre ressemblait à un croque-mort avec ses cheveux rasés et son air de pas rigoler tous les jours.

La fille s'avança vers moi et me tendit la main :

– Bonjour Framboise, je m'appelle Véga. Et derrière moi, ceux qui ne parlent pas, c'est Franky le balafré et Léon. On est venus te chercher pour t'emmener dans ta nouvelle école.

Je ne serrai pas la main qu'elle me tendait. Non mais pour qui elle se prenait ? C'était quoi, cette histoire d'école ? On m'avait kidnappée juste pour m'inscrire dans un nouveau collège ?! Ça me paraissait tout de même un peu exagéré.

Puisque Dante m'avait appris que j'avais des pouvoirs, j'allais leur montrer de quel bois je me chauffais. Après tout, bousculer une fille en costard ne devait pas être beaucoup plus dur que de repousser une boule en papier. Je me concentrai sur ma colère et cherchai à en faire une super boule de méchanceté en y ajoutant tous les trucs qui débloquaient en ce moment (les parents, mon frangin, ma frangine, mes kidnappeurs, les croque-morts). J'envoyai ensuite le tout sur Véga qui n'avait pas bougé.

Mais au moment où je propulsai ma boule, la fille leva la main et dissipa l'attaque comme elle l'aurait fait d'un nuage de fumée. Qu'est-ce que ça voulait dire ?

– Si tu crois être la seule à être un Voleur, tu te trompes, railla Véga.

– Dante…

Voilà que j'appelais mon kidnappeur à l'aide maintenant. C'était le monde à l'envers ! Une phrase se forma dans ma tête :

– *Désolé, Framboise, je ne peux rien faire pour toi.*

Il me laissait tomber ! Mon propre kidnappeur me laissait tomber. Ils étaient beaux, les malfaiteurs de nos jours ! Je regardai Dante qui m'apparut plus fatigué et plus pâle que je ne l'avais encore vu. Même Moustafa s'était arrêté de taper. Les mains posées sur les genoux, il me regardait d'un air las.

– Le soleil s'est levé, annonça-t-il.

– Alors allons-y, dit le grand qui s'appelait Léon.

– Viens avec moi Framboise, invita Véga en me tendant à nouveau la main.

Puisque les événements m'échappaient depuis le début, autant continuer à faire ce qu'on me disait. J'attrapai la main de Véga et me laissai entraîner à l'extérieur. Avant de quitter l'entrepôt, je jetai un coup d'œil à Dante qui me regardait partir avec un sourire triste.

Sois patiente, me glissa-t-il tout doucement.

Un clignement d'œil plus tard, je me retrouvai dans le petit jour des quais. Le clapotis du fleuve faisait monter des odeurs d'humidité et de pourriture. Le long de la berge était garé un bateau noir dont la carrosserie impeccable jurait avec l'ambiance glauque de cette partie du fleuve. Ça avait tout l'air d'être une vedette fuselée pour la haute mer.

Attrapant les barreaux, Léon fut le premier à descendre sur le pont, suivi de Franky.

– À ton tour, Framboise, me dit ce dernier.

Je me retournai, posai le pied sur le premier barreau, puis le deuxième et dérapai sur le troisième. Je me sentis tomber à la renverse et, juste avant de rater le pont du bateau, quelque chose comme une main invisible ralentit ma chute. Une main qui me déposa les fesses au sol sans encombre.

– Heureusement que Franky était là ! me lança Véga et je compris que le balafré aussi avait le pouvoir.

C'était donc lui qui m'avait *retenue* et m'avait ainsi évité d'être plongée dans l'eau dégoûtante du port. Je me redressai en me demandant si Léon aussi était comme Véga, Franky et moi. Évidemment ! me dis-je, ce serait logique

– *Non, je ne suis pas un Voleur, je suis un Penseur.*

Oh non ! Encore un qui lisait et parlait dans ma tête, c'était pas possible ! Léon était comme Dante et Moustache. Ras le bol de ces types bizarres qui écoutaient les pensées intimes des autres. Et si je pensais que j'avais envie de faire pipi, il l'entendait aussi ?

– *Oui*

Je jetai un regard chargé de honte et de colère à ce Léon qui écoutait tout. Je ne pouvais pas vivre avec un type qui m'entendait penser tout le temps. Et mon intimité alors ?

– *En attendant de me dévoiler tous tes petits secrets, va donc aider Véga à défaire les amarres et ensuite rejoignez-nous à l'intérieur.*

En pensée, je tirai la langue à Léon puis m'approchai de Véga qui s'escrimait sur les cordages humides retenant le bateau au quai.

– Sers-toi de ta tête, Véga ! entendis-je Léon ordonner sévèrement.

– Oh oui, c'est vrai.

La fille arrêta de s'attaquer aux cordes et se contenta de les regarder fixement. La corde commença à se soulever et à glisser tout doucement hors de l'anneau autour duquel elle était nouée.

– Va faire la même chose à l'avant, me suggéra Véga.

La laissant terminer son travail, je m'engageai sur le petit pont qui longeait la cabine du bateau et essayai de reproduire ce que j'avais vu Véga faire. J'essayais d'imaginer que j'étais une Framboise transparente qui attrapait la corde et la dénouait soigneusement. Mais ça ne marchait pas exactement comme je l'espérais. J'arrivais à faire bouger la corde, mais on aurait dit qu'elle devenait du même coup vivante et refusait de se laisser faire. Résultat : elle se débattait dans tous les sens comme un serpent hargneux.

Véga me rejoignit à ce moment-là et me donna ce conseil :

– N'imagine pas que tu dénoues la corde mais que tu es la corde qui se dénoue d'elle-même.

Que j'étais la corde… j'avais jamais été une corde de ma vie. Et puis, en plus, penser comme ça, c'était super fatigant ! Je laissai l'amarre retomber et soufflai :

– J'en peux plus.

Véga hocha la tête et prit le relais. À première vue ça avait l'air facile, et pourtant..

Les amarres et les pares-battage (des gros boudins qui pendaient le long de la coque) rangés, le bateau démarra et s'écarta prudemment du quai. Véga était entrée dans l'habitacle et, avant de la rejoindre, je regardai le Hangar 12 s'éloigner petit à petit de moi.

– Au revoir, Dante. Au revoir, Moustache, murmurai-je le plus silencieusement possible.

Aucune réponse ne me parvint.

Quand le hangar disparut derrière l'imposante masse d'un silo à grain, je descendis dans la cabine de pilotage et me tournai vers mon nouveau destin.

13

Le voyage en bateau fut interminable. Une fois le fleuve remonté jusqu'à l'embouchure, la vedette mit les gaz vers le large. Ça n'avait plus rien d'une promenade de dimanche après-midi. Loin de la côte, les vagues étaient carrément grosses, et Franky ne semblait pas vouloir les éviter. Notre embarcation faisait donc du rodéo et je commençai vite à me sentir maldemereuse (c'est quand on a le mal de mer).

Blong, blong, le bateau n'arrêtait pas de rebondir. Et pas question d'aller faire un tour sur le pont parce que j'aurais été trempée et sûrement emportée par les vagues qui se brisaient dessus.

Blong, blong, à chaque nouveau bond, mon cœur et mon estomac répondaient comme un écho. Mon hamburger d'hier soir n'allait pas tarder à recouvrir le sol si ça continuait à remuer comme ça. J'entendis un grand soupir et levai les yeux vers Léon qui me regardait d'un air contrarié.

– Tu commences déjà à être encombrante. Ça promet.

Il continua à me fixer puis tourna la tête vers Véga qui se tenait debout à côté de Franky accroché au gouvernail. Tous deux épousaient sans problème les mouvements du bateau. Ils devaient avoir le pied sacrément marin.

– Conduis-la dans la cabine et couche-la.

Véga obéit sur-le-champ. Elle me guida, à travers des petits escaliers, vers une cabine où six lits se serraient dans des alcôves. Je m'allongeai tout de suite sur une couchette.

J'étais tellement concentrée sur les mouvements de mon estomac que je me sentais incapable de fermer l'œil.

Mon royaume pour une mer calme!

S'assurant que j'étais bien installée, Véga remonta et je l'entendis parler avec Léon. Ne vomis pas, ne vomis pas, me disais-je. Une autre voix vint alors se mêler à mon monologue intérieur, une voix sévère qui me donna un ordre auquel je ne fus que trop heureuse d'obéir.

Dors.

Je me réveillai beaucoup, beaucoup plus tard, la bouche pâteuse, de la bave et des marques d'oreiller sur la joue droite, une furieuse envie de manger dans l'estomac et les cheveux ébouriffés comme si je ne m'étais pas coiffée depuis deux jours (ce qui était d'ailleurs le cas). J'étais toujours dans la cabine, mais le sol semblait s'être calmé. Ça tanguait encore un peu mais ça n'avait rien de comparable avec les éléments déchaînés de tout à l'heure.

Essayant de me recoiffer avec les doigts (heureusement que mes cheveux sont courts), je risquai un coup d'œil par le petit hublot de ma couchette. On ne voyait rien à part du gris de ciment. Le bateau devait être à quai.

Je me levai vite fait, fis un tour dans les minuscules toilettes au fond de la cabine, puis montai les escaliers descendus en catastrophe quelques heures auparavant.

Là-haut, le soleil couchant m'apprit qu'on était le soir; j'avais donc dormi toute la journée. Mes trois nouveaux kidnappeurs cassaient tranquillement la croûte sur le pont extérieur, riant et discutant comme s'ils n'avaient pas un otage en cabine. Le bateau était effectivement accroché à quai dans un port qui semblait désert. Une forêt entourait les quelques mouillages et nous cachait à la vue du reste de la côte.

Je mourais de faim et rejoignis mes trois compagnons que je commençais à trouver sympathiques en dépit de leur uniforme bizarre, de la mine renfrognée de l'un, de la tête trop gentille de l'une, de la cicatrice du troisième et aussi en dépit du fait qu'ils m'avaient enlevée à ma famille et à mes précédents kidnappeurs.

– Tu t'y feras vite, me dit Léon en me voyant approcher et en captant mes pensées.

– Salut, Framboise !

Véga se tourna vers moi et me tendit un sandwich qui avait l'air vraiment délicieux. Je m'en emparai et mordis dedans avec délectation.

– Assieds-toi, me conseilla Franky en me désignant une place sur le pont.

– J'aimerais bien savoir où on va et pourquoi on y va.

– Droit au but, j'aime ça, remarqua Léon. Véga, explique-lui.

Véga hocha la tête et m'éclaira :

– On va à l'Université invisible. On y arrivera normalement cette nuit si la mer reste calme. C'est là que tu vas vivre à partir d'aujourd'hui. Tu habiteras dans la même chambre que moi parce que je suis ta tutrice. Je suis responsable de ce que tu fais, je dois t'apprendre le B.A.-BA de ton don et tout ce qui va avec.

– Attends, attends, je n'ai jamais demandé à être inscrite dans une université ! C'est quoi, cette histoire ?

– Tu n'as pas à demander, tu y es inscrite d'office. C'est là que vont tous les enfants qui développent le don. Au lieu de les laisser mettre en péril la vie de leur entourage, on les emmène à l'Université pour les aider à maîtriser ce qu'ils ne comprennent pas toujours.

– Mais alors, c'est vrai cette histoire de gènes dont m'a parlé Dante ? Je suis une anomalie génétique ?

– On pourrait le dire comme ça. Mais c'est aussi physiologique, ça veut dire que tu peux développer ton don ou ne pas le développer. Tout dépend de l'environnement et du caractère de chacun. Mais méfie-toi quand même de ce qu'a pu te raconter Dante. Lui et Moustafa ne sont pas… disons, des personnes de confiance.

– Quoi ? Ça veut dire quoi ça ? Je les ai trouvés tout à fait normaux.

– Ah, ah, ah, tu es vraiment étonnante Framboise, intervint Léon d'un rire sinistre. Tu ne sais vraiment pas ce que sont Dante et Moustafa ?

– Qu'est-ce que vous voulez dire ?

– Elle ne sait pas, fit Léon en levant les bras et en prenant à parti son petit auditoire. Elle a passé une nuit chez eux sans savoir.

– Dante est un vampire. Et Moustafa aussi, annonça Franky avec un visage sans expression. Ce sont aussi des anomalies génétiques, mais à un point extrême.

– En effet, ajouta Léon d'un air sombre. Ce ne sont pas des vampires de pacotille. Ce sont des êtres réels très différents de nous. Ils collaborent avec l'Université mais nous nous en méfions. Ils sont trop impulsifs, trop instinctifs. S'ils cumulent les dons de Voleur et de Penseur, ils sont aussi extraordinairement résistants. Nul ne connaît leur âge, leur histoire est celle de plusieurs vies humaines.

J'écoutai le discours de Léon, totalement consternée par ce que j'entendais. Des vampires ! Dante et Moustafa ! Et pourquoi pas des loups-garous pendant qu'il y était.

– Ce que je t'explique est extrêmement sérieux, Framboise. C'est un secret que peu de monde partage. Mais, parce que tu as eu affaire à eux, je préfère que tu en sois avisée. Ne prends pas ça à la légère.

– Enfin ! J'ai dormi chez eux, j'ai mangé chez eux, je

n'ai pas été mordue dans mon sommeil et ils ne se sont pas transformés en chauve-souris ! C'est stupide !

– Les as-tu vus sortir à la lumière du jour ? Les as-tu côtoyés à un autre moment que la nuit ? Non. Ils ont cette seule faiblesse d'être allergiques au soleil. Ses rayons provoquent chez eux de graves troubles respiratoires et épidermiques. Ils sont inoffensifs dans la journée. C'est pour ça que nous sommes venus te récupérer à l'aurore, histoire de ne prendre aucun risque. Il te faut d'autres preuves ?

– C'est pour ça que maman m'a déposée au coucher du soleil, hier soir ?

C'était hier soir seulement ! Ma vie me filait vraiment entre les doigts.

« Enlevée par ses propres parents, séquestrée par des vampires et inscrite de force dans une Université alors qu'elle n'a que 14 ans ! » Ça aurait fait un super titre pour un journal à sensation. Sauf qu'aucun journaliste ne pourrait jamais l'écrire parce que j'étais en train de disparaître du monde. Si seulement je pouvais me jeter du bateau et courir jusqu'à la prochaine ville. Mais est-ce qu'on avait croisé des frontières ? Et on était allés vers le nord ou le sud ? D'après la végétation, vers le sud. Bon, je tente ma chance ? Il suffisait que je saute et que je coure aussi vite que possible.

Alors que, discrètement, je m'agrippais au bastingage et évaluais mes chances de réussir un saut qui me ferait atterrir sur le quai, Léon s'interrompit dans la conversation qu'il avait avec Franky et se tourna vers moi :

– Ça n'est même pas la peine d'y penser, Framboise. Bon, Véga, tu ranges le pique-nique avec elle et tu la gardes à l'œil parce qu'elle pense à s'évader. Franky, on s'occupe des amarres.

Léon mit ainsi fin au repas et chacun effectua la tâche qui lui avait été assignée. En cinq minutes tout était fini et le bateau s'éloignait à nouveau de la côte et de mes espoirs d'escapade.

Il fit bientôt nuit, deux petites lumières s'étaient allumées sur les côtés de la coque : rouge à gauche, verte à droite. Au loin, on voyait l'éclat de villes côtières qui se reflétait dans la mer. La surface de l'eau était si plate qu'on avait l'impression de voler au-dessus des flots. Le bateau filait comme une hirondelle à la limite des vagues, et le bruit du moteur couvrait toute discussion possible. Tant mieux car j'en avais assez entendu pour ce soir.

14

Quand le bateau arriva à destination, je n'avais qu'une hâte : retourner me coucher. Il faisait nuit, on n'y voyait rien, juste des morceaux de côte qu'un phare éclairait par intermittence. Sur le quai, un vieux bonhomme tout fripé nous attendait, accompagné d'un grand type baraqué en uniforme. Mes compagnons de voyage saluèrent le vieillard d'un « Bonsoir, Père » et appelèrent l'autre Commandeur. Je me demandai comment ils pouvaient être les enfants d'un homme si vieux.

Après avoir répondu aux salutations, l'homme se tourna vers moi. À la lueur des lampadaires, on avait l'impression que, à la manière des vieux sages chinois, ses yeux riaient tout seuls. Il s'approcha, me prit les mains et me souhaita la bienvenue. Puis il raconta une histoire de vie qui commence, de passé avec de la cendre et d'un avenir avec des clés. J'avoue ne pas avoir tout compris alors je le remerciai vaguement. De toute façon, il semblait déjà s'être désintéressé de moi et repartait d'un pas tranquille sur un chemin qui plongeait rapidement dans l'ombre. Je me tournai vers Véga pour lui demander qui était ce vieillard mais elle était occupée à amarrer le bateau en compagnie de Franky.

En les voyant travailler tous les deux, je fus traversée par un bref flash-back de mon frère et de ma sœur bossant ensemble sur la voiture de maman, une veille d'anniversaire. Mon frère, ma jumelle. Françoise… Ma sœurette. Où est-ce qu'elle pouvait bien être à l'heure qu'il était ? Elle devait commencer à s'inquiéter pour son double.

– J'peux passer un coup de fil ? hasardai-je.

– Non, tu peux pas.

– Mais ma sœur et mes parents et mon frère, ils vont s'inquiéter.

– T'inquiète pas pour ça. Allons plutôt nous coucher, je suis morte, bâilla Véga.

– Quand est-ce que je pourrai passer un coup de fil alors ? insistai-je.

– On n'a pas le téléphone.

J'abandonnai avec la ferme intention de remettre à plus tard la bataille du téléphone. Elle n'allait pas s'en sortir par une pirouette aussi facile.

Véga s'élança à travers un dédale de petits sentiers dallés et je la suivis bon gré mal gré. On se serait cru dans un Jardin des Plantes ou un musée botanique tellement la nature nous cernait. Je n'avais jamais vu autant de vert au même endroit (sauf qu'avec la nuit, le vert était plutôt marron). Dans la pénombre, je distinguai les silhouettes carrées de plusieurs constructions mais Véga, qui savait parfaitement où elle allait, ne ralentissait pas et ma curiosité n'en était que plus aiguisée. Nous arrivâmes finalement sur une petite place carrelée autour de laquelle se serraient les masses sombres de grands bâtiments. Au milieu de la place coulait paisiblement une délicate fontaine ronde et notre arrivée fit fuir un petit animal qui s'y désaltérait. Un écureuil peut-être, ou un chat, ou un…

– Voici le Foyer, c'est là qu'on dort.

Je levai les yeux sur l'édifice vers lequel était tournée Véga. Un immeuble d'un seul étage à la façade en terre battue percée de fenêtres et entouré par d'autres bâtiments dont je ne vis pas grand-chose, autant parce qu'il faisait noir que parce que ma compagne impatiente me tirait par le bras pour me faire avancer.

Traversant le hall, Véga nous fit grimper un étage d'escaliers, longer un couloir et entrer dans une petite pièce qu'elle désigna comme notre chambre. Elle alluma la lumière, réglée sur commande vocale, en aboyant un ordre bref. La douce clarté révéla deux lits, deux armoires et une petite porte entrouverte qui cachait la salle de bains et les toilettes.

Véga entreprit rapidement de se déshabiller, jetant son uniforme sur un coin de l'armoire, passa un pyjama et plongea dans son lit en marmonnant un vague « Bonne nuit ». Elle aboya une seconde fois « Lumière ! » et rabattit la couette sur son nez. Deux minutes plus tard, plongée dans la demi-obscurité que créaient les veilleuses au plafond, je l'entendis ronfler.

Je restai immobile quelques minutes, histoire de ne pas réveiller la dormeuse, puis, sur des pieds de velours, j'ouvris la porte et me glissai dans le couloir. J'en avais assez de dormir tout le temps. C'était trop facile de nous avoir à l'usure. Je rebroussai le chemin qu'avait pris Véga et retrouvai rapidement l'air frais et le clapotis de la petite place de tout à l'heure. Me trempant les mains dans le liquide doux de la fontaine, j'essayai de me repérer.

Alors… le port, c'était par où ?

Je m'enfonçai, un peu au hasard, sur un sentier qu'il me semblait reconnaître, pris la deuxième à droite (à moins que ce ne fût la troisième ?) et plongeai dans l'ombre d'un bosquet pour ressortir devant un bâtiment que je n'avais encore jamais vu. Un grand dôme en verre qui reflétait la lueur de la lune presque pleine.

Ça y est, j'étais perdue.

Je m'apprêtais à faire demi-tour quand je perçus une lumière du coin de l'œil. Il y avait quelqu'un dans le dôme ! Cédant à un accès de curiosité, je m'approchai de la structure et poussai les portes battantes. Aussitôt, une bouffée de chaleur humide m'enveloppa. J'avais l'impression d'entrer dans un sous-bois. Ça sentait la décomposition et l'humus, de grandes feuilles m'environnaient et formaient une voûte végétale au-dessus de ma tête. C'était très beau.

Je cherchai la petite lumière jaune qui avait capté mon attention. Elle apparaissait de temps en temps entre les branchages puis disparaissait au détour d'une plante plus massive que les autres. L'allée pavée me rapprochait de plus en plus de mon but. Avant le dernier virage, je pus m'arrêter pour voir sans être vue. Sous le lampadaire responsable de cette balise qui m'avait guidée, était installée une fille sur un banc. Elle semblait plus jeune que moi et ne portait pas non plus d'uniforme. Ses longs cheveux bruns cachaient son visage, penché sur quelque chose qu'elle tenait dans sa main et qui retenait toute son attention.

Je m'approchai doucement, essayant de ne pas me faire entendre. La fille ne leva pas la tête, ne fit aucun geste qui eût pu me laisser soupçonner qu'elle m'avait vue ou entendue et pourtant elle dit :

– Viens t'asseoir à côté de moi au lieu de te cacher comme une fugitive.

Je me redressai et me demandai comment elle avait pu me voir.

– Je t'ai entendue, expliqua-t-elle en réponse à la question que je n'avais pas posée. Tu es la nouvelle, c'est ça ?

– Ça dépend ce que tu entends par la nouvelle, rétorquai-je en me rapprochant.

– Tu es arrivée il y a une demi-heure en bateau, tu as rencontré Père et tu t'appelles Framboise.

J'eus la désagréable impression de me retrouver face à Léon. Encore une qui pouvait lire en moi comme d'autres consultent Internet. Comme pour confirmer mes doutes, la fille hocha la tête. Je décidai de ne pas me laisser impressionner et vins m'asseoir à ses côtés. Le truc qu'elle tenait dans sa main bougea et s'envola. Un oiseau !

– Je te présente Pan, et moi, c'est Mélusine.

– Pas besoin que je me présente puisque tu sais déjà tout de moi.

– Excuse-moi. Je ne le fais pas exprès. C'est dur de ne pas écouter.

Elle poussa un soupir triste. Son visage pâle et ses yeux noirs lui donnaient l'air mélancolique. J'essayai de lui changer les idées en lui demandant où on était. Elle me parla de la serre, de l'île plongée au milieu de l'océan, d'une Université qu'on ne pouvait pas voir, d'élèves Potentiels qui apprenaient à être Voleurs et Penseurs. Un énorme charabia qu'elle débita d'une traite comme un cours maintes fois répété.

À mon tour, je lui parlai des quais de ma ville, de ma chute en roller et de ma rencontre avec Dante. Un nom qui la fit sursauter. Je poursuivis malgré tout mon histoire avec l'arrivée de Léon qui lisait lui aussi dans les pensées.

– Dante, répéta Mélusine à voix haute. C'est bizarre, je connais ce nom. C'est lui qui m'a demandé d'être là ce soir. Enfin, disons plutôt que j'en ai rêvé et que je me suis réveillée avec la sensation urgente que je devais me rendre à la serre. Il n'y avait pas dix minutes que j'étais là que je te sentais arriver.

En fait, c'était vers le port que j'essayais de me diriger. Je lui précisai mon piètre sens de l'orientation mais elle ne vit pas de hasard à notre rencontre. Le chemin vers la serre était dissimulé par la végétation et de nuit il était quasiment impossible de le trouver sans être un habitué. Pourtant je l'avais emprunté du premier coup. Elle continua en s'étonnant de ne pas avoir croisé de gardes sur sa propre route alors que d'habitude l'île pullulait de gardiens qui ne vous laissaient pas faire trois mètres en dehors du dortoir. C'était comme s'ils s'étaient tous donné le mot pour ne pas se trouver sur son chemin

– Des gardiens ? C'est une prison ou une école, ton île ?

– Les élèves n'ont pas le droit de se balader dehors dès que le soleil est couché. Les étudiants si, mais pas les élèves. Tant que tu n'as pas d'uniforme, tu es surveillé et tu ne peux pas faire ce qui te plaît. C'est la règle.

– Et c'est quoi la différence entre un élève et un étudiant ?

– Dix-huit mois d'étude. On devient élève à son Intégration et on reste un an sous la responsabilité de son tuteur. C'est ce qui se passe entre Véga et toi. Ensuite, on est libéré de son tutorat et on se perfectionne seul pendant encore six mois. Moi, je viens juste d'être affranchie d'Elsa, ma tutrice. Il était temps. Dans cinq mois, aura donc lieu la cérémonie qui fera de moi une étudiante à part entière.

Un peu comme un examen, pensai-je.

Mélusine capta cette réflexion et acquiesça. Elle commença alors à me parler des cours, des matières à ma disposition, mais je l'arrêtai bien vite. Des cours, j'en avais déjà au collège, des profs, des amies aussi. Aucune envie de redémarrer quelque chose ici. Elle avait dû suivre une nouvelle fois le courant de mes pensées car, alors que l'idée pointait à peine dans mon cerveau, elle se mit à me parler de mes parents.

– Laisse tomber. Tu ne peux plus rien faire pour eux. Ils t'ont oubliée. Tu penses que ce n'est pas possible mais réfléchis un peu à ça : l'Université recrute tous les Penseurs et les Voleurs qu'elle réussit à détecter. Elle possède ainsi des télépathes extrêmement puissants. Tu as rencontré Léon, tu sais donc de quoi je parle. Une fois qu'un Potentiel est récupéré, il est ensuite très simple d'envoyer des équipes « nettoyer » le terrain et supprimer toute trace de sa personne et même toute trace de leur propre passage. On a procédé au même effaçage sur Mathieu et Françoise. Sur tes amies aussi et tous les gens qui te connaissaient de plus ou moins loin.

– C'est de la science-fiction !

– Pourtant, le fait que tu sois ici est bien réel. Tu es une Voleuse, rappelle-toi.

Pas très douée, me dis-je en moi-même.

– Et cette histoire de dague, qu'est-ce que c'est alors ?

– Il faut que tu arrêtes d'écouter ce que je pense. S'il te plaît.

– Je ne peux pas. Enfin, si, je peux mais c'est horriblement fatigant et je te signale que je viens de sortir de mon lit et qu'il est 4 heures du matin. Je n'ai pas du tout la force d'ignorer ton monologue intérieur. Ce qu'il faut, c'est que tu apprennes au plus vite à fermer ta tête. C'est un truc à prendre, et c'est essentiel si tu ne veux pas que tout le monde t'entende.

– Oh là là, je suis vraiment f…

– Fatiguée. Moi aussi. On n'a qu'à rentrer. Si tu veux avoir quelqu'un à qui parler, on peut se retrouver tous les soirs ici. Je te dis ça parce que tu verras que Véga n'est pas une fille qui s'encombre avec les sentiments. Elle va remplir son rôle de tutrice mais elle s'est tellement endurcie depuis qu'elle est ici qu'elle a autant de sensibilité qu'un soldat. Et je suppose que tu as vu le comportement de Léon. Celui-là serait du genre à sourire quand il se brûle. Méfie-toi de ce que tu penses quand il est à proximité. C'est le toutou de Père et c'est surtout quelqu'un de très dangereux.

– OK. Véga pas drôle, Léon dangereux. Autre chose ?

– Pardon. Tu n'es même pas arrivée que déjà je te mets la pression. Rentrons nous coucher. Vu l'heure à laquelle tu es arrivée, tu vas pouvoir faire la grasse matinée demain matin. Retrouvons-nous la nuit prochaine au même endroit vers minuit.

Je commençais à m'inquiéter pour son histoire de couvre-feu et de gardiens mais elle s'empressa de me rassurer : Dante veillerait sur moi. Autre chose me taraudait l'esprit. Plutôt que d'attendre qu'elle le lise en moi, je lui exposai mes craintes.

– En temps normal, je suis incapable de garder un secret alors ici, entourée de Penseurs, je ne donne pas cher de notre rendez-vous secret.

– Je n'ai en effet pas le choix. Il faut que tu oublies jusqu'à ce que l'heure soit venue.

– Attends, attends. Tu vas pas t'y mettre toi auss…

– *Oublie.*

15

Je me réveillai à 10 heures. Ou plutôt non : mon sommeil fut interrompu à 10 heures par un « titititititi » strident. Je mis du temps à comprendre où j'étais. Je crois que je râlais après Françoise, puis une main vint écraser le réveil et faire taire sa sonnerie. Véga se leva et me secoua comme un prunier.

– Mouais, mouais, répondis-je.

– Je me lave et quand je sors de la douche je veux te voir réveillée et prête à prendre ton tour.

– T'inquiète, ajoutai-je alors que je replongeais dans mon rêve aussitôt que j'entendis la porte claquer.

Dix minutes plus tard, Véga sortait effectivement d'une salle de bains embuée et se jetait sur moi comme un vautour. Plus question de me secouer, elle arracha carrément la couette.

La journée commençait très fort.

Et dire que je l'avais trouvée sympa.

16

La journée se déroula au pas de course derrière Véga qui m'offrit une visite de l'île accompagnée en prime de commentaires studieux. Un vrai cours de fac. Tandis que je la suivais et enregistrais autant d'informations que mon cerveau pouvait en contenir, une sensation bizarre ne cessait de me tarauder. L'impression tenace d'avoir oublié un truc. J'avais beau chercher et tourner le problème dans ma tête, impossible de mettre la main dessus.

Ce fut quand Véga nous arrêta devant la grande serre que le malaise se fit plus intense. J'avais déjà vu cet endroit. Et pourtant ce n'était pas possible. Comment aurais-je pu le connaître alors qu'hier je m'étais couchée en même temps que Véga ? Cette dernière crut que j'étais profondément concentrée par sa visite guidée et reprit de plus belle, en nous faisant contourner la massive paroi de verre et d'acier :

– En bref, la serre a deux utilités : d'une part, elle conserve des espèces animales et végétales qui composent un véritable microcosme naturel ; d'autre part, elle est un lieu de calme et de recueillement pour chaque élève. Nous nous dirigeons maintenant vers la Grande Bibliothèque. L'accès de certaines de ses salles d'archives est réservé aux étudiants de niveau deux.

Le bâtiment devant lequel nous nous arrêtâmes peu après était immense ; une véritable forteresse exclusivement fabriquée à partir d'un alliage impénétrable de mercure vitrifié. Des gens en uniforme n'arrêtaient pas d'aller et venir, ce qui semblait indiquer que l'intérieur abritait autant d'activité qu'une fourmilière.

– Combien y a-t-il d'étudiants à l'Université ? questionnai-je Véga.

– Réfléchis un peu. Si tu as le matricule 144, c'est qu'il existe 143 étudiants avant toi.

– Et toi, tu as le numéro combien ?

– 136.

– Tu veux dire qu'il n'y a que sept personnes entre toi et moi ?

– Il y a surtout trois ans d'écart en temps d'étude. Ça fait toute la différence. Bien, reprenons. Nous allons à présent nous diriger vers la Ferme. Il faut savoir qu'elle cultive plus d'une soixantaine de variétés de fruits et de lég…

Mais je n'écoutais plus. Je venais de repérer une fille là-bas qui traversait une allée du jardin que Véga nous faisait longer. Une fille brune que je connaissais. Tout du moins, quelqu'un que j'avais la curieuse impression d'avoir déjà vu, dans un autre lieu, en d'autres circonstances. Elle dut s'apercevoir que je la fixais car elle tourna ses yeux noirs vers moi et fit un signe négatif de la tête, comme si j'avais posé une question à laquelle elle avait apporté un refus.

– *Non.*

Qui était-elle ? Mais qui était donc cette fille ? La solution venait, je la sentais qui faisait son chemin dans mes méninges.

La nuit, la serre, un oiseau…

– Mais bon sang, qu'est-ce que tu fais ! Framboise, dépêche-toi de venir ici !

– Ça va ! Je suis pas ton chien !

Véga piétinait à dix mètres de moi et beuglait ses ordres comme si j'avais été dix personnes au lieu d'une seule. Elle commençait sérieusement à me gonfler, la caporale en chef.

– Tu me parles immédiatement sur un autre ton.

– Je te parle comme je veux !

– Alors là, ça va pas se passer comme ça.

– J'en ai marre. Pour qui tu te prends avec tes «Viens ici, fais ça, va là-bas». J'ai pas demandé à me retrouver avec un petit chef qui se la joue.

– Arrête ton cinéma tout de suite ou je te fais regretter ce que tu viens de dire.

– Eh bien, vas-y, essaie pour voir ! Si tu crois que tu me fais peur ! Pauvre fille !

Le ton avait monté et un petit attroupement se formait autour de nous deux. Je sentais la colère affluer et je mourrais d'envie de me jeter sur Véga pour lui faire tâter mes poings. Avec mon frère, j'avais pris l'habitude des bagarres mi-figue mi-raisin et, pour une fois que je pouvais me payer un vrai combat 100 % baston, je n'allais pas me retenir. D'autant que Véga n'avait pas l'air bien costaude.

Seulement, j'avais oublié que les règles avaient changé et que, pour toucher mon adversaire, j'allais avoir besoin d'autre chose que de poings et de gros muscles. Je me précipitai sur elle et me retrouvai en moins de deux à terre, repoussée par une Véga morte de rire. Mon épaule gauche me faisait mal et j'étais à moitié sonnée. C'était comme si un sumo m'avait donné une accolade.

On ne peut pas dire que ça me calma. Je grinçais des dents tellement mes mâchoires étaient serrées de colère. Quelques personnes poussèrent des « Oh ! » de surprise en me voyant me redresser.

– Ah bon. Tu en redemandes ? trouva malin d'ajouter Véga en ricanant.

Je réussis à trouver mon équilibre sur mes deux jambes tremblantes. Serrer les dents, serrer les poings, je ne pensais qu'à percuter Véga. À ce moment, quelque chose sortit de mon abdomen. Comme une masse sans substance entièrement composée de moi. Une sphère de brutalité qui alla frapper durement Véga. Ma tutrice fut projetée en arrière et retomba lourdement sur le sol. Finalement, l'entraînement des boules de papier n'avait pas été inutile (merci, Dante!) et mon adversaire n'était après tout qu'une gigantesque boule que je pouvais aussi *repousser*.

Une véritable petite foule s'était formée et les spectateurs improvisés commençaient déjà à prendre les paris. Car Véga se redressait rapidement, frottant son uniforme noir qui portait maintenant des souvenirs verdâtres de sa rencontre avec la pelouse. Elle n'avait plus l'air de trouver ça drôle du tout. Son visage était devenu un masque de colère furieuse.

Cette fois, je sentis Véga préparer son attaque. Elle se tendit et libéra une formidable masse d'énergie qui fut projetée vers moi. Trop rapide et trop puissante, je n'avais aucun espoir de l'éviter. Alors même que je me recroquevillais en prévision du choc à venir, une ombre passa devant moi et reçut la décharge à ma place. Ou plutôt, elle l'absorba.

Je levai les yeux et tombai sur un visage cicatricé : Franky !

– Le spectacle est fini, déclara-t-il et tout le monde s'éparpilla aussi sec. Qu'est-ce qui te prend, Véga ? Tu veux déjà envoyer ton élève à l'infirmerie ? Dès le premier jour ? Voilà qui fera très bonne impression sur ton dossier scolaire, j'en suis sûr.

Franky nous lança un dernier regard sévère et fit demi-tour, ne se retournant pas une seule fois pour vérifier si son sermon avait fait effet. Ce qui fut pourtant le cas, car

Véga se calma aussi sec. Elle reprit sa démarche autoritaire et continua sa visite sans m'accorder un seul regard. Je me contentais moi aussi de la suivre, jouant le jeu du bon prof/bon élève.

Mon impression de déjà-vu avait été balayée par l'événement et je n'y pensai plus un seul instant.

17

La journée se termina comme elle avait commencé : à mourir d'ennui. Après avoir fait une visite détaillée de chaque partie de l'île, j'eus le droit de passer à l'intendance récupérer des stylos, des cahiers et un sac, tous frappés du logo de l'Université. Pour un lieu qui voulait rester invisible je le trouvais bien prétentieux.

Véga me confia mon emploi du temps qui se découpait comme n'importe quel autre programme de collège (maths, français, informatique appliquée, histoire, géo, etc.) hormis le fait qu'on y trouvait aussi des matières qui s'appelaient Protection mentale, Déplacements ou Combat. J'étais impatiente de voir de quels cours il s'agissait.

Au repas du soir, je rencontrai d'autres «Voleurs» comme ils s'appelaient. Des couples identiques à celui que Véga et moi formions. Des gens qui n'arrêtaient pas de parler et de faire voler des trucs au-dessus de la table.

– Uniquement pour impressionner les autres, m'expliqua un type assis en face de mon plateau et qui s'amusait à garder en permanence son verre en lévitation. Ils se la jouent tellement avec leur manie de pas parler qu'il faut bien qu'on donne le change. Et puis, ça fait parler les nouveaux. Esteban, à ton service.

Je me présentai à mon tour. Esteban avait les cheveux châtains volontairement décoiffés, des lunettes à la monture épaisse qui lui donnaient l'air intello et un sourire engageant.

– On te connaît déjà, Framboise. Tu as fait une belle démonstration avec Véga tout à l'heure.

– Ah, parce que tu étais là ?

– Non, mais ici les nouvelles vont très vite. La rumeur de votre combat a déjà fait le tour de l'île. Tout le monde est au courant.

– Génial. Il manquait plus que ça, grogna Véga.

– Alors comme ça mamzelle Véga s'est pris la pâtée ? ricana Esteban.

– Occupe-toi de ton verre d'eau, toi.

À ces mots, le verre que le garçon maintenait en l'air tangua avant de se renverser au-dessus de son plat de hachis parmentier.

– Non ! Pas ma purée ! Tu vas un peu loin, Véga. C'est pas moi qui t'ai balancée sur le gazon.

Esteban se retourna vers une table de Penseurs et entreprit de récupérer l'assiette d'un garçon qui venait de s'installer. Celui-ci s'aperçut trop tard de l'escapade solitaire de sa purée et fut bon pour aller à la cuisine en récupérer une nouvelle. Esteban attrapa l'assiette qui semblait flotter en l'air, la posa dans son plateau et commença à en vider voracement le contenu.

– Ah, le prestige de l'uniforme ! commenta-t-il la bouche pleine.

– Mais, intervins-je, si c'est un Penseur pourquoi ne t'a-t-il pas *forcé* à lui rendre son plat ?

– Parce que...

– Parce que c'est scrupuleusement interdit, l'interrompit Véga.

– Parfaitement. Tout comme il est interdit pour un Voleur d'agresser un élève ! N'est-ce pas Véga ?

– Oh toi, ça va!

– Ah, mister Franky est toujours là au bon moment! Tu devrais être soulagée d'avoir échappé à la fureur de Véga, Framboise. Et si Franky t'a pris sous sa protection comme ça a l'air d'être le cas, je te félicite. Voilà un gars qu'on aimerait toujours avoir de son côté plutôt que contre soi. C'est un peu un phénomène à l'Université parce que, en plus d'être un Voleur talentueux, il est aussi ce qu'on appelle un Penseur passif. Personne ne peut lire dans ses pensées, il bloque toute intrusion sans même avoir besoin de se concentrer.

– Pourquoi est-ce qu'il a une… (Je passai le doigt sur ma joue, dessinant le tracé imaginaire de la cicatrice du jeune homme.)

– Ah, ça, c'est une histoire passionnante, commença-t-il en remontant ses lunettes de l'index. Il semblerait qu'il ait eu maille à partir avec un groupe de rebelles extrêmement bien organisé. Malheureusement, c'est un sujet classé secret défense. Trop important pour de jeunes oreilles comme les tiennes.

– Esteban, elle est au courant pour les tu-sais-quoi. On l'a récupérée chez eux, murmura Véga.

– Ouah!!! Pas possible! Il faut que tu me racontes ça. (Il baissa la voix et remonta ses lunettes.) Mais pas ici. Venez, on va discuter dans un endroit où il n'y a pas d'oreilles qui traînent.

Esteban se leva, suivi de Véga. J'avais deviné de quoi il était question et me dépêchai d'engloutir mon yaourt pour les rejoindre. Antoine, l'élève d'Esteban, était resté muet depuis que j'étais arrivée mais il n'avait pas perdu une miette de la discussion. Il repoussa sa chaise et se précipita à la suite de son tuteur. Tous déposèrent leur plateau à la cuisine et je les imitai. Nous gagnâmes ensuite le hall. On était sur le point de sortir quand Esteban se retourna :

– Tu ne viens pas Antoine.

– Mais… essaya de plaider ce dernier.

– Il n'y a pas de mais. D'une, tu es assez grand pour te débrouiller tout seul ; de deux, c'est une conversation classée top secret.

– Ce n'est qu'une débutante !

– Oui. Une débutante qui en sait plus que toi sur certaines choses. Allez, dégage !

Antoine poussa un énorme soupir et se détourna de notre groupe pour rejoindre d'autres élèves amassés devant la télé.

– Vite ! On bouge.

Esteban nous précéda et nous emmena hors du Foyer. Déjà, quelques gardes en uniforme noir patrouillaient alors que le couvre-feu n'avait pas encore sonné.

– Dépêchez-vous ! cria le garçon en courant presque.

Il contourna le Foyer et rejoignit le chemin côtier qui faisait le tour de l'île. Un peu plus loin, il bifurqua à droite pour s'engager sur une petite piste qui menait, à travers les rochers, vers le phare. Une fois au pied de l'immense tour, nous nous assîmes sur les marches de l'entrée. Reprenant à peine son souffle, Esteban me bombarda de questions.

– Alors comme ça, tu as vu des vampires. Des vrais de vrais ?

– En fait, je n'étais même pas au courant que c'en était.

– Tu ne savais pas ?! Attend, ils n'avaient pas des canines super longues, une peau blafarde, et des oreilles pointues ?

– Non, ils étaient comme toi et moi.

Je réfléchis à l'aspect de Dante mais, hormis son air pâlichon et peu avenant, je ne voyais pas ce qui le classait comme vampire. J'avais vu nombre de gothiques qui ressemblaient plus à l'image que je me faisais d'un psychopathe suceur de sang. À côté de moi, Véga soupira avec l'expression exacte que prenait mon grand frère pour me ramener à la raison.

– Arrête les films d'horreur, Esteban. Ça ne te réussit pas.

Le garçon la pointa du doigt en réalisant qu'elle-même était allée dans l'antre des vampires. Véga le découragea rapidement : elle n'était restée que trois minutes pendant lesquelles aucun d'eux n'avait bougé ni parlé. En tout cas, pas d'oreille pointue. Une peau très blanche à la rigueur, mais c'était difficile à distinguer en pleine obscurité. J'étais d'accord avec elle et essayais de raisonner Esteban à mon tour. Ses histoires de vampire, c'était n'importe quoi.

Ce dernier secoua la tête vigoureusement. Ses lunettes glissèrent et il les remonta une nouvelle fois sur l'arête de son nez.

– Ah non ! C'est loin d'être n'importe quoi ! C'est même un des premiers cours d'histoire de l'Université réservé aux étudiants. À force de le relire, je le connais par cœur. Et c'est vraiment un sujet passionnant. Quand je serai agent, je me spécialiserai dans l'étude des vampires. Écoutez ça : « Les vampires sont une branche parallèle et anormale de l'évolution génétique humaine. Ils sont pourvus d'une longévité hors du commun rendue possible par une régénération constante et complète de leurs cellules dès leur maturité physique. » Ce qui signifie qu'une fois qu'ils sont adultes ils conservent le même aspect jusqu'à leur mort.

– Je pensais qu'ils ne pouvaient pas mourir ? le titillai-je

Je n'ai pas dit ça. J'ai dit « longévité exceptionnelle ».

Faut pas confondre. Ça veut dire qu'ils ne sont touchés ni par la maladie ni par la vieillesse. Ils peuvent être blessés mais cicatrisent très vite. Qui est-ce que tu as rencontré ?

– Dante et Moustafa.

– Dante ! Mais c'est une célébrité ! « Autrefois chef des rebelles et puissant défenseur de la cause vampirique, Dante s'est ensuite rallié à l'Université et constitue à présent un des principaux maillons de la Collaboration V. » C'est un des hommes de Dante qui a fait failli tuer Franky et lui a laissé ce joli souvenir qui le défigure. Et ce n'est que la partie visible de ses cicatrices. Il a été capturé et torturé par les rebelles et ne devrait sa vie qu'à l'intervention de Dante.

– Attend, intervins-je en lui faisant signe de ralentir. Tu veux dire qu'il y a eu une guerre entre les vampires et les humains ?

– Pas les humains, seulement l'Université et Shiva. Plutôt qu'une guerre, c'étaient des affrontements pour divergence d'opinion. Et ça, sans que qui que ce soit ait été au courant dans le civil. Toutes les choses sont rentrées dans l'ordre il y a de cela dix ans. Mais les rebelles V n'ont pas disparu. Ils sont une petite dizaine de résistants à être traqués par l'Université. À ton avis, pourquoi toutes ces patrouilles et ces précautions ? Nul ne doit savoir où se trouve l'île invisible. C'est d'ailleurs pour ça qu'on l'appelle ainsi. Une île perdue au milieu d'un océan gigantesque. Un grain de sel sur le globe.

C'en était trop. Je me levai d'un bond, incapable de rester assise face à ces histoires de violence et de conspirations.

– Mais ça ne me concerne pas tout ça ! Parce que je suis Voleuse, on se donne le droit de prendre possession de ma vie. C'est injuste.

– Oh recommence pas, râla Véga. Personne n'a eu le choix. Ni Esteban ni toi ni moi. On est tous dans la même galère alors autant tout faire pour ne pas tomber à l'eau. Compris ?

– En parlant de tomber à l'eau, il faut rentrer, reprit Esteban en se redressant. La mer monte et ça serait dommage de se mouiller les pieds. Le phare devient une petite île à marée haute. Vaut mieux que tu le saches le jour où tu veux y faire une sieste peinarde. Je ne dis pas ça parce que ça m'est arrivé.

– Mon œil ! ricana Véga qui sautait déjà d'un rocher à l'autre.

– Tu me raconteras ton séjour chez Dante ? Une prochaine fois ? me supplia Esteban en s'engageant dans le petit escalier qui ramenait sur le chemin côtier.

– Si tu veux, capitulai-je.

Super titre de film : *Framboise contre les Vampires*. J'avais toujours du mal à croire que Moustafa et Dante étaient autre chose que des Penseurs/Voleurs un peu cinglés. Et cette histoire de sang ? Les vampires n'étaient-ils pas censés boire du sang ? J'en référai à Esteban qui semblait être calé en la matière.

– Je ne sais que ce qu'on a abordé en cours et ce que j'ai lu dans les romans. À propos de cette histoire de sang, les profs ne disent rien et je ne sais pas si les théories des romans sont fondées. Il faut que tu saches que les Collaborateurs V, comme on les appelle, sont un sujet particulièrement sensible à l'Université, en partie parce qu'on se méfie beaucoup de ces gens-là. Tu demanderas au principal intéressé si tu le revois, ou à Franky si tu arrives à le faire parler.

Quand nous arrivâmes en vue du Foyer, la nuit était

presque tombée et un gardien nous jeta un regard contrarié. Esteban se retourna une dernière fois vers nous et tapota discrètement sa tempe de l'index.

– Et pas la peine de trop y penser, si tu vois ce que je veux dire.

Enfin, il s'éloigna de nous et disparut dans le bâtiment.

Nous regagnâmes notre chambre en silence. Chacune semblait peser les conséquences de cette discussion. Une guerre ! Des vampires ! Franky torturé ! Ah non, mince, Esteban avait dit de pas y penser. Vite, réfléchir à autre chose avant de croiser un Penseur.

Euh… Le phare, la mer… je me trempe les pieds dans la marée haute. Hum, ça sent les embruns, il y a du vent et de gros nuages.

On était maintenant entrées dans le hall et certains gens en uniforme me jetaient des regards interrogatifs. Quoi ! on n'a pas le droit de penser à la mer ? Tous ces étudiants qui pouvaient lire dans ma tête, ça me rendait malade !

Un type habillé en noir s'approcha de nous. Il attrapa Véga par le bras et la regarda sans rien dire.

– Quoi ? finis-je par demander au bout de dix secondes d'yeux dans les yeux. Drôle de petit copain.

Véga hocha la tête et le type s'éloigna. Tout en reprenant le chemin vers la chambre, elle m'expliqua :

– Il voudrait que tu arrêtes de penser aussi fort et que tu stoppes ta parano à propos de ce qu'ils pourraient lire dans ton esprit. Il paraît que quand on est rentrées tu hurlais des trucs au sujet de la mer et des embruns. Tu es sûre que ça va ?

Oh non ! Ça n'allait pas du tout. Plus je me concentrais pour ne pas penser, plus je montais le son. Comment faisaient les autres Voleurs pour ne pas être entendus ?

– Ils ont appris, me souffla un garçon à la coupe afro qui nous croisait dans le couloir.

– Hé ! rétorquai-je. (Pour qui il se prenait celui-là ?)

– Pour ce que tu n'es pas. Je m'appelle Léo, salut Framboise !

– Qui t'a dit comment je m'appelle ?

– À ton avis, intervint Véga dans un soupir.

– Je vais me coucher, annonçai-je contrariée.

Je me précipitai vers ma chambre mais le garçon me rattrapa.

– Je m'excuse, dit-il. Je pensais pas que ça te mettrait en colère comme ça. C'était juste pour rigoler !

– C'est bizarre, je dois avoir perdu mon sens de l'humour parce que je trouve pas ça drôle du tout. Ah, je sais. Il doit sûrement me manquer des neurones. C'est ça qui m'empêche de jouer les fouineuses dans la tête des autres. Je suis vraiment la pauvre fille de service !

– Je suis désolé. Ta tête, c'est comme une radio branchée à fond. Tous les autres font semblant de ne pas t'entendre, tu sais. Les nouveaux sont toujours des criards mais ça te passera vite.

– Écoute, si tu veux me faire la leçon, attend demain. Parce que là je n'ai qu'une envie c'est dormir. Alors bonne nuit.

Je lui claquai la porte au nez et me bouchai les oreilles. Ce qui n'empêcha pas Léo de me souhaiter *Bonne nuit, Framboise* directement dans la tête. Encore un qui avait tout compris.

18
MÉLUSINE

11 h 45. Le temps de passer un jean, un pull et des chaussures, je me retrouve dehors. Il n'y a pas un bruit. L'air est vif, et l'herbe chatouille mes chevilles nues dans les baskets. Je m'approche de la masse sombre de la serre, pousse un premier battant puis un second (une sécurité pour que les oiseaux ne s'échappent pas). Une fois au chaud, je prends à droite, puis tout droit. Framboise est déjà arrivée et s'est installée sur le banc. Ses courts cheveux châtains sont en bataille, elle a l'air d'être tombée du lit.

Dante m'a contactée tout à l'heure. Trop de risques, a-t-il expliqué. Pour moi comme pour Framboise. Il faut qu'on oublie ces rencontres nocturnes et qu'on fasse comme si de rien n'était. Facile à dire quand on est réveillée par un inconnu au milieu de la nuit. Un inconnu qui réussit le prodige de franchir plusieurs centaines de kilomètres en pensées.

Framboise me regarde approcher. Elle affiche le même air résolu depuis que je l'ai rencontrée. On dirait que rien ne lui fait peur. Elle semble prête à braver la terre entière. C'est de cette colère que je me suis servie cet après-midi pour la retourner contre Véga. Ça a marché mieux que je ne l'espérais, et Framboise a enfin fait ses premières preuves.

Je m'assieds à côté d'elle et lui annonce que ce sera notre dernier rendez-vous. Elle a l'air de prendre ça avec philosophie. Je lui explique mon contact avec Dante et je perçois une pensée étonnante : Vampire. Je lui dis « Vampire ? » et une multitude d'images traverse son esprit. Je m'interdis de les regarder. Ça ne me concerne pas. C'est sa vie, pas la mienne.

Je lui dis d'arrêter d'y penser, que pour son bien et le mien, je ne dois pas savoir. Elle me répond « Plus facile à dire qu'à taire ». C'est amusant. Je rigole et elle aussi. Elle pense à sa sœur et le Vagalam l'envahit. Non. Ne pas écouter. Ne pas me mêler de ses souvenirs et de son passé.

Pour lui changer les idées, je lui parle des études, lui dis que demain ses cours commencent et qu'elle n'aura plus beaucoup de temps pour penser à autre chose. Elle demande si je vais encore lui effacer la mémoire et je la rassure en lui répondant que non, que ce n'est vraiment pas la peine puisqu'on va fréquenter les mêmes salles de cours et qu'on va tout le temps se croiser. Je lui conseille juste d'éviter de penser à nos escapades de cette nuit et de la veille. J'ajoute que sa méthode de penser à autre chose est bonne même si sa tentative de ce soir était un peu bruyante. Elle soupire « Toi aussi, t'as entendu ». Et je lui confie qu'il aurait fallu être sourd pour ne rien entendre mais qu'en tout cas elle m'a bien fait rire.

Puis je me lève et Framboise m'imite. Nous remontons silencieusement le chemin dallé. Une fois dans l'allée qui mène au Foyer, elle me demande comment étaient mes premiers jours à l'Université.

– Pas joyeux, je réponds avant d'ajouter : mais, on s'y fait vite.

On s'y fait vite, ai-je menti.

LIVRE III

TRISTAN EN DÉCEMBRE

1

– Allez, Décembre. Viens par ici !

L'adolescent s'approcha sans un bruit, la mine renfrognée. C'était tous les soirs la même histoire. Le Patron exigeait sa dose de petites coupures. Un vrai drogué à l'argent.

– Combien tu as fait aujourd'hui ?

– 4 500, répondit Décembre d'une voix basse.

Le Patron souleva les sourcils et laissa échapper un sifflement satisfait.

– Très bien, gamin. Jolie recette. Donne.

Décembre enleva le sac sur son dos, l'ouvrit et en sortit un portefeuille gonflé par la liasse de billets qui s'y serraient. Le Patron s'en empara, tira l'argent de son berceau de cuir, le feuilleta avec un regard de professionnel et le posa sur la table basse où s'étalaient déjà des petites piles de billets multicolores. Puis il jeta le portefeuille vide et désormais sans intérêt à Décembre, qui l'attrapa au vol et rejoignit le rang sans un mot.

Le Patron prit le temps de s'allumer une cigarette. Il cracha lentement une bouffée de fumée grise, se cala à nouveau dans le fauteuil et posa les talons sur le bord de la table. Sa voix grondante et autoritaire rugit à nouveau pour appeler Avril. Dernière du rang, la petite Avril grimaça, jeta un regard inquiet à la ronde (auquel ses voisins s'abstinrent prudemment de répondre) avant de s'avancer en bredouillant :

– J'ai fait 650.

– Combien ! hurla Garibaldi, l'homme aux piles de billets.

– Patron… j'ai… j'ai pas pris le bon train. Et puis, je suis tombée sur une colonie de vacances. Y avait rien, gémit Avril.

Elle courba un peu plus le dos anticipant, comme tout le monde, ce qui allait forcément suivre. Garibaldi secoua un index accusateur et répandit de la cendre de cigarette un peu partout autour de lui.

– Bon sang ! Mais qu'est-ce que j'ai fait pour mériter des gosses pareils ! Je t'ai tout appris et c'est comme ça que tu me remercies ? Tu veux retourner à la rue d'où je t'ai sortie ? Quand tu mendiais et mangeais ce que tu dénichais dans les poubelles ?

– Non, Patron, répondit Avril d'une voix presque inaudible.

– Alors, t'as intérêt à me ramener au moins le triple pour demain soir, sinon c'est bien ce qui risque de t'arriver !

Il tonnait maintenant comme un orage qui s'éloigne. Tirant une dernière fois sur son mégot, il l'écrasa dans un cendrier qui débordait déjà de filtres orange puis reprit d'une voix lourde de menaces.

– Et c'est valable pour vous tous, vous m'entendez ? Aucun, je dis bien aucun de vous n'est irremplaçable. J'en trouve douze autres pour faire le travail juste en levant le petit doigt. Ne vous avisez jamais de me décevoir, jamais ! C'est compris ?

– Oui Patron ! répondirent huit voix en chœur.

– Allez ouste ! Tout le monde dehors ! Septembre ! C'est toi qui fais la cuisine ce soir.

– Oh non !
– Qu'est-ce que j'ai cru entendre ?
– Oui Patron !

Le groupe s'éparpilla rapidement, laissant le Patron faire seul ses comptes et s'approprier la recette de la journée.

Avril se dépêcha de quitter le salon, jetant au passage un coup d'œil à l'holo-horloge projetée au mur : 22 heures. Dans huit heures, ça repartait pour un tour. À peine le temps de souffler alors qu'à cette heure la plupart des filles de son âge jouaient à la poupée, préparaient leur cartable du lendemain ou se glissaient déjà sous leur couette en embrassant leurs parents. En tout cas, elles n'avaient sûrement pas pour figure paternelle une brute épaisse de 1,80 mètre dont les deux passe-temps préférés étaient de donner des ordres et de recevoir de l'argent. Sûrement pas.

La fillette repensa aux menaces de Garibaldi et ne put se retenir de frissonner. Pour demain, elle n'avait pas vraiment le choix. Incapable de réunir à elle seule une telle somme, il ne lui restait qu'une solution. Demander de l'aide au premier de la classe, au petit génie des pickpockets : Décembre.

Avril se précipita vers le garçon au visage grave qui s'était arrêté au milieu des escaliers pour la regarder approcher. Le regard dur, la mine sombre, Décembre ne souriait pour ainsi dire jamais. Il cachait son talent derrière un physique d'ado : des bras et des jambes qui semblaient trop grands pour son corps, un visage à la peau mate qui contrastait avec une tignasse blanche en bataille. Origines inconnues. Garibaldi l'avait déniché dans une ville de l'Est après que le gamin s'était fait prendre pour avoir tenté de lui piquer son portefeuille. Sans plus de cérémonie, le

Patron l'avait ramené avec lui et intégré dare-dare au contingent. L'enfant avait vite montré des capacités surprenantes à repérer le bon pigeon et à le plumer aussi sec. Seulement, il ne parlait jamais plus que nécessaire et possédait un caractère asocial qui le poussait à la solitude. C'est pour ça que Garibaldi lui avait attribué le mois de décembre. Froid et immuable.

Décembre n'avait qu'une envie : gagner le grenier où il serait enfin tranquille. Mais alors qu'il gravissait les premières marches de l'escalier, il avait *senti* qu'Avril ne le laisserait pas en paix. Elle échafaudait en ce moment même un plan qui ne lui plaisait pas du tout. Le jeune homme s'était retourné vers la petite princesse berbère qui approchait, connaissant déjà ce qu'elle s'apprêtait à demander. Avant que la question n'ait franchi les lèvres de la fillette, Décembre coupa court à toutes ses demandes.

– Trouve-toi un autre partenaire, Avril. Je bosse en solo.

– Quoi ? Comment t'as su que je… bafouilla Avril prise quelques secondes au dépourvu avant de reprendre obstinément. Il faut que tu m'aides, Décembre. Au moins pour remonter la pente et rassurer Garibaldi. S'il croit que je suis plus capable de faire du bon boulot, tu sais ce qui risque d'arriver ? Exit Avril, adieu la princesse berbère. J'ai besoin de toi. Je te rendrai la pareille quand tu voudras. Si tu veux, je te monterai le petit déjeuner pendant une semaine, non deux ! Mais aide-moi. Il faut que je m'en sorte. Aide-moi, s'il te plaît, s'il te plaît, s'il te plaît !

Décembre soupira et fixa Avril. Aucun doute, elle avait vraiment la trouille. Elle ne voulait rien laisser paraître mais elle avait l'estomac noué, une boule de stress dans la gorge et une furieuse envie de se réfugier sous sa couette pour ne plus jamais en sortir. Seulement, Garibaldi avait dit le triple. Ça voulait dire sa part plus un bon paquet pour la seule recette d'Avril. Ça voulait surtout dire deux fois plus de travail avec un boulet en forme de fille atteinte de bavardise aiguë. La fatigue d'Avril assaillit Décembre qui agrippa la rampe pour ne rien laisser paraître du vertige qui l'étourdit. Gênée par le regard perçant du garçon, Avril se sentit obligée de briser le silence :

– Arrête de me regarder comme ça. Donne-moi plutôt une réponse. Non, donne-moi plutôt un oui. Dis oui, dis oui, dis oui, dis ou…

– D'accord, soupira-t-il à bout de force.

– Ouais ! C'est génial. On va passer une super journée. On va être une équipe du tonnerre ! Toi et moi, personne ne pourra nous résister. Les champions du monde ! Ça va être… Hé ! Où est-ce que tu vas ?

– Je vais me coucher.

– Déjà ? Mais t'as pas mangé. Tu sais très bien que c'est Septembre qui fait la cuisine. Ça veut dire que ce soir, c'est gratin de pâtes pour tout le monde. Je pensais que tu adorais les pâtes. T'es pas malade au moins ? Parce que sinon demain…

– J'ai pas faim.

Décembre grimpa à l'échelle et rabattit la trappe au nez d'Avril.

Les pensées de la jeune fille continuaient à le harceler comme une nuée de moucherons. Pas démoralisée pour un sou, Avril avait eu ce qu'elle voulait et s'éloignait en quête d'un nouveau public à accaparer. Août, une gamine qui ne devait pas avoir plus de 7 ans et déjà des doigts de professionnelle, fut malgré elle harponnée par la bavarde qui la poursuivit jusqu'au rez-de-chaussée, bien décidée à continuer avec elle une vieille discussion sur ses souvenirs d'école.

– Mais oui ! Enfin, c'est facile pourtant ! Un palindrome : Ésope reste ici et se repose.

2

Enfin seul, Décembre libéra la douleur qu'il s'était efforcé d'ignorer toute la soirée. Il s'agenouilla la tête entre les mains tandis qu'une brûlure atroce lui dévorait le crâne. Une nausée violente l'étourdit, des larmes de souffrance envahirent sa vision et il se traîna vers le matelas qui lui servait de lit. Les yeux brouillés par les pleurs, pris de vertige, il fouilla tant bien que mal dans son sac à dos, sortit la boîte d'antalgiques qu'il s'était procurée l'après-midi même, et avala trois comprimés. Puis, jetant au loin ses chaussures et sa veste, il se recroquevilla sur son matelas et ne bougea plus.

Tout ça devenait trop difficile. La douleur était là tous les soirs maintenant, comme une compagne qui s'invite d'elle-même. Garibaldi en demandait toujours plus, et chaque jour il fallait recommencer. C'était devenu un boulot quotidien, une routine qui semblait ne jamais devoir prendre fin.

Tous les matins, partir à la gare, rester assis dans un coin où personne ne fera attention à lui et *regarder*.

Chercher le bon pigeon. Celui qui est seul, rempli de fric et qui n'a pas l'air trop coriace. Celui qui est fatigué ou un rien dépressif. Quelqu'un au cerveau un peu mou, ramolli comme du beurre qui serait resté trop longtemps hors du frigo.

Une fois que le choix est fait, suivre le pigeon, lui attacher un fil à la patte et ne plus le lâcher. Pas visuellement, bien sûr mais *intérieurement*. Il y a tellement de monde dans les gares qu'il faut jouer des coudes en permanence et la seule façon de ne pas y perdre quelqu'un est de s'agripper à lui. Ce qui ne veut pas dire qu'il est plus facile de suivre une personne avec un fil de pensée. La gare est un brouhaha mental assourdissant, un grondement de voix intérieures qui demande une concentration parfaite. Pas une faille ne doit être apparente dans la carapace que Décembre s'applique à dresser. Elle doit être faite d'un bloc comme une armure lisse sur laquelle tout finit par glisser. Le problème avec une telle protection, c'est qu'il est obligé de créer un contact privilégié avec sa victime pour ne pas la perdre.

L'hameçon accroché, suivre à distance l'élu de ses pensées jusqu'au quai où s'alignent les wagons et passer l'arche de sécurité. C'est presque le plus délicat. Septembre lui a bidouillé un passe qui l'identifie automatiquement comme passager du train. Seulement, une fois sur neuf l'appareil a encore des ratés. Il fait sonner l'alarme et l'ordinateur de compostage avertit que «le chien inscrit sur le trajet n'est attribué à aucun maître à bord». Décembre perd alors un précieux temps à certifier au garde en faction qu'il est bien en règle, allant même jusqu'à se montrer convaincant et perdant du même coup tout espoir de remettre la main sur son pigeon. Dans l'impossibilité de faire demi-tour – le garde l'a maintenant à l'œil – il ne lui reste souvent qu'à improviser avec une autre victime, ce qu'il n'apprécie que très moyennement.

Embarquer dans une voiture différente de celle du pigeon. Celui-ci ne doit avoir aucun soupçon.

Traverser le train jusqu'à la place que le pigeon s'est

choisie. Avec une mine d'ange, demander si la place est libre. Le pigeon ne peut pas refuser.

S'installer à côté de lui. Décembre a alors quelques minutes de repos rien qu'à lui. Quelques minutes où il peut relâcher son attention et vraiment imaginer qu'il part lui aussi au loin. Un voyage vers le sud peut-être, ou une visite chez les grands-parents. Ça doit être sympa d'avoir des grands-parents à visiter. Dès que le train s'ébranle, le jeu de rôle prend fin. Retour à la réalité et au travail. La prochaine gare est habituellement à huit ou dix minutes de trajet, ce qui lui laisse une bonne marge pour opérer.

Se concentrer et tendre l'oreille pour *écouter* le monologue intérieur de son voisin.

Le laisser devenir sien, s'imprégner de ses pensées, de ses réflexions.

Commencer à y infiltrer, tout doucement, une idée étrangère, un simple doute qui fait son chemin. *Est-ce que j'ai bien pris l'argent ? Est-ce que je ne l'ai pas oublié en partant ?* La réaction est alors toujours la même. La personne fouille dans ses affaires jusqu'à retrouver la liasse souvent conséquente de billets, preuve que Décembre ne s'est pas trompé.

Continuer avec une autre remarque : *Est-ce que cet argent est vraiment en sécurité ? Est-ce que je ne risque pas de me le faire voler ? On n'est jamais à l'abri d'un pickpocket.* La victime semble alors mal à l'aise. Elle commence à jeter des regards nerveux autour d'elle.

Une fois que l'idée est ancrée et que l'anxiété est à son comble, ajouter la dernière pierre à l'édifice. C'est la pièce la plus fragile, la clé de voûte qui fera tout écrouler ou consolidera l'ouvrage. *Regarde cet enfant à côté de toi. Il a l'air si inoffensif. Qui irait voler un être si innocent ? Personne. Confie-lui cet argent qui t'encombre. Il saura le protéger. C'est un inno-*

cent, un enfant. Donne-le-lui. Donne-lui. La victime baisse les yeux sur Décembre et en un battement de cœur elle comprend : oui, c'est évident, nul autre que cet enfant ne saura mieux protéger son bien. Que Décembre ait presque 15 ans n'a aucune importance. La victime voit ce qu'elle a envie de voir : un gamin de 4 ou 5 ans qui la regarde avec un sourire innocent.

Prendre discrètement les billets que tend, avec une sincère confiance, la victime et les empocher sans geste brusque.

Enfin, reste une dernière manipulation à effectuer. Brouiller l'événement qui vient de se produire, l'effacer du bout du doigt et faire venir le sommeil dans l'esprit de la victime assise à côté. Quand elle se réveillera tout à l'heure, il ne lui restera que les bribes d'un rêve décousu et plus de souvenir précis de Décembre.

Une fois son voisin profondément endormi, se lever et gagner un autre compartiment avant l'arrivée à la gare. Dès qu'il descend, le jeu reprend avec une nouvelle personne aux poches ou au portefeuille bien remplis. Un nouveau train et une concentration rendue toujours plus difficile par la fatigue et la migraine qui fait son apparition à la troisième ou quatrième victime. Au cours de la journée, celle-ci ne cesse alors d'augmenter pour atteindre son paroxysme dans la soirée. Malgré tout, Décembre ne peut se plaindre, il doit rester impassible jusqu'au moment où il pourra se réfugier dans la solitude du grenier et laisser la douleur si longtemps réprimée exploser dans son cerveau.

Pour l'heure, Décembre essayait de ne plus remuer la tête et se forçait à respirer profondément. Il espérait que le sommeil viendrait bientôt le happer et noyer la souffrance.

S'il voulait garder sa place de privilégié et rester seul au grenier, il devait toujours être le meilleur. Ramener toujours plus, travailler dur et surtout ne pas montrer qu'il était handicapé par une migraine aux limites du supportable. C'était juste le prix à payer pour qu'on le laisse tranquille. De toute façon, qui se serait inquiété pour son état de santé ? Garibaldi avait le niveau affectif d'un gardien de prison robotisé. Si Décembre venait à disparaître, personne ne le pleurerait. Personne.

Il ne se souvenait pas de ce qu'il y avait eu avant. Son passé demeurait brumeux. Il restait des odeurs, quelques sensations mais les formes et les images avaient disparu. Tant mieux. Il ne voulait pas traîner derrière lui un passé qui ne servirait qu'à hanter ses cauchemars.

Quel âge avait-il ? Il était le premier à l'ignorer. Garibaldi lui avait procuré des faux papiers qui lui donnaient 14 ans. Son vrai prénom avait été oublié comme le reste. Pour tous, il était Décembre, garçon aux cheveux blancs comme la neige, morne comme un arbre sans feuille et froid comme la glace qui emprisonne les cours d'eau.

À ses côtés œuvraient ses sept compagnons d'infortune : Avril et Août qui jouaient elles aussi les pickpockets, Mars et Février qui piquaient dans les entrepôts, Mai et Juillet, spécialisés dans le vol à la tire sur rollers et Septembre qui s'occupait du piratage électronique qui leur simplifiait la vie. Toute une armada de mois, un calendrier incomplet aux ordres d'un seul maître efficace et sévère : Garibaldi.

Pour le Patron, l'informatique, les ordinateurs, Internet, tout ça c'était du virtuel, un sacré effet d'optique qui trompait bien son monde. Lui ne faisait confiance qu'en ce qu'il pouvait toucher. Palper les billets le faisait exister.

Un chiffre sur un écran, ça disait rien, des billets étalés sur une table, ça disait tout. Telle était sa façon de penser.

Ça convenait à Décembre. Il rapportait l'argent et en échange il était nourri, logé et blanchi. Sept jours sur sept. Parfois une journée de repos quand le Patron avait une nouvelle lubie. Visiter un musée par exemple, et leur inculquer un semblant de connaissance. Mais comme il n'y avait jamais relâche, les élèves d'un jour repartaient chaque fois alourdis des nombreux portefeuilles des autres visiteurs, subtilement prélevés par Avril, Décembre et Août. Pour Garibaldi, l'argent pesait toujours plus lourd que le savoir.

Garibaldi, le Patron pour les intimes, avait aussi trois règles d'or: ni drogue, ni arme, ni sexe. Jamais on ne vendait son corps, des flingues ou des saletés de comprimés.

Voilà pourquoi Garibaldi était un homme à respecter. Il ne faisait que prendre ce que certains avaient en trop et garder tout pour lui (mise à part la contribution aux mafias avoisinantes, histoire d'être laissé tranquille). Il nourrissait ses enfants, leur offrait des cadeaux quand leur mois venait, des vêtements quand les autres étaient trop petits ou trop usés (un enfant en hardes attire l'attention, tandis qu'un gamin qui est habillé comme un collégien normal passe partout) et surtout il les protégeait.

Qu'un seul petit mafieux pose la main sur ses enfants et Garibaldi lui réglait son compte vite fait. Le Patron respectait les gros bonnets et les gros bonnets respectaient le Patron. Aussi simple que ça. Ce n'était pas un tendre. Son autorité faisait office d'amour paternel et tout le monde devait s'en contenter. Les filles comme les garçons. Aucun, bien sûr, n'allait à l'école mais, comme disait Garibaldi, « le plus important, c'est l'école de la vie ». Chacun avait été éduqué dans la peur des flics et un réflexe évident: fuir les forces de l'ordre et les uniformes.

Décembre se laissa dériver, le sommeil l'engourdissait petit à petit. Avec lui revenaient les rêves et surtout les sombres cauchemars qui ne lui laissaient aucun répit. Il souhaita que, pour une fois, son sommeil soit trop profond pour rêver.

3

Il fait chaud, beaucoup trop chaud.

Il repousse les draps mais la chaleur est toujours là.

Il ouvre les yeux.

C'est la nuit et pourtant c'est le jour.

Des flammes lèchent les murs et le plafond au-dessus de lui.

Il ne comprend pas.

Il appelle « Maman ? »

Seul le feu lui répond en faisant exploser les bouteilles de verre sur l'étagère. Leur contenu disparaît en un nuage de vapeur.

Il se glisse sur le bord du lit et pose les pieds sur le plancher en bois. Des cloques de résine collent sous la plante de ses pieds nus.

Le sol est chaud, les planches hurlent.

Des cris viennent déchirer le crépitement du feu. Dehors une femme répète son nom.

Maman ?

Des voix d'hommes.

Papa ?

Des pleurs d'enfants.

Il fait un pas et la résine fait comme des fils de glu sous son pied.

La pièce devient floue.

C'est parce que ses yeux pleurent. Il s'essuie avec la manche de son pyjama. La fumée le fait tousser et il s'accroupit sur le sol. Maintenant il a aussi de la résine sur les mains.

À quatre pattes, il se glisse sous la table à manger. Les genoux de son pyjama en tissu collent par terre. Il tousse encore et appelle *maman !* Il regarde vers la porte mais elle est en feu.

Le mur ondule comme s'il était fait de flammes. Il n'y a pas de sortie.

Au-dessus de sa tête, au-dessus de la table, les poutres craquent. Des cendres grises pleuvent sur lui, elles s'engouffrent sous la table et veulent entrer dans sa bouche et son nez.

Il ferme la bouche.

Mais pas longtemps parce qu'il ne peut plus respirer. Il entrouvre les lèvres et les cendres se précipitent. Avec la résine, elles se collent partout sur lui.

Il devient gris.

Il tousse et crache le gris qui entre dans sa bouche. Sa salive est pâteuse. Ses oreilles se bouchent. Il n'entend plus rien. Ni les gens qui appellent, ni le feu qui crépite.

Peut-être que c'est fini ?

Il veut dire qu'il est sous la table mais il n'arrive plus à aspirer de l'air.

Et puis, tout à coup, il entend un énorme craquement, même avec ses oreilles qu'il croyait bouchées.

Il lève la tête et le plateau de la table s'écrase sur lui. C'est trop lourd.

La poutre qui est tombée et a cassé la table pèse de tout son poids sur son dos. Ses poumons ne peuvent plus se soulever et les flammes lèchent le plancher autour de lui.

Elles approchent.

Décembre poussa un cri et se redressa en sursaut. Les ténèbres le surprirent.

Ni flammes, ni cendres.

Il se souvint d'où il se trouvait et se sentit en sécurité. Encore ce fichu cauchemar.

Par réflexe, le garçon porta une main encore tremblante à son épaule et caressa la brûlure qui déformait ses chairs. Il savait que le cauchemar n'était pas qu'un simple rêve mais qu'il faisait appel à un souvenir profond de son passé. La cicatrice en était la preuve. Il avait survécu à l'effondrement de la maison.

Comment ?

Le rêve ne le disait pas.

Qui était cette femme qui l'appelait ?

Peut-être sa mère.

Et quel nom criait-elle ?

Il ne s'en souvenait déjà plus.

Décembre rejeta rageusement ses couvertures. Mais d'où venait-il, bon sang ? Pourquoi ces images le hantaient-elles ? Il ne voulait pas de ce passé et pourtant celui-ci refusait de se laisser oublier. Tourmenté par les migraines et les cauchemars, il avait l'impression de devenir fou.

Il se leva, se changea et descendit à la cuisine où il se fit réchauffer un reste de pâtes de la veille. Il était en train de terminer son gratin quand la cloche sonna trois coups. L'heure de se réveiller pour le reste de la maison.

Le sonneur, qui n'était autre que Garibaldi, entra au ralenti dans la cuisine, secoué par une toux de fumeur. Sans un mot, il alluma la radio, se fit chauffer un café et sauter des tartines puis s'installa en bout de table.

Cinq minutes plus tard le reste de la troupe dévala bruyamment les escaliers et prit sa place pour le petit déjeuner. Avril discutait déjà avec Août qui semblait loin d'être totalement réveillée.

La fillette lança un regard entendu à Décembre qui fit semblant de ne pas voir.

4

À 7 heures, chacun se dispersa et gagna son lieu de prédilection.

Décembre accompagné bien malgré lui d'Avril, sentait que la journée allait être très longue. Ils prirent tous deux le métro où, pour s'échauffer, la jeune fille déroba deux portefeuilles qu'elle eut la déception de découvrir presque vides. Décembre la laissait faire, se réservant pour un exercice autrement plus compliqué. Bientôt ils arrivèrent à la gare centrale et gagnèrent un coin calme où la foule ne déferlait pas.

Décembre s'appuya sur un genou et expliqua à Avril.

– À partir de maintenant, je ne veux plus t'entendre. Si tu veux ramener de l'argent ce soir, tu fais ce que je te dis sans poser de question. Tu te tais, je te désigne quelqu'un qui a un portefeuille bourré de pognon et tu t'en occupes. On se retrouve dans une heure au même endroit, OK ?

– Comment tu sais qui ?...

– Qu'est-ce que je viens de te dire ! Ne me parle plus. C'est pourtant simple ! Silence égale argent. Argent égale tu dors à la maison ce soir et tu sauves ta peau. Je te montre quelqu'un, je te dis même dans quelle poche il met son fric si à partir de maintenant tu deviens muette. Compris ?

– ... (Hochement de tête d'Avril qui resta les lèvres serrées.)

– Bien, je vois que tu as compris. Ne bouge plus et attends.

Décembre soupira profondément, puis se força à ralentir sa respiration. Le dos appuyé contre la pierre froide de la gare, il plissa les yeux et regarda les passants. Une multitude de voix se bouscula dans sa tête dès qu'il souleva le voile qui l'en protégeait.

Celui-là pensait à sa mère malade.

Celle-ci râlait à propos du prix du billet.

Celle-là se demandait si elle avait confié son chat à la bonne personne.

Celui-ci se disait qu'il aurait mieux fait de prendre le taxi, que prendre le train avec tout ce fric sur lui c'était pas prudent mais que bon, c'était pas écrit sur sa tête qu'il transportait une petite fortune.

Décembre sourit intérieurement à cette dernière réflexion. Comme celui-ci se trompait.

Il se tourna légèrement vers Avril et lui désigna le passant qui slalomait tant bien que mal à travers la foule.

– Là bas, un type jeune, blond, un peu dégarni, jeans, pull rouge et veste beige. Il porte un sac noir en bandoulière. Son fric est dans la poche intérieure de sa veste côté droit. Attention, il est sur ses gardes.

Avril partit la tête baissée comme un coureur de fond puis, en approchant du type, son allure se transforma. Elle mit le nez en l'air et trottina en souriant comme une fillette de son âge.

Décembre la regarda s'éloigner puis retourna à son observation.

Les gens défilaient devant ses yeux, pressés de prendre leur train, pressés d'arriver à destination alors qu'ils n'étaient pas encore partis, pressés de vivre leur vie.

Décembre passait de l'un à l'autre comme on zappe de programme en programme.

Tant de personnes qui ne faisaient que croiser son chemin, tant de monde qui monologuait sans rien savoir des pensées des autres, tant de bruits, de sensations...

Oups. Il venait de se surprendre à se laisser emporter par le tourbillon de voix parasites.

Concentre-toi, se réprimanda-t-il. Cherche l'argent.

Alors qu'il reprenait contact avec la réalité, il lui apparut.

Un homme, aux cheveux châtains et au costume bleu, qui semblait évoluer différemment des autres. Il circulait dans la foule sans jouer des coudes. Les gens ne semblaient pas le voir et pourtant l'évitaient.

Décembre se leva, intrigué. L'homme semblait émettre une lueur au milieu de la masse humaine terne et banale. Sans même s'en rendre compte, le garçon se mit à le suivre. Il n'avait pas pris la peine d'accrocher l'homme, il n'avait qu'à marcher vers la lumière que celui-ci générait.

Ils passèrent sous l'arche de sécurité et s'engagèrent sur le quai numéro treize où le train en attente alignait ses wagons. Des parois de verre polarisé faisaient office de toit et de fenêtres et offraient la possibilité aux voyageurs de voir sans être vus. Dans le bas du véhicule, l'acier reprenait ses droits et plongeait sous la surface du quai où il entrait en contact avec les rails. Le TSV (Train à Super Vitesse) était fuselé comme un avion supersonique, ce qui n'avait rien d'étonnant au vu des records de vitesse qu'il pouvait atteindre.

L'homme en bleu pénétra dans la voiture la plus proche. Décembre continua sa route et monta, comme à son habitude, deux wagons plus loin.

À l'intérieur, une lumière orange indiqua aux voyageurs à bord que le train était en instance de départ. Puis la lumière passa paisiblement au jaune doré et le train s'ébranla.

Croisant des passagers qui cherchaient leur place, le jeune homme se dépêcha de rejoindre celui qu'il avait choisi.

En ouvrant la porte qui le menait à la bonne voiture, il eut la surprise de tomber sur un wagon à compartiments. Ce genre d'installation ne convenait qu'aux trains à longue distance et Décembre se demanda s'il ne venait pas de commettre sa première erreur. Seulement la volonté de retrouver le bonhomme fut plus forte et il continua à remonter la piste.

Suivant le couloir qui longeait les fenêtres, il s'arrêta devant le quatrième compartiment aux vitres opaques et sentit que l'homme était seul à l'intérieur.

Curieux.

Le reste du train était plus que bondé, des passagers sans place réservée s'agglutinaient dans les couloirs et dans les sas de connexion entre voitures, et pourtant aucun voyageur ne songeait à occuper une des places vides qu'offrait ce compartiment. Comme si l'homme qui y était confortablement installé avait acheté tous les sièges pour garantir sa solitude et opacifié les vitres pour décourager les intrépides.

Décembre, lui, n'hésita pas.

Il actionna la porte coulissante qui s'ouvrit avec un soupir et s'engouffra dans la petite cabine où deux banquettes de trois places se faisaient face. L'homme le regarda entrer et lui sourit chaleureusement.

Décembre garda un visage fermé et s'installa en face de l'inconnu.

Il ne comprenait pas ce qui l'avait poussé à suivre cet homme sur un TSV où la sécurité était multipliée par trois. Il n'était même pas sûr que son pigeon avait de l'argent. En plus, il voyageait sur un train grande ligne, ce qui signifiait qu'il ne serait pas de retour avant cinq ou six heures. Avril allait l'attendre.

Tout cela n'allait pas du tout. Lui qui ne commettait jamais d'erreur venait d'en aligner trois de suite. Pourquoi avait-il cédé à un coup de tête ?

Il observa le type qui continuait à le regarder et essaya de capter ses pensées. Il ne trouva rien. Il ouvrit un peu plus son esprit et tenta un nouvel essai. Toujours rien. C'était comme si l'homme ne pensait pas, comme s'il était vierge de toute pensée.

Décembre se sentit nauséeux.

Impossible. Tout le monde avait un esprit, tout le monde monologuait. Alors où étaient passées les voix de celui-là ?

L'adolescent ne voulut pas s'avouer vaincu et décida de jouer le tout pour le tout. Après une grande inspiration, il avança vers l'homme et pénétra dans ce qui aurait dû être son esprit. Il eut le souffle coupé quand il percuta une barrière aussi solide que celle qu'il érigeait pour lui-même. L'homme enfermait ses pensées ! Qui était-il donc ?

Ce fut ce moment que choisit l'inconnu pour prendre la parole.

– C'est impressionnant ce que tu ressembles à ton père. Les mêmes yeux, la même expression déterminée. En revanche, tu as la bouche de ta mère, et sa beauté. Tu as bien grandi, mon cher Tristan.

Ce nom transperça Décembre comme un coup de poignard. Tristan ? N'était-ce pas le nom qu'une femme criait dans son cauchemar ? Tristan, c'était son nom ?

Non, se dit-il. Non, ne fais pas confiance à un inconnu.

– Attention, Tristan ! Ne laisse pas tes émotions briser ta concentration. Je commence à t'*entendre*. (L'homme poussa un long soupir et reprit de sa voix grave et lente.) Ainsi nous avions vu juste. Tu as bel et bien perdu la mémoire. Mon pauvre enfant, ta vie n'a pas dû être facile. Et dire que nous t'avons cru mort jusqu'à aujourd'hui. La mort ou l'amnésie, c'étaient les deux possibilités. Je suis content que ce soit la seconde qui se vérifie. Vas-y, pose-la, la question qui te brûle les lèvres et te titille le cerveau.

– Qui êtes-vous ?

– Ah ! qui je suis. Il semble que je sois celui qui te sortira de cette vie médiocre que tu t'es choisie. Pickpocket ! Quel destin pour un garçon de ton talent ! Quelle ironie du sort ! Il y a longtemps que tu aurais dû être intégré à l'Université. Enfin, mieux vaut tard que jamais. Ah oui, j'allais finir par me montrer impoli. Je m'appelle Ulysse, je suis, ou plutôt j'étais, un très bon ami de tes parents.

Décembre ne répondit pas. Ses parents... Une image surgit dans son esprit, une résurgence du cauchemar, un monde de flammes et de cendres. La bouche pâteuse, la langue lourde d'un goût de brûlé, il répondit :

– Non. Je n'ai pas de parents.

Ulysse rit poliment.

– Bien sûr que tu as des parents. Tout le monde en a. (Il baissa la voix et reprit d'un ton grave.) L'ennui c'est que tes parents sont morts, Tristan. Ils ont été tués sauvagement. Aucune chance de s'en sortir. C'est pourquoi nous t'avons cru mort toi aussi. Quelle tristesse.

Il se tut et contempla le paysage qui défilait par la fenêtre. Au bout de quelques minutes de silence, Ulysse continua et Décembre l'écouta en frissonnant.

– Tes parents étaient des gens formidables. Ils ont travaillé pendant des années pour l'Université. Ivan, ton père, était de toutes les missions. Il n'avait peur de rien. Je l'ai beaucoup admiré avant de devenir son ami et de travailler à ses côtés. Puis, quand il a rencontré ta mère, il est devenu plus prudent. Il avait une raison de rentrer vivant à chaque fin de mission. Circée était tellement belle. Dès le premier regard, on sentait que ces deux-là ne se quitteraient jamais. Ils partaient en mission ensemble et s'épaulaient quoi qu'il arrive. Un duo inséparable.

Il soupira profondément, saisi par ses souvenirs.

– Quand tu es né, Circée est devenue radieuse. Ivan bombait le torse comme un coq. Tu étais leur enfant, leur trésor. Rien n'avait plus d'importance que toi. Après la signature du Pacte, ils ont quitté l'Université et sont partis s'installer en Europe de l'Est. Là où avaient grandi les ancêtres d'Ivan. Ils ont eu l'autorisation d'être implantés et de t'élever hors de l'Université jusqu'à tes 10 ans. Je leur rendais visite aussi souvent que me le permettaient mes missions. (Il sourit avec nostalgie.) Vous formiez une famille magnifique, un trio lié par le même talent. Et quel talent ! Tes capacités psy étaient tout bonnement impressionnantes pour un enfant de ton âge. Je suis heureux de voir que tu n'as pas perdu ça aussi. Tu te sers de ton don pour voler, n'est-ce pas ? Voilà une chose incroyable ! Un Penseur voleur, qui l'eût cru ?

Il y eut un nouveau silence. Le masque impassible de Décembre se fissurait peu à peu, laissant apparaître de l'incompréhension et quelque chose qui ressemblait à de la colère.

Ulysse, toujours aussi calme, reprit.

– Quand je t'ai aperçu tout à l'heure, j'ai d'abord cru voir ton père. Encore maintenant je trouve que la ressemblance est flagrante. Je n'y croyais pas. Après tant d'années, te retrouver ici. C'est un hasard extraordinaire, un signe du destin. Il ne fallait pas que je laisse passer cette chance. Je devais t'attirer derrière moi. J'ai donc laissé transparaître un peu de mes capacités. Assez pour que tu me repères dans la foule et que tu aies la curiosité de me suivre. Tu es un fonceur, comme l'était ton père. Ah, Tristan, que je suis content de te voir !

– Ne m'appelez pas comme ça. Je m'appelle Décembre. C'est mon nom, c'est comme ça que les gens qui me connaissent m'appellent. Vous, je ne vous connais pas. Je ne sais pas de quoi vous parlez, ni qui sont ces gens, ni ce que c'est que cette université. Ce que je sais, c'est que vous m'avez piégé et que je n'aime pas ça. Je déteste ça. Je pourrais vous le faire payer si je le voulais vraiment, vous savez. Je pourrais vous faire mal. Mais je n'ai pas le temps. J'ai du travail.

Décembre se leva et se dirigea vers la porte. Ulysse le rattrapa par le bras, l'empêchant d'aller plus loin.

– Ce travail n'est pas pour toi. Ce n'est pas ta place. Tu vaux mieux que ça.

– C'est ce que je sais faire. C'est ce que je suis !

– C'est faux ! Tu es quelqu'un d'autre. Tu es le fils de deux personnes admirables et par respect pour elles, je ne te laisserai pas te perdre dans cette non-identité que tu t'es imposée. (Il lui lâcha le bras et se redressa dignement.) Tu es quelqu'un, Tristan. Tu as un nom et un passé. Ne te punis pas en n'étant personne. Viens avec moi à l'Université et, si après tu le souhaites encore, tu retourneras à ton ancien travail.

Le garçon n'avait pas bougé. Il restait debout, les yeux rivés sur le couloir.

– Choisis. Continuer à n'être personne jusqu'à ce que tu te perdes dans ce néant, ou bien retrouver ce que tu étais avant. Te retrouver.

Décembre se retourna et fixa sévèrement l'homme assis en face de lui.

– Comment puis-je vous faire confiance?

– Je t'offre ceci comme garantie.

Ulysse leva un coin de la barrière mentale qui le protégeait et Décembre eut la vision d'images qui lui semblèrent étrangement familières: une maison de bois serrée au détour d'une forêt, un homme qui semblait être lui en plus vieux, une femme au sourire doux, à la peau bronzée et aux yeux sombres. Sa mère!

Son cœur fit un violent bond dans sa poitrine et ses jambes cédèrent sous l'émotion. Ulysse arrêta aussitôt de lui communiquer ses souvenirs et se précipita pour redresser le garçon et l'aider à s'asseoir dans le fauteuil. Ses gestes étaient affectueux et inquiets. Décembre qui n'avait pas l'habitude d'autant d'attention fut touché par cette marque de respect.

Un voile commençait à se déchirer dans la conscience de Décembre. Il avait vu sa mère et l'avait reconnue! À cette pensée, un nouveau vertige le saisit et il empoigna les accoudoirs pour garder un contact avec la réalité.

Ainsi, cet homme disait vrai. Il s'appelait Tristan. Il avait une famille.

– Tristan…

Sans même s'en rendre compte, il venait de prononcer son nom à voix haute. Le bruit avait quelque chose de vaguement familier, des tonalités, une sonorité dont il se souvenait.

– Oui Tristan. Tu vas reprendre ta place parmi nous. Tu vas retourner auprès de ceux à qui tes parents avaient décidé de te confier, l'Université invisible.

– Je dois donc considérer que j'ai changé de nom? Décembre est mort, Tristan est mon nom?

– Non. Une partie de toi sera toujours Décembre. Tu dois cesser d'abandonner des facettes de ta personnalité au risque de ne jamais être complet. Tu as été Décembre et tu le resteras. Tu as été Tristan et tu l'es encore aujourd'hui. Tu l'avais juste oublié.

– Que va-t-il advenir de Garibaldi ? et d'Avril ?

– Garibaldi ? Ton protecteur, je suppose. J'enverrai quelqu'un pour négocier ton départ et offrir une somme conséquente à ce monsieur. Tu penses que ce sera suffisant ?

– Garibaldi parle la langue de l'argent. Plus vous lui donnerez, plus il sera heureux de me vendre. Ce n'est pas la première fois qu'on lui achète un de ses protégés. Mais je crois que ça vous coûtera cher.

– L'argent n'est pas un problème.

– Alors ça ne le sera pas pour lui non plus.

Tristan et Ulysse se turent. Tous deux étaient plongés dans des pensées qui n'appartenaient qu'à eux.

Le paysage défilait derrière les vitres teintées. Des banlieues bétonnées entrecoupées de champs verdoyants. Quelques gouttes de pluie vinrent s'écraser sur la surface transparente et ruisseler le long du wagon. La cabine pressurisée étouffait tout bruit du dehors et du couloir.

Tristan soupira profondément et rompit le silence.

– Bien. À partir de maintenant, si j'ai bien compris, c'est à vous que j'obéis. Où est-ce qu'on va ?

– Ce n'est pas une relation d'autorité qui nous lie. Nous sommes des égaux. Tes capacités psy sont presque équivalentes aux miennes. C'est vraiment étonnant pour un garçon si jeune.

– Et combien… euh, je veux dire, vous parlez de ma jeunesse. Mais, quel âge est-ce que j'ai ?

– Tu ne connais pas ton âge ? Depuis combien de temps n'as-tu pas fêté ton anniversaire ?

– À partir du moment où je me suis appelé Décembre, mon anniversaire a été en décembre. Cette année, Garibaldi m'a appris à forcer les serrures comme cadeau.

Ulysse éclata de rire.

– À forcer les serrures ! Voilà une drôle de façon de fêter un anniversaire ! Eh bien, tu n'es pas né en décembre mon cher Tristan, tu es du mois de juin, si mes souvenirs sont bons, du 17, je crois bien. Aujourd'hui, tu dois avoir 15 ans. Même si tu sembles en avoir deux ou trois de plus. Le malheur fait grandir les enfants plus vite. (Il s'appuya sur son coude et regarda dehors.) Et en ce qui concerne notre destination… Eh bien, nous allons d'abord faire un détour. Un rendez-vous que je ne peux repousser. Ça ne prendra pas longtemps. Puis, nous nous rendrons à l'Université où tu prendras tes quartiers et où je te confierai à des professeurs bien plus compétents que je ne le suis. Ça te convient ?

Tristan haussa les épaules sans répondre. Que ça lui convienne ou non, les choses seraient de toute façon les mêmes. Il décida de se laisser entraîner par le courant et de ne nager qu'au moment opportun. Pour l'instant, les événements l'intriguaient plus qu'ils ne le gênaient.

Dans le compartiment comme dans le reste du train, les néons passèrent du jaune à l'orange. On arrivait en gare.

Il y eut un léger changement dans l'allure du train, les alignements d'immeubles disparurent au profit d'une longueur de quai couvert. Une nouvelle secousse, et le wagon ralentit jusqu'à l'arrêt.

Ulysse se leva et Tristan l'imita. Les deux hommes quittèrent le compartiment et s'enfoncèrent dans la foule qui s'agglutinait dans le couloir pour sortir. Ou plutôt, ils traversèrent la foule car Tristan observa le même phénomène qui l'avait tant étonné dans le hall de la gare : les gens semblaient garder une distance de sécurité avec eux.

– *Pourquoi est-ce qu'ils nous évitent ?* demanda-t-il silencieusement à Ulysse.

– *Ils ne nous évitent pas, c'est juste que je les dissuade de trop s'approcher. Je ne supporte pas d'être bousculé, pas toi ?*

– *D'habitude, c'est plutôt moi qui bouscule et repars avec le contenu d'un portefeuille. La foule est un endroit idéal pour qui veut s'enrichir dans la poche des autres.*

– *Voilà une façon bien étrange de gagner sa vie. Évite quand même de faire ça là où je t'emmène.*

– *Oui, patron.*

– *Je t'en prie, appelle-moi Ulysse. Je ne suis pas un tenancier de bar.*

– *D'accord, Ulysse.*

Ils descendirent du train et traversèrent le hall de la gare, toujours encerclés par la foule.

À la sortie, une longue berline noire les attendait.

Le chauffeur lança un regard étonné à Tristan quand celui-ci s'engouffra à la suite d'Ulysse à l'arrière de la voiture mais de longues années de pratique lui firent garder le silence. Ulysse se sentit tout de même obligé de le rassurer.

– Mon neveu, Tristan, présenta-t-il au chauffeur une fois que la voiture eût démarré.

– Enchanté, monsieur Tristan, dit l'homme en inclinant sa casquette.

Tristan sourit d'un air flatté. Jamais encore on ne l'avait appelé « monsieur ».

5

Après une petite heure de voyage, ils arrivèrent à destination. Tous deux avaient gardé le silence pendant le trajet, chacun essayant de s'habituer à la présence de l'autre.

La voiture ralentit et tourna dans un chemin fermé par une grille que deux gardes ouvrirent, après avoir vérifié l'identité des passagers en scannant la plaque d'immatriculation. Le véhicule roula au milieu d'un paysage nu fait de roches et de lande.

Au bout de cent mètres, la route changea d'inclinaison et s'enfonça entre deux pans de rocher. Le chemin continua en sous-sol croisant de temps en temps de nombreux carrefours. Il n'y avait aucune indication de direction sur les murs rocheux qui composaient le tout mais le chauffeur semblait savoir exactement où il allait. À l'issue de ce labyrinthe, ils aboutirent dans une salle où attendait, solitaire, une porte d'ascenseur.

Le chauffeur les déposa et repartit sans tarder.

Ulysse appela l'ascenseur et tandis qu'ils étaient portés dans les profondeurs, Tristan demanda :

– Vous faites quoi comme travail ?

Ulysse le regarda avec un sourire affectueux avant de répondre.

– Je suis conseiller pour la branche Avenir de Shiva. Je gère les relations avec le personnel ou les intervenants extérieurs. Ne fais pas cette tête tu vas vite comprendre en quoi ça consiste.

L'ascenseur tinta au niveau Air 3 et les portes s'ouvrirent sur une pièce où s'affairaient de nombreux employés. Ulysse précéda le jeune homme à travers un dédale de couloirs et, arrivé devant une grande double porte en bois, il s'écarta pour le laisser passer.

– Vas-y, ouvre.

Tristan appuya sur la poignée et poussa le battant. Il fut ébloui par une luminosité étonnante pour une pièce censée être en sous-sol. Entrant dans ce qui ressemblait à un bureau normal (quoique très vaste), il fut saisi par un spectacle magnifique.

À la place de ce qui aurait dû être le mur du fond, se dressait une gigantesque baie vitrée. Et derrière la protection de cette paroi de verre, s'étendait la mer. Elle dansait jusqu'à l'horizon et illuminait de ses reflets l'intérieur du bureau.

Tristan posa ses mains sur la vitre froide et regarda vers le bas. Les vagues déferlaient sur des récifs en aplomb.

– Nous sommes dans les pans d'une falaise. Un immeuble entier a été construit à l'intérieur de la roche. C'est impressionnant, n'est-ce pas ?

– C'est magnifique. Je n'avais jamais vu la mer.

– Eh bien, tu auras tout le temps de l'admirer puisqu'ici c'est mon bureau. Je m'absente quelques instants, je vais chercher mon rendez-vous.

Tristan resta seul face à la mer.

Devant lui, les mouettes qui planaient paraissaient suspendues à un pendule, jouant dans des courants d'air qu'on ne pouvait voir et poussant des cris qu'on ne pouvait entendre. Elles s'approchaient parfois si près de la vitre qu'on aurait cru pouvoir les toucher, mais elles repartaient aussitôt dans une chute libre de plusieurs mètres, évitant la collision avec les flots en un battement d'ailes.

Quand Ulysse fit entrer son client, vingt minutes plus tard, Tristan n'avait pas bougé. Il était plongé dans un statisme contemplatif, debout face à la vitre, une main posée sur la surface transparente. Ulysse eut un pincement au cœur en regardant cet enfant que ce matin encore il croyait perdu. Était-ce cela qu'on appelait la fierté de père ? Peut-être pourrait-il adopter Tristan et le considérer comme son propre fils ? Non, jamais l'Université n'accepterait.

Il se ressaisit et accorda toute son attention à l'homme qui l'accompagnait. En quelques secondes il avait retrouvé sa froideur professionnelle et, désignant un siège à son client, il ouvrit les hostilités.

– Bien, monsieur Zaïbatsu, je vous présente mon neveu qui assistera à cet entretien. J'espère que cela ne vous dérange pas ?

– Ce qui me dérange, c'est que vous m'ayez convoqué alors que je pensais que les choses étaient claires avec votre patron. C'est non. Je ne changerai pas d'avis.

– Nous pourrions prendre le temps de considérer...

– De considérer rien du tout ! Je n'approuve pas votre façon de travailler, un point c'est tout. Je ne vois pas ce qu'il y aurait à rediscuter.

– C'est là que vous vous trompez.

Tristan, qui jusqu'alors n'écoutait que d'une oreille les discussions, tourna la tête à la dernière intervention d'Ulysse. Il avait *senti* une différence dans le ton de sa voix. Celle-ci avait pris une profondeur supplémentaire qui avait pour but d'influencer l'homme assis en face de lui.

– J'aimerais que nous reconsidérions ce contrat, que nous le parcourions sous un nouvel angle. Qu'en dites-vous ?

– Ceci ne m'engage à rien.

– Vous avez tout à fait raison, monsieur Zaïbatsu. Ceci ne vous engage absolument à rien.

Alors que l'entretien se poursuivait, Tristan comprit que ce que faisait Ulysse différait assez peu de ce que lui-même faisait avec ses victimes. Ulysse *suggérait*, *conseillait* et délicatement *s'insinuait* dans l'esprit de l'homme installé en face de lui. Tristan n'avait jamais vu quelqu'un d'autre le faire. Ulysse avait l'air très concentré, partageant prudemment ses pensées avec celles de l'homme.

Quant à monsieur Zaïbatsu, il ressemblait à quelqu'un qui fait un rêve éveillé : les yeux dans le vague, la bouche à demi ouverte, il écoutait la voix d'Ulysse lui imposer l'idée à laquelle il était jusqu'alors réfractaire.

Au bout d'une heure, monsieur Zaïbatsu signait le contrat et échangeait une poignée de main sincèrement heureuse avec Ulysse.

– Vous avez fait le bon choix, monsieur.

– Je n'en reviens pas d'avoir raté cet aspect du contrat. C'est tout bonnement incroyable. Merci. Sans vous, j'aurais fait une belle erreur.

– C'est à cela que sert mon travail. À conseiller les clients insatisfaits. À très bientôt, monsieur Zaïbatsu.

– Avec le plus grand plaisir !

Le client quitta la pièce, un sourire ravi sur le visage. Ulysse retourna s'installer à son bureau et regarda Tristan, l'air satisfait.

– Alors. Que penses-tu de mon travail ?

– Que ça ne change pas beaucoup de ce que je fais moi-même.

– Sauf que mes clients à moi ne repartent pas avec un portefeuille vide.

Ulysse ouvrit un tiroir et en sortit un comprimé qu'il jeta dans un verre d'eau qui attendait sur la table.

– Vous obtenez toujours ce que vous voulez ?

– Pas toujours. J'ai rencontré deux ou trois fois des clients imperméables à la suggestion. Ils possédaient une faible capacité psy et parvenaient à repousser mes incursions. Je ne peux pas agir comme une brute. Il faut que le client signe avec le sentiment que c'est lui qui a pris la décision et que c'est la bonne. Tout doit se faire dans la subtilité et le calme.

Le comprimé acheva de se dissoudre dans son bain d'effervescence. Ulysse vida le verre d'un trait.

– Vous avez mal à la tête.

C'était plus une constatation qu'une question.

– Oui. Après chaque entretien un peu long. Je pense que tu sais toi aussi ce que c'est. Ça n'a rien à voir avec un dialogue pensé ou le simple fait d'*écouter*. Toi et moi, nous entrons dans l'esprit des gens, nous leur soumettons notre propre volonté. N'as-tu jamais considéré toute l'étendue des capacités dont nous disposons ? C'est un sentiment terrible. La manipulation. Pousser quelqu'un à se jeter d'un pont ne serait finalement pas si difficile.

– Ça n'a rien à voir. Les flics qui se baladent avec une arme ne passent pas leur temps à tirer sur les autres. Jamais je n'ai risqué la vie de qui que ce soit.

– Tu es un voleur au sens moral très développé. Ton Garibaldi devait être un grand prince. (Ulysse faisait tourner le verre vide dans sa main, les yeux dans le vague.) En théorie, tu as raison. Mais ne me dis pas que tu n'as jamais pensé à ce que serait ce don entre les mains d'un être sans scrupule : une arme mortelle. C'est pour cette raison que l'Université existe. Elle ne fait pas qu'éduquer les enfants mais elle les surveille. Ceux qui paraissent instables sont étroitement contrôlés. C'est tout le paradoxe. Un niveau de conscience comme celui qu'atteignent les Penseurs mène parfois à la folie. Ils sont dans l'incapacité de dissocier leur propre pensée de celle des autres. Imagine, ne plus savoir qui tu es, être noyé par un flot étranger d'émotions, de voix, de… (Il cligna des yeux et sembla reprendre conscience.) Excuse-moi. J'ai tendance à divaguer quand je suis affaibli. Hum… Le médicament ne va pas tarder à faire effet. Tu veux manger quelque chose ?

Hochement de tête de Tristan. Ulysse appuya sur l'interphone intégré dans le bureau.

– Madeleine, auriez-vous l'obligeance de m'apporter deux plateaux-repas et de faire préparer l'hélicoptère pour une heure et demie, s'il vous plaît ?

– Bien, monsieur, répondit la voix de la secrétaire.

À l'issue d'un repas que Tristan trouva délicieux comparé aux pâtes qu'il avait l'habitude d'ingurgiter, Ulysse et lui s'installèrent dans le canapé qui faisait l'angle avec la mer. Ils discutèrent de tout et de rien mais en particulier de l'Université, la mémoire de Tristan étant encore trop fragile pour supporter d'autres souvenirs de ses parents.

Terminant son café, Ulysse changea de conversation :

– Bien, nous allons pouvoir y aller. Mais avant je veux t'offrir quelque chose. Voilà six ans que je n'ai pas pu te fêter ton anniversaire alors c'est l'occasion ou jamais de t'offrir un cadeau.

– Un cadeau ?

– Viens, suis-moi.

Ulysse s'extirpa du canapé et quitta le bureau, Tristan sur ses talons. Ils prirent d'autres couloirs, franchirent d'autres portes.

Ulysse expliquait :

– La branche Avenir de Shiva s'occupe de la recherche dans de nombreux domaines : aéronautique, génétique, numérique, électronique… Dans les étages inférieurs, à l'abri en dessous du niveau de la mer, il y a des laboratoires qui travaillent 24 heures sur 24 sur de nouveaux projets. L'Université est une des premières à bénéficier de ces avancées technologiques. De la haute sécurité de la Grande Bibliothèque au réseau informatique des salles de classe.

Ulysse ouvrit une dernière porte et ils se retrouvèrent dans une vaste pièce aux murs blancs couverts de présentoirs chargés d'outils informatiques de toutes tailles.

– Ceci est la pièce de présentation pour les clients. Tu y trouves un exemplaire de chaque outil créé et commercialisé par Shiva, mais aussi des appareils encore en projet ou d'autres refusés après étude. (Ulysse passait le long des rayons en désignant des objets du doigt.) Ici, tu as la gamme des pistolets tranquillisants à action instantanée. Là, des combinaisons de plongée intelligentes, des ordinateurs de poche dont le clavier et l'écran se roulent, des animaux de compagnie cybernétiques, des bracelets-téléphones de plus en plus fins, etc. etc.

Ulysse laissa à Tristan le temps de parcourir les différentes classes de produits : armement, défense, bio-médecine, cyber-technologie… Il y en avait pour tous les goûts et de toutes les couleurs.

– Que veux-tu pour ton anniversaire ? Je te laisse la possibilité de choisir un cadeau parmi les objets de la pièce. À toi de décider. Prend celui que tu veux.

Tristan contempla les lieux remplis d'une technologie dernier cri, dont certains appareils avaient, à n'en pas douter, une valeur inestimable. Il regarda, se tut pendant un certain temps et se décida.

– Je ne veux rien

– Rien ? Il n'y a donc rien qui te ferait plaisir dans cette salle ?

– Non. Je n'ai pas besoin de ce genre de cadeau.

– Très bien. Tu es décidément un garçon très étonnant. Mais comme tu veux. Je n'insiste pas. Mon offre n'est de toute façon pas limitée dans le temps. À toi de me faire signe quand tu auras changé d'avis.

Consultant sa montre, Ulysse déclara que l'heure était venue et qu'ils devaient y aller. Ils longèrent un interminable couloir avant d'arriver à un nouvel ascenseur qui les emporta à la surface. Les portes s'ouvrirent sur un paysage de lande. Le cube d'acier et de béton que formait l'ascenseur paraissait presque anachronique au milieu des lichens et des roches grisâtres qui jonchaient le sol.

Soudain, les quelques fleurs jaunes et violettes qui parsemaient la végétation furent agitées en tous sens par des bourrasques violentes, et un impressionnant hélicoptère se posa non loin de là. La carlingue de l'appareil était d'un noir profond marqué sur la queue d'un logo étrange rappelant la coquille en spirale du nautile.

– *La marque de l'Université*, expliqua Ulysse dont la voix ne pouvait couvrir le vrombissement des pales.

Peu de temps après, ils se retrouvèrent au-dessus des flots et la falaise criblée de fenêtres disparut rapidement.

– *Ulysse...*

Le grondement sourd de l'hélicoptère interdisait toute

conversation. Mais heureusement pour eux, ils avaient un autre moyen de discuter.

– *Oui, mon garçon.*

– *Tu sais ce que je voudrais vraiment pour mon anniversaire ?*

– *Non. Dis-le-moi.*

– *Je voudrais une photo de mes parents, quelque chose qui m'aide à me souvenir. Voilà ce que je voudrais.*

– *Pourquoi ne pas l'avoir dit plus tôt ? Et pourquoi n'y ai-je pas pensé plus tôt ? Bien sûr, c'est normal. Attends...*

Ulysse attrapa son cartable, rangé dans un compartiment de l'appareil et en entreprit une fouille minutieuse.

Cela faisait plus de deux heures qu'ils survolaient la mer. Tristan avait eu beaucoup de mal à faire sa demande à Ulysse. Ça lui paraissait stupide et puéril. Mais la réaction de l'homme l'avait rassuré. Il avait dit que c'était normal. Ça n'avait finalement pas été si dur que ça. Il commençait à se sentir bien aux côtés de cet homme qui se comportait comme un membre de sa famille. Une famille... en retrouverait-il un jour ? L'Université pourrait-elle vraiment être une famille pour lui ?

– *Ah, voilà !*

Ulysse tira des profondeurs de son cartable un carnet d'holophotos. C'était un vieux modèle qui devait contenir des images plus toutes récentes.

Il en sortit trois et les donna à Tristan.

– *Tu peux les garder. Les originales sont sur un disque dur. Celles-ci sont pour toi. Ton père, ta mère et la dernière c'est la photo de famille : tes parents, moi et toi qui dois avoir 5 ou 6 ans. Appuie sur le coin pour lancer le film.*

Tristan attrapa les holophotos d'une main tremblante.

Sur la première, on voyait un homme pâle. Les cheveux blancs, l'air fier et les yeux bleus, il toisait son interlocuteur. Tristan pinça le coin du papier vitrifié et le film se lança. L'homme, tout à l'heure immobile, se mit à rire et à discuter avec celui qui se tenait de l'autre côté de l'appareil. Il s'éloigna un peu et on put voir qu'il était habillé d'un uniforme noir frappé du même symbole que celui qui ornait l'hélicoptère. Puis le film s'arrêta et retourna se figer sur la première image.

– C'est une photo qui date d'un peu avant ta naissance, quand ton père et moi faisions équipe.

Tristan garda le silence et passa à la deuxième holophoto.

Une femme blonde souriait en regardant au loin. Puis Tristan fit démarrer la séquence. La femme bougea, passa la main dans ses cheveux et sembla réaliser qu'on la filmait. Elle eut une expression étonnée, fronça les sourcils et mit la main devant l'objectif. Puis, semblant se raviser, elle s'approcha pour l'embrasser. Le film s'arrêta sur son sourire ravi.

Ulysse laissa échapper un petit rire.

– Une grande comédienne. Toujours à faire son cinéma pour amuser les autres. Une femme magnifique et un sacré caractère.

La troisième photo fut la plus douloureuse pour Tristan.

Sa mère était assise à table sur ce qui semblait être une terrasse entourée de verdure. À ses côtés, un homme aux cheveux blancs, un petit garçon assis sur ses genoux. Quand le film se lança, un homme vint les rejoindre. Châtain, les cheveux mi-longs, il ne pouvait s'agir que d'Ulysse. Ce dernier fit un coucou à l'objectif puis désigna tour à tour les trois personnes en prononçant des paroles, qu'on ne pouvait entendre mais qui semblaient faire bien rire les deux autres adultes. Pendant ce temps, l'enfant avait glissé des genoux de son père et se dirigeait vers l'appareil qui filmait. Il disparut du champ puis son œil amusé passa devant l'objectif. Il y eut un tremblement de l'appareil qui commença à basculer sur la droite, révélant au passage l'image de trois adultes en train de tendre la main en criant quelque chose qui devait ressembler à un « Non ! » Le film s'acheva sur une fugitive image de pieds se précipitant.

– *Toi aussi tu avais un sacré caractère. Petit, tu poussais des colères mémorables qui usaient tes parents. Et puis, un jour, ça a été fini. Tu semblais avoir fait le tour et tu es devenu beaucoup plus calme. Mais aussi plus curieux. Il fallait que tu comprennes tout. Tu participais aux discussions des adultes et donnais ton avis sur tout.*

Tristan se taisait. Il était incapable de parler, sa gorge était nouée.

Je ne me souviens pas, pensa-t-il simplement.

Ulysse le regarda, désolé. Il ne savait pas si les holophotos avaient fait plus de bien que de mal. Il avait espéré qu'elles déclencheraient une vague de souvenirs. Il n'en avait rien été. L'enfant restait fermé, l'air résolu. Une nouvelle fois, Ulysse eut l'impression de voir Ivan.

– *Ça viendra. Laisse ta mémoire travailler pour toi. Il suffit d'un détail pour que tout te revienne. Sois patient.*

6

Alors que le soleil commençait à décliner, ils arrivèrent en vue de l'île invisible. L'endroit était vaste, trop vaste pour le capturer d'un regard. On devinait un phare au loin, de nombreux bâtiments noyés dans la verdure, des champs.

Tristan perçut le miroitement d'un dôme en verre lorsqu'ils descendirent pour se poser. Un petit sursaut leur indiqua qu'ils avaient atterri, puis les pales ralentirent et s'arrêtèrent.

Ulysse sauta à terre le premier.

– Bienvenue sur ton nouveau territoire. Suis-moi, nous allons faire une surprise à celui auquel tu as le plus manqué.

Tristan lui emboîta le pas tout en examinant les lieux.

Le vacarme de l'hélicoptère n'avait pas échappé aux nombreux étudiants qui traînaient dans le parc à cette heure-là et plusieurs curieux approchèrent pour voir le nouvel arrivant. Certains saluaient Ulysse puis lançaient un regard interrogateur à Tristan comme pour lui demander ce qu'il pouvait bien faire là. Ce dernier sentit à plusieurs reprises des chatouillis dans sa tête qui indiquaient qu'on essayait de sonder son esprit. Mais il n'eut pas trop de difficulté à les maintenir à distance car les inquisiteurs ne faisaient qu'effleurer ses pensées.

La plupart des gens qu'ils croisèrent portaient des uniformes noirs frappés du symbole de l'Université. La rumeur avait dû déjà faire le tour de l'île et de plus en plus d'enfants et d'adolescents se pressaient sur son passage. Tristan entendait des *Qui est-ce ? D'où viennent-ils ? Pourquoi vont-ils à la Medersa ? Pourquoi est-ce qu'on ne peut pas lire en eux ?* et parfois des *Il est mignon* qui le faisaient rougir.

Ils arrivèrent enfin au centre exact de l'île, là où se dressait, tel un palais du Moyen-Orient, un grand bâtiment aux murs roses. Ils s'arrêtèrent devant l'entrée, une large arche fermée par une massive porte en bois sculpté.

– Voilà la Médina, dit Ulysse en désignant la petite place autour de laquelle se dressaient plusieurs bâtiments. C'est un peu le campus. Ici sont réunis les logements, les salles de cours, l'infirmerie. (Il se tourna vers la grande bâtisse qui dominait les lieux.) Et voici la Medersa. C'est là que se réunit le Conseil. Père et Mère logent dans une partie de l'édifice. C'était une ancienne université abandonnée avant que l'on vienne s'installer sur l'île, c'est un prodige de l'architecture musulmane. Le seul endroit où l'informatique n'est pas omniprésente. Viens, entrons.

Ulysse poussa la petite porte qui s'ouvrait dans la grande et se plia pour entrer. Tristan le suivit et le battant se referma sur les visages interrogatifs des étudiants pour qui l'entrée dans la Medersa était limitée à des conditions exceptionnelles

Ils traversèrent une petite salle dont le raffinement contrastait avec l'austérité des murs extérieurs. Au centre d'une architecture de mosaïque colorée, où même le sol semblait parsemé de touches de couleurs, coulait doucement une petite fontaine. Passant une autre porte richement sculptée, ils débouchèrent dans le centre de la Medersa. Ici, le toit de tuiles vertes s'ouvrait pour laisser entrevoir le ciel. Une promenade couverte courait autour de la petite place à l'air libre au milieu de laquelle une nouvelle fontaine, plus imposante que la précédente, faisait miroiter son eau. Des banquettes et des tables basses étaient installées çà et là.

Ulysse s'y installa en dépliant ses jambes Tristan tourna un peu en rond avant d'aller s'asseoir sur le bord de la fontaine, trempant les doigts dans l'eau transparente.

– Père va venir, dit Ulysse le regard fixé sur le bleu rosé du ciel.

– Votre Père ?

– Oui, le mien. Il est aussi le responsable de l'Université si bien qu'il est appelé Père par tous. C'est un télépathe puissant et il a senti notre arrivée. Ce qu'il ne sait pas encore c'est qui tu es. Ça va lui faire un choc.

À ce moment, un homme au cheveu rasé de près et au visage osseux traversa le patio d'un pas vif avant de s'arrêter net. Visiblement contrarié par la présence des deux intrus qui patientaient là, il se dérida vite en reconnaissant Ulysse et se précipita pour serrer la main de l'homme qui se redressait déjà.

– Bonjour, Léon. Ça faisait longtemps.

– Et comment ! Qu'est-ce qui peut être si important pour que tu te déplaces toi-même ?

– Lui, dit-il en désignant Tristan d'un hochement de menton.

Léon examina le jeune homme d'une façon un peu trop intense au goût de Tristan qui comprit, au chatouillement de son cerveau, que l'homme cherchait à lire en lui. Par réflexe, il se mura complètement et repoussa l'intrus.

– Très fort, fit remarquer Léon en se tournant à nouveau vers Ulysse. Qui est-ce ? Pas une nouvelle recrue, j'aurais été prévenu.

– Ce serait plutôt un revenant. Je te présente Tristan, le fils d'Ivan et Circée.

– Le fils de… Eh bien, ça alors ! Je pensais qu'il était mort dans l'incendie. Il t'a raconté comment il s'en est sorti ?

– Aucun espoir, il est amnésique.

– Voilà qui est bien triste, intervint la quatrième personne qui venait de quitter silencieusement l'ombre des balcons pour rejoindre à son tour les visiteurs.

C'était un vieillard aux cheveux blancs et à la peau parcheminée. Les mains dans le dos, il observa le jeune homme qui se tenait sur le bord de la fontaine et s'était levé à son entrée. Ses yeux d'un vert émeraude luisaient d'une intelligence vive. Derrière le masque de ses rides se cachait le visage toujours à l'affût du fauve.

Père s'approcha de Tristan, posa ses mains sur les épaules du jeune homme qui faisait à peu près sa taille et le regarda avec émotion.

– Six ans. Six ans que nous t'avons cru mort. Six ans que nous avons abandonné les recherches et que nous avons fait le deuil de tes parents. Tu étais si petit à l'époque. Comment aurions-nous imaginé que tu t'en étais sorti ? Ta maison avait brûlé et s'était écroulée sur toi. Nous avons cherché dans les cendres calcinées mais la température avait été telle qu'il ne restait plus rien. Tu n'étais plus *présent*. Et pour cause, ta mémoire a brûlé avec la maison. Pourtant, c'est bien toi, Tristan. Tu es revenu.

Tristan se taisait, mal à l'aise. Il ne connaissait pas ce vieil homme dont les mains usées pesaient sur ses épaules et dont les yeux verts le fixaient intensément. Tout le monde ici semblait le reconnaître et l'apprécier. La vie qu'il s'était créée était-elle si futile que ça pour qu'on veuille la laisser de côté ? Qui était-il s'il n'était plus Décembre ? Est-ce qu'il devenait un souvenir ? Le souvenir de gens qu'il ne connaissait pas ?

Il se dégagea de l'emprise du vieillard et fit deux pas en arrière.

– Vous savez peut-être qui est Tristan, mais moi, je ne le sais pas. Je ne le saurai peut-être jamais.

– Nous ferons tout pour que tu retrouves la mémoire, Tristan. Mais se souvenir est un processus compliqué. Ton esprit seul sait quelle est la clé qui t'ouvrira la pièce sombre où est entreposée toute ta vie d'avant tes 9 ans. Il suffit d'une image, d'un mot. Reste à savoir lequel.

– Je ne vais pas attendre indéfiniment que la mémoire me revienne. Je ne vais pas m'arrêter de vivre parce que je ne sais pas qui je suis.

Père acquiesça en souriant sereinement. Il se tourna alors vers Léon pour lui penser l'ordre d'intégrer le jeune homme à une classe. On ne pouvait rattraper le temps perdu mais on pouvait faire en sorte qu'il se sente ici chez lui.

Léon se fendit d'un vague salut et invita Tristan à le suivre tandis que Ulysse et son père embrayaient sur une discussion portant sur la santé des membres de la famille. Ils s'enfoncèrent dans un couloir au fond de la cour et s'arrêtèrent rapidement devant une porte qui ne portait aucune indication. Elle était en bois massif et similaire à toutes les autres portes qui perçaient le couloir.

Léon frappa trois fois. En réponse, une voix rugit de l'autre côté pour les inviter à entrer, et la porte s'entrebâilla toute seule. Ils s'exécutèrent et pénétrèrent dans une pièce à colombages et murs en tadelakt chaleureusement éclairée. Un homme massif était installé derrière un large bureau, griffonnant nerveusement dans un cahier. Il ne releva pas la tête pour demander :

– Qu'est-ce que c'est, Léon ?

Vasco, voici un nouvel arrivant.

La peau mate, le cheveu brun, le Commandeur Vasco compensait sa taille moyenne par une solide musculature et un caractère franc mais impétueux. Il leva les yeux, le sourcil froncé.

– Un nouveau ? Il n'y a aucune Intégration prévue au planning.

– Justement, il s'agit d'un imprévu. C'est Tristan, matricule M109, fils d'Ivan et Circée. Presque un revenant.

– Le fils d'Ivan ?

Vasco tourna enfin son regard vers le jeune homme aux cheveux blancs et l'examina avec étonnement.

– Mais oui. Pas de doute, c'est bien son fils. Bienvenue à l'Université, petit. Je suis Vasco, Commandeur de ces lieux, superviseur de toutes les Brigades et à l'occasion celui qui te bottera le derrière si tu ne respectes pas le règlement.

Tristan sourit. Il avait l'impression de se retrouver devant Garibaldi et il en était content. Vasco était un homme qui respirait l'autorité et menait les Brigades à la baguette. Quelles que pussent être les Brigades. Il n'avait exprimé aucun regret quant au décès de ses parents, ne s'était pas apitoyé sur son amnésie mais l'avait accueilli en parlant du présent et du futur. Il aimait ça.

– Léon, ce grand type à tes côtés, est le chef des équipes de Penseurs. C'est chez lui que tu râles si tu as un problème, pas chez moi. C'est lui qui donne les ordres quand ce n'est pas moi qui le fais. Compris ?

Hochement de tête de Tristan.

– Qu'est-ce que tu faisais avant d'atterrir ici ? Collège ? Lycée ?

– Ni l'un, ni l'autre, monsieur. J'étais voleur, répondit Tristan avec fierté.

– Qu'est-ce que tu volais ?

– Les esprits.

– Ah, ah, ah ! Tu m'plais, toi ! Voilà une nouvelle recrue qui va remuer un peu tout le peloton des newbies*. OK, Léon, je te le confie. Tu lui prêtes un uniforme le temps que les siens soient prets. Tu lui fais faire les examens habituels d'Intégration, une visite des lieux, un topo sur l'Université. Ou tu trouves quelqu'un pour le faire, ça m'est égal. À ton avis, on le loge avec les agents ou les élèves ?

– Mieux vaut qu'il rencontre des gens de son âge. Dans un premier temps, je le mettrais au Foyer, chez Mary.

– Je suis d'accord. N'oublie pas de mettre Franky sur le coup. C'est pas tous les jours qu'on a un revenant à l'Université.

– Oui, Commandeur.

– Allez, sortez tous les deux. J'ai du travail.

7

Alors qu'ils se dirigeaient vers la sortie, la porte du bureau s'ouvrit d'elle-même et Tristan, surpris, s'arrêta net. Le rire de Vasco résonna dans son dos.

– Oh, oh ! monsieur Tristan ne connaît pas encore tout de l'Université. Il ne sait pas qu'il existe autre chose que des Penseurs. Allez donc discuter des Voleurs avec Franky, il fait ça très bien.

Tristan quitta la pièce avec Léon et sursauta quand la porte se referma derrière lui. Il avait l'impression d'avoir manqué un truc. De quels voleurs parlait Vasco ? Pourquoi la porte s'était-elle ouverte toute seule ? Est-ce qu'il y avait un système électronique qui la contrôlait à distance ?

Léon n'avait visiblement pas envie de lui expliquer. Il ouvrait la marche et gardait le silence. Ils débouchèrent dans la cour à la fontaine, désormais vide de la présence d'Ulysse et Père. Ils quittèrent la Medersa par le grand porche en bois. Dehors, la foule n'était plus là, le soleil achevait de disparaître à l'horizon et l'obscurité baignait chaque détail du paysage.

Ils n'eurent pas à aller très loin puisque, obliquant vers la gauche, Léon longea la Medersa en direction du bâtiment qui la jouxtait. La façade ne portait aucune marque mais, quand ils entrèrent, Tristan reconnut l'odeur caractéristique d'une infirmerie. Sans pour autant mettre la main sur un souvenir précis, il sut qu'il n'aimait ni cette odeur ni ce genre d'endroit aseptisé.

Une femme dans le hall, portant une blouse blanche et les cheveux retenus en arrière par une queue-de-cheval, semblait les attendre. Elle attrapa Tristan par le poignet et montra un siège à Léon pour lui demander d'attendre.

Tristan fut emmené dans une salle blanche où étaient disposés un lit, un bureau et une quantité d'appareils aux écrans désactivés. La femme tapota sur le lit et Tristan s'y assit. Elle attrapa un chariot garé dans un coin, un tabouret à roulettes et s'assit en face du jeune homme.

Elle l'observa en poussant un long soupir, lui attrapa le bras et lui releva la manche.

– *Je vais te faire une petite prise de sang,* annonça-t-elle en pensée alors qu'elle imbibait un coton puis le frottait à l'intérieur du coude découvert.

Tristan déglutit avec difficulté en la voyant lui faire un garrot et saisir la seringue qui attendait sur le chariot à côté d'autres instruments de torture.

– *Détends-toi et prends une grande inspiration.*

Il respira et elle enfonça l'aiguille dans la veine que le garrot faisait saillir. Elle desserra le nœud du garrot et le sang, son sang à lui, coula en petits flots à l'intérieur du tube en verre qui fut rapidement rempli du liquide opaque. Elle le remplaça par un second tube, plein en quelques secondes, puis retira l'aiguille et pulvérisa sur la piqûre un produit cicatrisant.

Tristan ne bronchait pas, l'image de ce sang quittant son corps l'avait mis mal à l'aise et il regardait avec une méfiance croissante les outils qui s'alignaient sur le chariot dans un statisme menaçant. Ses pires craintes furent vite fondées quand la doctoresse s'empara de l'instrument le moins rassurant.

Ça avait un peu l'aspect d'un petit revolver, avec une gâchette, un canon étroit comme une grosse aiguille et une fiole de gaz qui indiquait que le truc marchait sous pression. Le tout brillait avec l'éclat froid de l'acier chirurgical.

– *Ta main gauche, s'il te plaît.*

Tristan obtempéra et la femme médecin vint appliquer le canon au centre de sa paume, bien appuyé contre sa peau. Dès que la position lui sembla idéale, elle appuya sur la détente. Un discret « Sclatsh ! » retentit quand le projectile perfora la peau et alla se loger au sein du muscle. Tristan ne put retenir une grimace devant la soudaineté de la douleur. Il avait l'impression qu'on lui avait transpercé la main.

La doctoresse lâcha Tristan qui approcha la paume de son visage pour s'assurer qu'il n'y avait pas de trou. Il tourna et retourna sa main. Elle était intacte. Une petite goutte de sang perlait seulement à l'emplacement de l'injection. Ses doigts pouvaient bouger comme avant et il regarda ses articulations jouer, ses phalanges se plier. Ça ne faisait même plus mal.

– C'était quoi, ça ?

– *Une puce dans laquelle sont enregistrés ton nom, ton matricule, tes caractéristiques et tes droits d'accès. Pas besoin de carte ou de pass, tout est inscrit sur cette puce. Tu auras juste à passer la main sur les bornes d'identification des bâtiments pour y accéder. Tu as une autorisation de niveau trois. Ça veut dire que peu de choses te seront inaccessibles. Il y aura peut-être quelques démangeaisons au début, mais c'est normal. Évite quand même de trop gratter pour ne pas gêner le processus de cicatrisation interne.*

Elle l'invita d'un geste à se lever, le mesura sous toutes les coutures, le pesa rapidement, puis, après lui avoir désigné un siège, alla elle-même s'asseoir derrière le bureau pour pianoter sur un clavier. Les informations qu'elle entrait s'affichaient au fur et à mesure sur le mur du fond. Tristan n'avait pas envie de rester et se demandait ce que la femme lui voulait encore. Elle commença à le questionner sur sa santé : allergies, asthme, fractures, entorses, tout y passa. Il se contentait de répondre par monosyllabes, considérant que sa santé ne regardait que lui, comme cela avait toujours été le cas. Non, jamais malade ; non, jamais été blessé ; oui, bonne digestion.

La doctoresse finit par laisser tomber cet interrogatoire qui ne menait à rien. Elle se recula contre le dossier de son fauteuil, croisa les bras et, toujours sans émettre le moindre son, elle pensa à l'intention de Tristan quelques explications :

– *Je suis ici pour t'aider, Tristan. Je t'ai examiné, je dirais que tu es un adolescent en pleine forme. Mais j'aimerais savoir comment tu te sens vraiment. Ton sang indique des carences, ce qui signifie que là où tu vivais, tu ne mangeais pas suffisamment. Ce n'est pas le plus embêtant parce que, maintenant que tu es parmi nous, tu vas manger à la cantine et reprendre des forces. Je t'interdis cependant de manquer un seul repas. J'espère que pour notre second rendez-vous dans un mois tu auras récupéré tous les kilos qu'il te manque.*

Enfoncé dans son fauteuil, Tristan écoutait d'une oreille. Il avait inconsciemment porté la main à son épaule gauche et sentait les anfractuosités de la brûlure à travers le tissu de son tee-shirt. Comme mue par un pressentiment, la doctoresse demanda au jeune homme de se mettre torse nu. Ce que Tristan refusa en bloc. Imperturbable, la femme le fixa sans en démordre, attendant qu'il craque. Ce qu'il fit au bout de quelques minutes, vaincu par le silence et le regard déterminé de la femme.

À la vue de l'épaule nue du jeune homme, la réaction de la doctoresse ne se fit pas attendre. Choquée et inquiète, elle contourna le bureau, enfila des gants chirurgicaux et se pencha sur le dos du jeune homme. Elle tâta soigneusement la brûlure du bout des doigts et Tristan serra les dents quand elle appuya un peu trop fort. La peau était abîmée sur la totalité de l'omoplate, du cou jusqu'à la moitié de l'avant-bras.

– *C'est une sacrée brûlure. La cicatrisation a dû être interminable. Pourquoi n'as-tu pas été soigné jusqu'au bout ? Les bords de la surface atteinte portent la marque d'un début de traitement. Qu'est-ce qu'il s'est passé pour que celui-ci ait été interrompu ? Écoute, je peux guérir tout ça si tu le souhaites. Je peux effacer cette vilaine brûlure et te rendre une épaule parfaitement normale. Les greffes de peau artificielle sont très efficaces de nos jours. Qu'en dis-tu ?*

– Non

– *Je ne comprends pas. Pourquoi non ?*

– Pas maintenant. Pas tant que je ne suis pas entier. Quand je saurai qui je suis, on pourra penser à effacer ça. Mais pour l'instant c'est une partie de moi. Je ne veux pas qu'on y touche.

– *Très bien. Comme tu voudras,* pensa-t-elle en retournant s'asseoir. *J'aimerais bien ne pas avoir besoin de guetter tes réactions pour savoir où chercher. Le jeu des questions-réponses n'est pas vraiment mon truc. D'habitude, mes patients viennent me voir quand ils ont besoin de parler ou qu'ils sont malades. Pas quand ils n'ont rien à dire. Je sais que c'est une visite obligatoire mais tu pourrais être un minimum coopératif. Ai-je tant que ça l'air d'un monstre ?*

– Je m'excuse. C'est que je n'aime pas cet endroit.

– *Celui-là en particulier ou quelque chose qui y ressemble* ?

– Je ne sais pas.

– *Peut-être l'endroit où on a essayé de te soigner ça. Une brûlure de cette importance provoque énormément de souffrance, tu sais. Si elle résulte, comme je le pense, de l'incendie de ta maison, il est très probable qu'elle ait un lien plus ou moins direct avec ta perte de mémoire.* (Elle tapa quelque chose sur son clavier.) *Amnésie post-traumatique, tu sais ce que ça veut dire ? Un événement traumatisant peut entraîner une perte partielle ou totale des souvenirs qui le précèdent. Tout ton passé disparaît. Tu n'es forcément plus le même puisque tu as oublié qui tu étais. Il faut laisser le déclic se faire.*

C'est ce que le vieil homme avait dit aussi. Attendre que les choses se démêlent d'elles-mêmes, voilà qui n'était pas compliqué. Les questions continuèrent à s'enchaîner, plus ciblées. La femme médecin semblait l'avoir cerné. Elle lui expliqua le pourquoi de ses migraines, véritable faiblesse des Penseurs, lui confia deux boîtes d'antalgiques spécifiques à son mal et un tube de crème pour assouplir la zone brûlée. Enfin, elle lui demanda s'il avait des questions.

– Oui

– *Oh, un oui, je ne m'y attendais plus. Je t'écoute.*

– Pourquoi est-ce que vous ne parlez pas ?

Elle fut secouée par un rire silencieux puis expliqua.

– *Tu es un courageux toi. Beaucoup d'élèves repartent sans avoir eu le culot de poser la question. Je préfère qu'on me le demande plutôt qu'on raconte n'importe quoi dans mon dos. Si je ne parle pas, c'est que je ne peux pas. Je suis muette. Malformation des cordes vocales. Irréparable, même avec la chirurgie. La chance a heureusement voulu que je sois Penseuse. Satisfait de mon explication ?*

– Oui. Je vous remercie, madame.

– *De rien jeune homme. Dépêche-toi. Léon n'est pas très patient. À dans un mois. Et n'oublie pas tes médicaments*

– D'accord. Au revoir.

Tristan attrapa les boîtes et le tube de crème et les fourra dans les poches de son pantalon.

Quand il retrouva Léon, il constata que la femme médecin avait raison. Léon n'aimait pas attendre. Mais alors pas du tout.

Ils sortirent au pas de course de l'infirmerie et traversèrent la petite place autour de laquelle tous les bâtiments de la Médina se serraient. Là encore, une petite fontaine chantait calmement.

Foyer des élèves. Ici, nulle trace d'architecture du passé. Tout était orienté vers l'aspect pratique et inusable. Quelques canapés, une télé, des livres et des magazines traînaient un peu partout. C'était un lieu de vie.

Léon l'abandonna dans le hall désert et lui donna rendez-vous ici même dans une heure.

– Ça te laisse largement le temps de manger, ajouta-t-il avant de faire demi-tour et de disparaître dehors.

Tristan resta planté au milieu de la pièce.

Il n'y avait personne mais, sur la droite, du bruit semblait venir de derrière une porte à deux battants. Des couverts qui s'entrechoquent, quelques discussions isolées et une délicieuse odeur de nourriture. Il s'approcha silencieusement, poussa un battant et se retrouva nez à nez avec une fille rousse au nez parsemé de taches de rousseurs.

– Eh bé, qu'est-ce que tu fais là, toi ? T'es qui d'abord ? Oooh, t'es pas le nouveau qu'est arrivé avec Ulysse ? Tu veux manger, c'est ça ? Vas-y, entre !

De l'autre côté, trente têtes se levèrent pour le regarder entrer. Des gens en uniforme, d'autres en civils, tous attablés devant un plateau, tous les yeux braqués sur le nouvel arrivant.

La fille rousse hurla à la ronde, visiblement très fière d'elle.

– Eh ! C'est le nouveau ! Celui qu'est arrivé en hélico !

– On sait, Elsa. On sait, dit une femme blonde qui se leva et s'approcha rapidement du jeune homme. Elle se présenta comme Mary, la responsable du Foyer, le lieu où dormirait Tristan dans un premier temps. Elle l'invita à aller se servir un plateau et à manger calmement avant qu'elle ne lui fasse visiter sa chambre.

Sans un mot, Tristan s'exécuta et prit un plateau où il entassa des trucs au hasard. On ne pouvait pas dire qu'il avait vraiment faim. Il y avait trop de monde dans cette salle. Il leur tournait le dos mais il savait qu'ils étaient tous en train de le scruter et d'épier ses moindres mouvements. Il se mit à souhaiter être invisible, comme dans ces foules qu'il traversait sans même qu'elles s'aperçoivent de sa présence. Qu'enfin, on le laisse tranquille et qu'on ne fasse plus attention à lui.

Il sursauta quand une main se posa sur son épaule et qu'une voix douce lui glissa à l'oreille.

– Ne fais pas ça.

Il se retourna. Une fille brune le regardait de ses yeux noirs.

– Qu'est-ce que je ne dois pas faire ? lui demanda-t-il.

Elle cligna des yeux.

– Tu étais en train de t'effacer. La plupart des gens présents n'auraient plus fait attention à toi parce que tu n'aurais plus été là pour eux. C'est interdit de se servir de son pouvoir ici. Tu dois faire en sorte de ne pas avoir besoin de lui. On n'est pas si terribles que ça, tu vas voir. Viens, il y a une place libre à ma table.

Il la suivit et installa son plateau en face du sien. Elle s'assit à son tour et le regarda, timide et amusée. Elle portait un uniforme noir, marqué du rond étoilé de l'Université. Son visage, encadré de cheveux bruns n'en paraissait que plus pâle.

– Je m'appelle Mélusine, et toi ?

– Décembre, Tristan.

– Deux prénoms ? Ce n'est pas courant. Par lequel des deux tu veux qu'on t'appelle ?

– L'Université m'appelle Tristan. C'est mieux ainsi.

– Alors, va pour Tristan, même si j'avais un faible pour Décembre. Tu es Penseur depuis longtemps, n'est-ce pas ?

– Pourquoi dis-tu cela ?

– Parce que cette petite démonstration d'invisibilité était parfaitement réussie.

– Ce n'était pas volontaire.

– Je n'en doute pas, mais ça confirme justement que tu n'es pas un débutant. Tu as inconsciemment fait quelque chose de très difficile. Moi-même, je n'y arrive qu'avec beaucoup de concentration, et les résultats sont limités. Je m'étonne qu'on t'assigne au Foyer vu le niveau que tu as.

– Comment ça ?

– Tu maîtrises parfaitement tes pouvoirs, aucun doute là-dessus. On ne t'entend pas. Tu es aussi silencieux que Léon ou Vasco. Rien ne s'échappe de toi. Pas une pensée, pas un son. Ça, c'est très fort.

Tristan hocha la tête en guise de remerciement.

Le repas était déjà bien avancé quand Mélusine soupira profondément et annonça soudain que Framboise arrivait.

Deux secondes plus tard, une fille apparut derrière elle, tirant la chaise d'à côté pour s'inviter à table. Elle ne portait pas d'uniforme, ses courts cheveux châtains semblaient respecter un ordre connu d'eux seuls et ses pensées volaient en tous sens à travers son esprit.

– Salut ma petite Mélu. Tu ne me présentes pas ton nouveau copain ?

– Framboise, je te présente Tristan. Tristan, voici Framboise. C'est une Voleuse. Elle n'a pas encore compris comment isoler ses pensées.

– Salut Tristan ! Alors, comment ça va ? Heureux d'être à l'Université ? T'es arrivé en hélico, c'est ça ? Ça doit être cool de prendre l'hélico. Moi, je suis arrivée en bateau, c'était plutôt houleux. Et sinon, tu viens d'...

– Ça suffit, Framboise. Arrête ton cinéma, coupa Mélusine sur un ton sec qui ne ressemblait pas à son caractère doux.

– Oh, mais faut bien qu'on fasse connaissance. T'es pas d'accord, Tristan ?

– Tu ne fais pas connaissance, tu nous noies de paroles pour éviter qu'on lise tes pensées. Va plutôt réviser tes leçons de Protection mentale. On en reparlera après.

Quelle prétentieuse, pensa Framboise.

– J'ai entendu ! cria aussitôt Mélusine.

– Méé, laisse-moi tranquille ! C'est toi qui les entends. C'est pas à moi de faire quoi que ce soit pour m'empêcher de penser.

– Tu nous parasites, Framboise. Je te demande juste de faire un peu d'efforts et de penser à nous.

– Et moi ! Tu y penses à moi ! Tu crois que c'est facile de vivre avec vous ! Vous êtes tous des télépsychopathes à fouiner dans le cerveau des autres !

Tristan, qui regardait avec amusement les filles se chamailler, sentit la table bouger. Pourtant le sol resta ferme sous ses pieds. La secousse qui avait ébranlé la table renversa le verre d'eau de Mélusine et son contenu.

– C'est malin ! Regarde ce que tu as fait. Je te signale que tu as déjà deux avertissements pour avoir renversé des tables couvertes de plateaux. Un troisième et c'est l'entretien avec Vasco.

– Oh, bouh, je tremble de peur. Arrête de jouer les mères supérieures ou tu vas finir par ressembler à Léon.

Framboise se mit à mimer l'air sévère et les mimiques de Léon.

– Je suis Léon, je suis un gros dur. Rien ne me fait peur, alors me cherchez pas. J'aime l'ordre et la discipline. Faites-moi une série de vingt pompes et que ça saute. Vous râlez, jeune fille ? Vous avez des revendications, peut-être ? Faites donc attention à ce que vous pensez, on en reparlera après. Je vous préviens…

Framboise s'attendait à voir rire Mélusine. D'habitude, ses imitations la pliaient en deux. Mais pas cette fois. Le visage de Mélusine changea, l'avertissant que quelque chose n'allait pas.

Elle entendit un « Hum… » au-dessus de son épaule et pivota sur sa chaise. Elle se retrouva face à une veste noire soigneusement boutonnée, leva les yeux le long des boutons dorés, passa sur un menton carré, une bouche qui ne riait pas du tout, une barbe rasée de près, un nez fin, des yeux noirs et sévères. Léon.

– Salut ! fit-elle avec le sourire le plus innocent qu'elle connaissait.

– Framboise, répondit-il avec un soupir.

Puis il regarda Tristan, leva un sourcil et lui demanda s'il était prêt. Tristan hocha la tête et se leva pour le rejoindre.

– Vous allez où ?

– Framboise, ça ne te regarde pas ! siffla Mélusine.

– Ouais, ça va ! Je peux me renseigner. Bon, bé, à plus tard alors. Et n'hésite pas si tu as besoin d'une visite guidée ou d'un cours de soutien.

– Merci, répondit froidement Tristan avant de s'éloigner.

Framboise recommença aussitôt à mitrailler Mélusine de questions saugrenues.

– Comment tu le trouves ? Dommage qu'il ressemble tant à Léon. Aussi peu souriant, en tout cas. Et c'est bizarre ces cheveux blancs. Tu crois que c'est pour de vrai ou c'est pour se la raconter ? Il t'a dit où il allait dormir ? Et pourquoi il a pas de tuteur ? Pourquoi on lui en a pas don…

– Tais-toi, Framboise.

Tristan esquissa un sourire. Framboise lui faisait penser à Avril. Il ne s'attendait pas à ressentir de la mélancolie au souvenir de sa vie avec Garibaldi, et pourtant il s'aperçut que, dans un certain sens, la bande du Patron lui manquait. Enfin, manquer c'était beaucoup dire. La traque de sa victime, la décharge d'adrénaline que lui procurait le stress du vol, la fierté d'être toujours le premier, les repas « en famille », tout ça lui manquait. Mais c'était sans compter avec les brimades, la précarité, les migraines et la sensation d'être sur le fil du rasoir à chaque instant.

8

Léon les ramena à la Medersa.

La nuit était bien installée et, au grand étonnement de Tristan, ils croisèrent plusieurs gardes qui semblaient surveiller les alentours de la Médina. Une ombre à leur ceinture fit songer au jeune homme qu'ils étaient armés. Quel danger pouvait bien menacer l'Université pour que celle-ci prenne de telles précautions ?

Ils entrèrent dans le bâtiment aux murs roses. De petites lanternes avaient été allumées et projetaient des taches lumineuses çà et là. Ils prirent à gauche dès le vestibule, montèrent un escalier de pierre qui les emmena à l'étage et longèrent le balcon de la cour intérieure sur quelques mètres avant que Léon ne s'arrête devant une porte en bois et passe la main sur le mur à hauteur de la serrure. Un « scloutsh » leur indiqua que la porte était déverrouillée. Léon poussa le battant et ils entrèrent dans une pièce confortable qui n'était autre que son appartement.

La lumière s'alluma, la porte se referma dans un bruit sourd.

– Toute la sécurité du bâtiment est cachée dans les murs. Ça fait illusion, hein ? On a l'impression que rien n'a été touché depuis des siècles mais il y a en fait des capteurs dissimulés partout. Tu commences à comprendre toute l'utilité de la puce implantée dans ta main, hein ? Bon… Où est-ce que j'ai fichu mes vieux uniformes ?

Tandis que Léon se lançait dans la fouille de son placard, Tristan s'approcha de la fenêtre protégée des regards extérieurs par un moucharabieh. Une odeur d'humidité montait du sol encore chaud et se glissait au travers des entrelacs de bois. Au loin, un phare jetait dans l'eau noire son éclat et un murmure du ressac psalmodiait la mer toute proche.

– Autrefois, ici, il y avait des cellules d'étudiants. C'est une ancienne école coranique et quand les élèves n'étaient pas avec leurs professeurs ils se plongeaient dans la lecture d'œuvres religieuses. C'était un mode de vie très austère. À la réfection du bâtiment, les murs des cellules ont été abattus pour laisser plus d'espace. Ah, voilà ! Tiens, essaie ça.

Léon lui tendit un tas de vêtements sombres.

Cinq minutes plus tard, Tristan était le reflet de Léon : pantalon, veste noire à col chinois et chemise aussi blanche que ses cheveux. Seule la couleur des boutons faisait la différence. Ils étaient dorés pour Léon et en argent pour Tristan.

– Mouais. Ça sera suffisant le temps que les tiens soient prêts. Il y a juste un problème avec les chaussures mais on s'en occupera plus tard.

Tristan n'avait pu glisser ses pieds dans la petite pointure de Léon. Il avait donc gardé ses grosses rangers marron, usées et infatigables qui lui faisaient comme une seconde peau de pied L'association du costume et des chaussures jurait un peu, mais ni l'un ni l'autre n'y accordèrent beaucoup d'attention.

Le deuxième uniforme plié sous le bras, Tristan et son compagnon, désormais tous deux en noir, sortirent de l'appartement pour s'arrêter une porte plus loin. Léon frappa et annonça simplement « Léon ».

La porte pivota pour leur laisser le passage. À l'intérieur, dans une douce luminosité, un homme installé dans un fauteuil lisait. Il posa son livre à l'entrée des deux visiteurs et leur désigna le canapé d'un geste. Il ne dit pas un mot. Il observa Tristan et Tristan l'observa.

L'homme était jeune, la vingtaine peut-être, mais c'était difficile à dire parce que son visage était durci par une balafre qui lui barrait tout le côté gauche. Du sourcil au menton, l'œil avait dû avoir chaud. La cicatrice était nette, faite vraisemblablement par un couteau. Tristan pensa à sa propre cicatrice et éprouva de l'amitié pour cet homme qui portait sa marque sur le visage, à la vue de tous.

– Bonjour Tristan. Je m'appelle Frank. Mais ici tout le monde m'appelle Franky le balafré. Tu comprends sans doute pourquoi.

Hochement de tête de Tristan.

– Père demande à ce que tu sois mis au courant des fonctions de l'Université. Il insiste pour que ce soit fait rapidement. Tu connais le Commandeur Vasco, Léon qui est le responsable des Penseurs et moi qui suis celui des Voleurs. Mais est-ce que tu sais ce que c'est qu'un Voleur ?

– Non.

– C'est simple. Si un Penseur sait maîtriser sa pensée et celle des autres, un Voleur sait déplacer les objets par la seule force de son esprit. La télékinésie. Mais les choses ne sont pas aussi évidentes qu'elles le paraissent. D'une part, les Voleurs sont très rares, encore plus que les Penseurs. D'autre part, c'est un art très délicat. Soulever un objet signifie qu'il faut le prendre en compte dans son ensemble. La plupart des Voleurs savent repousser les choses. C'est la base de l'art. Certains sont incapables d'aller plus loin. Seul un dixième des Voleurs pourra développer le don et, avec beaucoup de travail et de persévérance, il sera capable de soulever des êtres vivants. Tu comprends? Je vais te donner un exemple. Prenons une pierre d'un côté et une souris de l'autre. La pierre est statique. La totalité de ses atomes est figée. C'est un bloc. Pour le soulever je ne vais avoir besoin que de saisir l'objet dans sa globalité. Il est plein, lourd et sa forme ne peut pas changer. Au contraire de la souris. Une souris est un animal vivant. Son cœur bat, le sang circule dans ses veines, ses poumons expulsent l'air qu'ils inspirent. Un être en perpétuel mouvement fait de chair et de sang. Pour l'appréhender, il faut une concentration extrême qui finit d'ailleurs par devenir un instinct. Car beaucoup de détails entrent en jeu : la respiration, le flux sanguin, tout ce qui fait que cet être est en vie. J'ai vu beaucoup de souris mourir à cause de Voleurs peu précautionneux. Une erreur d'estimation et tout est fini. Est-ce que tu comprends ce que j'essaie de t'expliquer?

– À peu près. Une pierre ne risque pas de récolter une fracture ou de perdre son sang. Pour un Voleur, il est finalement plus facile de tuer quelqu'un que de veiller à sa bonne santé.

– Exactement. Faire voler un humain, c'est comme faire de la chirurgie. Il faut connaître son sujet jusqu'au bout des doigts. Il n'y a pas de place pour l'improvisation. Je te fais un peu de travaux pratiques pour finir? Voyons... Ah, la tasse à café placée sur mon bureau. Tu la vois? En porcelaine blanche avec une cuillère posée dedans. Bon. Retirons d'abord cette petite cuillère...

Tristan, bouche bée, regarda la cuillère quitter sans un bruit l'appui de la tasse. Elle s'éleva un instant dans les airs et vint se poser dans la main tendue de Franky. Un oiseau n'aurait pas fait mieux.

– La tasse maintenant...

Tristan regarda la tasse, déjà à deux centimètres de la surface en bois du bureau, puis Franky. Il avait le visage tourné vers la tasse et Tristan ne voyait que le côté gauche de son visage. L'expression était dure, l'œil fendu, les sourcils froncés par la concentration. La cicatrice blanche qui lui barrait la joue donnait l'impression qu'un dessinateur avait voulu tracer une ligne en diagonale pour savoir où poser le reste du visage. Seulement le dessinateur avait aussi oublié d'effacer son repère.

La tasse atterrit sur la table basse qui séparait le fauteuil du canapé. Enfin, la cuillère quitta la main de Franky pour rejoindre sa place attitrée dans la tasse.

– Ça, c'est pour les objets inanimés. Et encore, la tasse est vide. Il faut que tu saches qu'un Voleur ne peut déplacer du liquide seul. Ça paraît évident. Trop d'atomes, trop de mouvements. On ne peut pas faire léviter quelque chose qui n'a pas de forme définie. Mais je peux contourner le problème et déplacer un verre plein d'eau. Au tour des êtres animés maintenant.

Tristan se demanda avec appréhension ce qu'il allait déplacer. Dans la pièce, il n'y avait que trois êtres vivants : lui, Léon et Franky. Entre Léon et lui, il préférait que ça tombe sur…

– Hé, non ! Franky, repose-moi !

Tristan tourna la tête et sursauta en voyant Léon flotter à quelques centimètres du canapé. Celui-ci, partagé entre rire et colère, paraissait assis dans du vide. Franky gardait le même air concentré mais une étincelle amusée brillait dans ses yeux. Ce n'était *a priori* pas la première fois qu'il faisait la blague.

Léon croisait les bras, l'air contrarié, quand soudain il poussa un cri et retomba lourdement sur les coussins du canapé.

– Et voilà pour les êtres vivants, déclara Franky en souriant. La communication peut être interrompue à n'importe quel moment, et l'objet redevient immédiatement le jouet de l'attraction terrestre.

– Merci pour l'objet, broncha Léon. J'aurais dû sentir le coup venir mais je pensais que pour une fois ça tomberait sur le nouveau.

– Ce serait trop facile.

– Attendez, intervint Tristan. Tu veux dire que toi Léon, tu ne peux pas lire dans l'esprit de Franky ?

– La Protection mentale est accessible à tout le monde. Il suffit de la travailler un peu. Mais Franky a une chance supplémentaire. Il semblerait qu'il soit un Penseur passif. Nul ne peut lire dans ses pensées. Il se protège instinctivement contre les intrusions.

– Presque toutes les intrusions, précisa Franky. Certains Penseurs brisent n'importe quelle barrière. J'en sais quelque chose.

Il porta la main à sa joue et passa le doigt sur le sillon de la cicatrice, l'air songeur. Les deux hommes partageaient vraisemblablement un passé commun, où la balafre de Franky avait une histoire. Tristan aurait voulu en savoir plus mais il ne se sentait ni assez proche d'eux, ni assez en confiance pour les interroger.

Léon rompit le silence qui pesait dans la pièce et glaça Tristan en déclarant :

– Demain, commence ta première mission. Elle aura valeur d'essai et d'évaluation. Elle te concerne de près. Nous allons rejoindre ton ancien lieu de résidence et rencontrer Garibaldi. Ulysse m'a expliqué ta situation. Notre but est de savoir si Garibaldi acceptera de se taire en échange d'argent ou s'il faudra se montrer persuasif.

C'est une mission de Désintégration. Ton existence d'avant doit disparaître. Tes anciens compagnons doivent t'oublier. C'est essentiel pour la bonne marche de l'Université. Une seule équipe suffira puisque tu n'as pas de passé administratif. Que tu sois issu à l'origine de l'Université nous facilite finalement beaucoup les choses. C'est OK pour toi, Franky ?

– OK.

– Tristan, je te laisse regagner le Foyer. Mary t'attend pour te montrer ta chambre. Rendez-vous demain, 6 heures dans la cour de la Medersa. Des questions ?

– Aucune

– Parfait. Bonne nuit alors.

9

Le lendemain matin, Tristan émergea au son du réveil. Il était 5 heures et il fut surpris d'avoir si bien dormi. Pas de migraine, pas même de cauchemar. Il se sentait bien, reposé et détendu.

Après une bonne douche, il enfila l'uniforme que lui avait donné Léon, et ses vieilles chaussures. La chambre qui lui avait été attribuée donnait sur la mer et il ouvrit la fenêtre pour respirer les embruns. Il était encore très tôt, le ciel s'éclaircissait à peine à l'horizon. Quelques mouettes traînaient déjà sur les rochers de la grève et pataugeaient dans le sable humide. Tristan se sentait heureux sans savoir très bien pourquoi. Seule l'idée de retourner voir Garibaldi le contrariait. Mais si c'était le prix à payer pour mettre un terme définitif à leur collaboration, autant en finir au plus vite.

Il quitta l'appui de la fenêtre, attacha à son poignet la montre que quelqu'un avait laissée en évidence sur la table de chevet et descendit déjeuner. Comme Mary l'avait prévenu hier, il ne trouva personne dans la salle à manger. Le petit déjeuner avait été préparé la veille sous forme de buffet et il put manger tranquillement, le regard plongé dans le paysage maritime qui s'étendait derrière la baie vitrée.

Quand il sortit du Foyer, sa montre lui indiqua qu'il lui restait vingt minutes avant son rendez-vous. Il en profita pour faire un tour et s'engagea sur le chemin côtier qu'il faisait le tour de l'île. Il passa devant un bâtiment qui appartenait visiblement au même passé que la Medersa. Sur sa gauche, la mer grondait en déferlant sur les rochers. Le ciel était de plus en plus rose, annonçant l'arrivée prochaine de la boule de feu qui illuminerait l'horizon.

Tristan s'éloigna de la Médina. Sous ses pieds, le chemin dallé traçait une ligne blanche au milieu de l'herbe grasse. Il passa tranquillement devant l'héliport. Le grand hélicoptère d'hier était posé en plein sur le cercle de bitume marqué d'un H. Sa carlingue noire captait silencieusement les premières lueurs du matin. Dans un hangar ouvert à proximité, Tristan devina d'autres appareils qui dormaient à l'abri.

Un homme en bleu de travail couvert d'huile noire en sortit et salua le jeune nomme d'un geste de la main. Il répondit par un hochement de tête et continua son chemin.

Un peu plus loin apparut un port. Le long d'un unique ponton s'alignaient cinq vedettes noires frappées de la fine spirale blanche, symbole de l'Université. Un petit escalier taillé dans la pierre descendait jusqu'au pont flottant. À cet endroit, l'eau paraissait profonde. Protégée des vagues par un alignement naturel de rochers, elle ondulait souplement et on pouvait presque deviner, dans le bleu transparent de ses profondeurs, un fond sableux et quelques poissons nonchalants.

Tristan consulta sa montre. Il était temps de rejoindre la Medersa.

À 6 heures, il était assis sur le bord de la fontaine.

À 6 h 03, Léon et Franky entraient ensemble dans la petite cour.

À 6 h 05, les trois hommes en noir se dirigeaient vers l'héliport. Tristan crut qu'ils allaient partir. Mais Franky et Léon semblaient attendre quelqu'un d'autre.

À 6h15, deux silhouettes se profilèrent au bout du chemin dallé. Toutes deux habillées de noir, toutes deux visiblement très pressées. Tristan reconnut bientôt Mélusine et Framboise, ses compagnes de repas de la veille au soir. Elles se présentèrent hors d'haleine devant Franky et Léon qui avaient pris la mine du chef-pas-content-vous-êtes-en-retard-j'espère-que-vous-avez-une-bonne-raison-jeune-fille.

Mélusine s'excusa, prétextant un manque de temps. Framboise la laissa parler pour deux, préférant engloutir le reste de son petit déjeuner sous forme de barre chocolatée. Sa chemise dépassait de sa veste qui était boutonnée de travers et le bas de son pantalon était replié pour éviter qu'elle ne marche dessus. Elle n'avait apparemment pas l'habitude de porter un uniforme, si tant est que celui-ci fut le sien.

Pendant que Léon faisait la morale aux deux filles, Franky expliqua à Tristan que Mélusine était agent-stagiaire. Elle apprenait à maîtriser son don dans des conditions inhabituelles. Travailler en extérieur demandait de savoir conjuguer improvisation et concentration. La mission n'avait été lancée qu'hier soir et elle n'avait dû avoir la nouvelle que cette nuit. Quant à Framboise, c'était un peu différent. Elle était installée à l'Université depuis plus de six mois, elle avait toutes les capacités pour être une bonne Voleuse mais elle faisait ce qu'on pouvait appeler un blocage. Père avait suggéré qu'on l'emmène en mission pour voir comment elle réagissait en état de stress. Apparemment, elle ne faisait des efforts que quand elle n'avait pas d'autre choix. C'était un peu un cas de force majeure.

Quand Léon eut fini son sermon, tous les cinq montèrent dans l'hélico. Dans l'habitacle, deux banquettes de quatre places se faisaient face. Les filles s'installèrent au fond près des vitres, Franky et Tristan à leurs côtés, et Léon prit place devant, avec le pilote qui n'était autre que l'homme à la combinaison de travail de tout à l'heure.

Alors que les pales commençaient à pivoter, Framboise lança un regard ravi à Tristan auquel le jeune homme répondit par un hochement de tête. Le rotor, lancé à pleine vitesse, noya tout bruit et, dans un sursaut, l'appareil quitta le sol et s'éleva dans les airs.

Framboise jubilait de cette balade imprévue. Elle était fière de porter l'uniforme, même si ce n'était pas le sien mais celui que Véga lui avait prêté pour l'occasion. Elle se réjouissait de quitter enfin l'île après six mois d'interrogations, de frustrations, de colères, voire même de coups de gueule. Elle pensa à ses parents, à sa sœur et son frère qui, eux, ne pensaient pas du tout à elle, à Dante et Moustache dont elle se demandait si la nuit passée chez eux n'avait pas été après tout une hallucination. Puis elle fronça les sourcils et se tourna vers Tristan.

Celui-ci la fixait, les yeux dans le vague. Il s'était fait happer par le monologue envahissant de Framboise sans même s'en apercevoir. Il cligna des yeux et se ressaisit.

– Excuse-moi, lança-t-il, l'air gêné.

Elle soupira, leva la main avec l'air de dire «Tu sais, j'ai l'habitude» et replongea dans son observation du paysage qui défilait par les fenêtres. Tristan s'efforça de fermer son esprit aux pensées de la jeune fille qui continuait malgré elle à être transparente.

L'hélicoptère filait au-dessus de la mer. Le soleil apparut et darda ses premiers rayons à travers la cabine. À l'intérieur, Franky, les yeux fermés, semblait dormir, Mélusine fixait le paysage, discutant silencieusement avec Framboise,

Tristan gardait la tête baissée, l'air songeur, et Léon, aux côtés du pilote avait passé des lunettes de soleil et étudiait le trajet du GPS en prenant quelques notes.

Des côtes se dessinèrent à l'horizon avant de se rapprocher rapidement et de laisser la place à la terre ferme.

Ils survolèrent des villes grises, des banlieues marron et des étendues verdoyantes de campagne. Ils survolèrent des montagnes enneigées, des lacs aux eaux turquoise parsemés de petits points blancs qui devaient être des bateaux. Ils survolèrent des centaines de kilomètres de terre.

Puis l'hélicoptère perdit un peu d'altitude et survola une nouvelle ville. C'était une cité comme toutes les autres, une de ces grandes capitales où vivaient quatre-vingt-quinze pour cent de la population : un entassement de buildings, une dizaine de grands axes croisant une centaine de petites rues surchargées d'un millier de voitures, une foule omniprésente.

L'appareil suspendit son vol au sommet d'un building frappé d'un H et atterrit sur le tarmac en douceur.

Franky ouvrit les yeux et regarda Tristan.

– On y est, dit-il simplement.

Les quatre passagers sortirent de l'appareil, attendant Léon qui donnait ses consignes au pilote. Celui-ci hochait la tête à intervalles réguliers. Finalement, quand Léon se fut éloigné, l'appareil s'éleva et disparut dans les airs.

– Les ordres sont simples. Personne ne doit nous voir, personne ne doit se souvenir de notre passage. Framboise, tu te tais et tu nous laisses faire. Tristan, tu sais *disparaître* ?

Tristan échangea un regard complice avec Mélusine et hocha la tête.

Tous les cinq prirent l'ascenseur qui devait leur faire descendre les vingt-cinq étages du bâtiment qui se révéla être un hôpital. L'ascenseur était assez large pour accueillir une civière et, plusieurs fois, il arrêta sa chute dans un tintement pour charger des médecins en blouse blanche, des malades en pyjama bleu ciel ou des infirmières en rose. Aucun ne croisa leur regard.

Ils sortirent au rez-de-chaussée, traversèrent un couloir puis un grand hall. Ils étaient cinq jeunes gens, en uniforme noir, au milieu d'une foule de gens en blanc et pourtant personne ne fit attention à eux. Tous se taisaient, s'écartaient sur leur passage, nul ne les voyait. Ils étaient devenus invisibles. Le phénomène continua dans la rue. Les gens se déplaçaient en tenant compte de leur présence. Tous les cinq avançaient droit, laissant le soin aux passants de les éviter.

Au cours de leur trajet, Léon s'approcha de Tristan.

– *Ça va être à toi de nous ouvrir la voie. C'est ta ville après tout.*

À partir du moment où le jeune homme prit la tête du groupe, ils quittèrent les grands axes et se glissèrent à travers des petites rues désertes. Tristan retrouvait peu à peu ses repères et son comportement citadin. Son pas s'accéléra, Franky et Léon suivirent le rythme, Mélusine et Framboise coururent derrière.

Tristan se mit à expliquer d'une voix où perçait la tension :

– Garibaldi habite dans une maison à deux étages : un rez-de-chaussée, un étage, un grenier. Il est… (il consulta rapidement sa montre) presque 19 heures. Il n'y a encore que Garibaldi et peut-être Septembre qui bosse dans la salle informatique. Dans deux heures, le reste de l'équipe rentrera : Avril et Août les premières, Mai et Juillet qui sont montés sur rollers. Attention ils sont très rapides. Mars et

Février sont peut-être là, peut-être pas. Tout dépend de leur emploi du temps et des chargements du jour.

La voix essoufflée et râleuse de Framboise intervint derrière son dos.

– C'est quoi cette histoire ? Février, Mars, Avril, vous êtes une secte de fanatiques du calendrier ou quoi ? Garibaldi, c'est ton père ? Ils sont pas à l'école tes copains ?

Tristan stoppa net et se retourna en fusillant son interlocutrice du regard.

– Non, ce n'est pas mon père. Garibaldi récupère les orphelins et les fugueurs, et il leur apprend ce qu'il sait le mieux faire : voler. Tu sais ce que c'est un pickpocket ? C'est ce que je suis.

Il la repoussa d'un coup sec.

– Hé ! Ça va pas ! Pourquoi tu te mets en colère ? protesta Framboise.

– Je me mets pas en colère. Je t'explique.

Ils repartirent et Framboise les devança, la tête en avant et les poings enfoncés au fond de ses poches. Tristan, resté en arrière, appela.

– Framboise…

La jeune fille se retourna, l'air contrarié. Tristan avait quant à lui retrouvé tout son calme. Il tenait, suspendue entre son pouce et son index, une montre noire qui se balançait devant ses yeux. Framboise vérifia son poignet et constata médusée la disparition effective de sa montre. Elle allait encore protester quand Léon interrompit la démonstration en rappelant tout le monde à l'ordre. L'heure n'était pas aux enfantillages.

Alors qu'ils approchaient de leur but, Framboise, la montre soigneusement rattachée à son poignet, se rapprocha de Mélusine et lui demanda à voix basse si elle savait comment Tristan avait fait.

Visiblement très amusée, Mélusine sourit sans répondre. Ce fut Tristan qui lui expliqua :

– D'abord détourner l'attention, ensuite avoir les doigts vifs et indépendants les uns des autres, et enfin… Mélusine, dis-lui ce que tu as vu.

– Framboise, tu te souviens pas ? C'est toi qui lui as donné !

– Il a pas osé faire ça ! hurla Framboise pendant que les deux autres éclataient de rire.

Ils parvinrent enfin au bout de la ruelle et la bonne humeur déserta le visage de Tristan. De l'autre côté de la rue se dressait une bâtisse familière aux murs gris plantée dans un jardin depuis longtemps retourné à l'état sauvage.

– C'est là, le numéro 59, dit-il d'un ton morne.

Léon se posta à ses côtés, le regard vrillé sur la vieille maison qui datait sans conteste du siècle dernier. Il détailla sommairement son contenu et distribua les tâches : quatre personnes à l'intérieur, deux au rez-de-chaussée, deux à l'étage. Tristan et Mélusine s'occuperaient de ceux d'en haut avant de rejoindre le reste de l'équipe en bas.

– Et moi, qu'est-ce que je fais ? réclama Framboise.

– Tu la boucles et tu nous suis.

– Mouais. Comme d'habitude.

10

Ils traversèrent la rue, franchirent la petite grille rouillée qui grinça sur leur passage et ne prirent pas la peine de frapper quand ils entrèrent. Pendant que Léon se dirigeait vers le garage où Septembre jouait à l'ordinateur, Franky alla avec Framboise immobiliser Garibaldi le temps que revienne le reste du groupe.

Ils le trouvèrent affalé dans un canapé en train de regarder la télé. Une odeur de tabac brun flottait dans l'air. Le vieux parquet empoussiéré craqua sous leurs pieds et le Patron sursauta.

– Qu'est-ce que c'est ! hurla-t-il presque.

Franky et Framboise approchèrent tranquillement et se placèrent face à lui. Framboise avait du mal à croire que cet homme-là puisse être le roi des pickpockets. Il était bedonnant, son visage rougeaud témoignait d'un abus de boisson et une cigarette pendait mollement entre ses lèvres.

Quand il les vit, l'homme se redressa et les toisa d'un regard froid et calculateur, tandis qu'un demi-sourire apparaissait au coin de ses lèvres boudeuses.

– Eh bien, eh bien… Qu'est-ce que nous avons là ? Vous êtes des Témoins de Génova ? Non, je sais. Des évangélistes écologistes extrémistes. Vous faites du porte à porte pour vendre des bibles en papier recyclé. Non plus ? Vous ne venez pas m'annoncer la fin du monde ? Dommage.

– Nous venons vous parler de Tristan, dit Franky d'un ton posé.

– Tristan ? J'connais pas de Tristan. Vous devez vous tromper.

– Non. Tristan est celui que vous appelez Décembre.

– Ah ! Celui-là, je voudrais bien mettre la main dessus. Il a fugué, le saligaud. Parti. Comme ça. Du jour au lendemain. Mon meilleur récolteur.

– Nous savons où il est. En fait, il va même venir vous entretenir personnellement. Laissons-lui juste un peu de temps pour s'occuper des deux autres à l'étage.

– Quoi ! s'écria Garibaldi en se levant d'un bond.

– Restez assis, s'il vous plaît, fit Franky en levant la main.

L'homme fut repoussé dans le canapé par une force invisible. Son incompréhension se lut sur ses traits.

– Qu'est-ce que…

– Je vous demande de ne pas vous lever. Est-ce si difficile à réaliser ? Cela fait des heures que vous êtes assis là. Faites-moi le plaisir d'y rester encore un peu.

Garibaldi semblait se débattre tandis que Franky maintenait une pression sur sa poitrine qui lui collait le dos au canapé. Le balafré se tourna vers Framboise, serrée à côté de lui et étrangement silencieuse. Il la rassura en lui assurant que ce n'était pas si compliqué. Il suffisait juste de *repousser* très doucement. Il ne fallait pas écraser le cœur, là, juste derrière les côtes mais effectuer une pression continue. Il lui proposa finalement d'essayer. Framboise hocha la tête, l'air un peu déboussolé. Il lui prit la main pour la lever à hauteur de l'homme et lui expliqua comment s'en servir comme repère. C'était une bonne technique de débutant pour se concentrer. Il relâcha la pression tandis qu'elle l'exerçait et se déclara très satisfait de l'efficacité de Framboise. Il remercia même Garibaldi pour son immobilisme coopératif. Le ton railleur fit exploser de rage le Patron.

– Espèce de petit salopiaud. Si j'arrive à me lever, je t'étrangle de mes propres mains et je défigure ta copine. Comme ça, vous ferez la paire.

Garibaldi se redressa vivement. Troublée, Framboise avait perdu le fil. Franky intervint aussitôt, incitant la jeune fille à ne pas se laisser intimider par ce qui n'était que du baratin. Tant qu'elle le gardait immobilisé et qu'elle restait concentrée, il ne pouvait rien faire.

Le dos de Garibaldi s'enfonça malgré lui dans le canapé. L'homme serrait les poings et son visage exprimait une colère monumentale. Il grondait d'une voix basse, lançant des menaces de mort et promettant qu'il les traquerait où qu'ils aillent et leur ferait payer cet outrage. Franky rétorqua qu'après tout, ils ne faisaient que le forcer à rester assis dans son canapé, activité qu'il pratiquait déjà depuis plusieurs heures sans que cela ne s'apparente à une torture.

Sur ce, arriva Léon qui contempla la scène d'un air satisfait et félicita Framboise. Puis Mélusine et Tristan entrèrent à leur tour, annonçant que les deux du haut dormaient.

Quand il entendit la voix familière de Tristan, Garibaldi se retourna tant bien que mal. Framboise le maintenait toujours cloué au canapé.

– Toi, siffla-t-il entre ses dents tandis que Tristan venait se placer face à lui.

– Oui moi.

– Tu as du culot de revenir après m'avoir lâché comme ça. Habillé comme un fossoyeur en plus.

– Je m'en vais, Patron.

– Tu reviens pour me dire que tu t'en vas. C'était pas

la peine. Tu aurais mieux fait de rester là où tu étais. À cause de toi, je suis mal barré. T'es pas le seul à avoir disparu, sale petit égoïste. Avril n'est pas revenue non plus.

– Comment ça ?

– Je vous ai vu partir ensemble à la gare, hier matin. Je sais qu'elle voulait bosser avec toi pour faire le plein et sauver ses fesses. Mais elle n'est pas revenue. Elle s'est fait serrer.

– Par les flics ?

– Ben non, pas par les flics. Ce serait rien, les flics. Elle s'est fait serrer par la bande à Dima.

– Dima !

– Ben ouais, mon petit bonhomme. Elle est entre de sales pattes. J'ai reçu un coup de fil de Dima en personne, qui me disait que c'était la dernière fois qu'un de mes enfants cherchait à lui piquer ses recettes. Il paraît qu'elle a vidé la poche d'un mulet de Dima. Le type transportait de l'argent pour son compte. Il y en avait pour une petite fortune. Le mulet s'en est pas aperçu tout de suite, en plus. C'est en arrivant face à son boss qu'il s'est rendu compte qu'il n'avait plus son chargement. Dima l'a interrogé et le mulet a craché qu'une fillette l'avait bousculé dans le hall de la gare centrale. Dima est un rapide, il a vite fait le lien avec mes enfants. Il a juste eu à envoyer ses gros bras la choper dans la gare. À la gare ! Tu te rends compte ! Elle n'avait pas bougé ! Combien de fois on a dit qu'après un gros coup on changeait de terrain. Combien ! Mais non. Mademoiselle Avril est restée bien confortablement installée dans la gare et s'est fait serrer par les gars de Dima.

Elle était en train de m'attendre, ne put s'empêcher de penser Tristan. Bon sang. Je lui avais dit de m'attendre. C'est ma faute.

Sentant que les forces en jeu tournaient en leur défaveur, Léon intervint pour déclarer qu'ils n'étaient pas venus discuter du sort de cette jeune fille. Ils étaient venus pour signifier le terme de la collaboration qui les unissait lui et le dénommé Tristan, *alias* Décembre.

Garibaldi, qui ne l'entendait pas de cette oreille, le nargua en le traitant de petit caïd et de croque-mort. Il demanda à Léon s'il savait combien de temps ça prenait pour former une jeune recrue. De quel droit se permettait-il de venir lui voler ses mioches, à lui, Garibaldi. Ses enfants étaient sa chair et son sang.

– Il n'y a que Tristan qui nous intéresse. Les autres, on vous les laisse.

– Quelle générosité ! Et si je décide de vous casser le nez, vous dites quoi ?

Au même instant, brisant la résistance de Framboise, Garibaldi se jeta sur Léon avec la rage d'un boxeur. Mais avant d'avoir pu toucher le Penseur, l'homme parut stoppé dans son élan et s'écroula à terre, la tête serrée entre ses mains. Léon n'avait pas reculé. Il se tenait droit et toisait Garibaldi qui se tordait de douleur à ses pieds. Un sourire sadique se dessinait sur le visage du jeune homme.

– Je dis que vous ne serez jamais assez rapide, monsieur Garibaldi. Vous êtes vieux, obèse et fatigué. Vous succomberez à un cancer du poumon ou à une cirrhose du foie avant d'atteindre les 60 ans. À moins que ce ne soit moi qui vous achève avant. Qui pleurera votre mort ? Sûrement pas « vos enfants », comme vous les appelez.

– Léon… intervint Franky.

Le vieux continua à gémir par terre. Ses traits restaient figés dans une expression de souffrance et de terreur tandis que Léon courait à travers les chemins de sa pensée et lui imposait une torture mentale insupportable.

– Léon !

Franky avait *poussé* sèchement son collègue qui se retourna vers lui l'air menaçant. Confronté à la résistance mentale de Franky, Léon sembla se réveiller. Il relâcha l'emprise qu'il exerçait sur Garibaldi et se laissa tomber dans un fauteuil, l'air visiblement contrarié.

L'homme à terre ne se relevait pas et ne bougeait même plus. Son cerveau reconstruisait tant bien que mal les connexions que le Penseur avait massacrées. Certains neurones s'éteignaient, quelques synapses retrouvaient avec labeur leur assemblage premier.

Léon et Franky échangèrent un regard lourd de signification. Léon était allé trop loin et ça ne semblait pas être la première fois qu'une telle chose se produisait. Puis, le Penseur se ressaisit et s'approcha de l'homme inconscient. Il respirait normalement, son pouls était calme. En fait, il semblait presque dormir. Léon ordonna au balafré de transporter l'homme sur le canapé.

Le balafré s'exécuta et pendant quelques secondes, le corps inerte de Garibaldi parut prendre vie tandis qu'il se redressait et s'asseyait dans les coussins du sofa.

Pendant tout ce temps, les trois agents débutants n'avaient pas esquissé un geste. L'incompréhension se lisait sur le visage de Mélusine, effrayée par ce qu'elle avait vu dans la violence de Léon. Framboise brisa le silence gêné qui s'était installé.

– Franky. Je suis désolée. Je n'avais plus assez de force et je n'ai pas eu le temps de te prévenir. Il m'a échappé.

– C'est rien, Framboise. C'était déjà très bien.

– Bien, dit Léon. Laissons le dormir là où il est et attendons le retour des enfants prodigues. Tristan, les autres sont prêts là-haut ?

– En se réveillant, demain matin, ils auront oublié qui j'étais et notre passage d'aujourd'hui.

Tristan ne pouvait détacher les yeux du corps affalé de son Patron. Il avait l'esprit tourmenté par la nouvelle que lui avait apportée Garibaldi. Avril était entre les mains de Dima. Alexander Dimitrovitch, *alias* Dima le Boucher de Bachkirie, comme l'avaient surnommé les gens qui le craignaient. Et il y avait de quoi. Dima aimait indifféremment torturer hommes, femmes et enfants rien que pour le plaisir de voir le sang couler. Dima tenait Avril parce que Décembre n'avait pas tenu sa parole.

11

Ils attendirent.

Les premiers à rentrer furent Mai et Juillet.

On entendit la grille du jardin grincer, la porte claquer puis du bruit dans la cuisine. Des rollers qu'on détache, des placards qu'on fouille. Des bruits de pas qui approchent et Juillet, la bouche pleine de biscuits, qui annonçait :

– Patron, vous devinerez jamais ce qu'on a réussi à attraper cet aprèm. Un chihuahua ! Dans les bras d'une vieille ! On voulait prendre le sac à main et on s'est retrouvés avec le chien entre les mains. Comment on s'est marr…

Il s'arrêta à l'entrée du salon, bouche bée. Cinq personnes habillées en noir étaient réunies devant la cheminée éteinte. Elles faisaient face au Patron qui était affalé dans le canapé, l'air complètement ailleurs. Mai arriva à son tour.

– La vache ! Qu'est-ce que j'ai la dalle ! Quand c'est qu'on mange… Euh… Salut Décembre ?

– Salut Mai. Salut Juillet. Venez vous asseoir s'il vous plaît.

Les deux garçons obéirent au ralenti et s'installèrent à côté de Garibaldi qui pencha un peu sur la droite. Un quart d'heure plus tard, Août arrivait et les rejoignait sur le canapé.

Quand les cinq agents en uniforme se retrouvèrent sur le trottoir devant le numéro 59, il n'y avait plus un chat dans ce quartier très résidentiel. Léon se frotta les mains en souriant.

– Voilà une bonne chose de faite. On va pouvoir rentrer à la maison.

– Non, intervint Tristan.

– Comment ça, non ?

– Non. Je ne peux pas partir maintenant. Je dois sauver Avril.

– Oh là là. Qu'est-ce que tu racontes ? Pas du tout. On ne doit sauver personne. Tu connais le mot « non-ingérence » ? Il signifie qu'on ne doit pas se mêler des affaires des autres.

– Ça m'est égal. Faites ce que vous voulez. Moi je vais chercher Avril. Je la laisse pas entre les sales pattes du Boucher.

– Sois réaliste. C'est une histoire de petites animosités entre patrons mafieux. Elle sera libérée dans un jour ou deux.

– J'en doute. Dima n'est pas du genre à laisser filer des otages. Il faut que je la retrouve. C'est ma faute si elle est là-bas.

– Léon… commença Franky.

– Oh, toi, ça va hein ! Arrête de jouer les bons samaritains.

– On pourrait quand même essayer, ajouta Mélusine.

– Et puis ça nous servirait aussi d'entraînement, renchérit Framboise.

– Vous n'allez pas vous y mettre, vous aussi !

Léon fusilla les filles d'un œil noir et leur imposa le silence. Tristan insista. L'Université le voulait, n'est-ce pas ? S'ils sauvaient Avril, il se dévouerait corps et âme à l'Université, il intégrerait ses rangs et serait de toutes les missions.

Léon refusa. C'était de la rébellion. Tristan ne pouvait pas décider à sa place.

– Moi, je le peux, intervint Franky qui se tenait un peu en retrait et toisait Léon du regard. Nous sommes du même grade, Léon. Je peux décider que ce sauvetage devient une mission de dernière minute. Un cas de force majeure. Tu ne veux pas que j'en arrive là, bien sûr.

– Vous voulez jouer les héros, c'est ça ? On n'a ni carte, ni repère. On ne sait pas combien ils vont être, ni même s'ils sont armés. On ne sait rien.

– Mais on sait que ce sont des types dangereux. Rappelle-toi, Léon. Dans un cas comme celui-là, le règlement autorise la liberté d'action. Liberté d'action, tu sais ce que ça veut dire ?

Une lueur sauvage embrasa les yeux de Léon. Oh oui, il savait. Liberté d'action, ça voulait dire droit de tuer. Franky avait touché la corde sensible. Visiblement appâté, Léon s'adoucit. Vues sous cet angle, les choses prenaient une autre tournure.

– Tristan, disons qu'on envisage de sauver cette gamine, quelles seraient les conditions d'intervention ?

– Dima possède un entrepôt dans les faubourgs de la ville. Si Avril est encore en vie, elle est forcément retenue là-bas. L'endroit est isolé des regards. Même les flics ne s'y aventurent plus. L'avantage avec Dima, c'est qu'il est de la vieille école, il n'a fait installer ni caméra ni réseau de surveillance. Il compte uniquement sur l'intimidation et la force armée. Jour comme nuit, il est entouré de ses gardes du corps et de mercenaires surentraînés.

– Charmant tableau, railla Framboise. Tout ça, c'est bien joli, mais on s'y prend comment pour aller là-bas ? On fait du stop ou on attend le bus ?

Tristan déclara qu'il avait la solution et disparut dans la

maison. Il en sortit deux minutes plus tard, un petit boîtier noir entre les mains. Une clé électronique, présenta-t-il. Fabriquée par les doigts minutieux de Septembre, ça ouvrait n'importe quelle serrure magnétique. Il proposa aux filles de choisir une voiture dans la rue.

Alors que Mélusine se braquait à la seule idée de voler une voiture, Framboise réagit au quart de tour, désignant une décapotable jaune qui étincelait sous les néons bleutés des lampadaires. Léon soupira bruyamment. Ils ne cherchaient pas une voiture pour partir au bord de la mer mais un moyen de transport discret et rapide. Il désigna une berline grise garée au coin de la rue. Tristan s'en approcha, posa sur la serrure le boîtier qui, en trois secondes et deux clignotements rouges, avait trouvé la bonne fréquence et déverrouillé les portières.

– Je préférais la jaune, râla Framboise tandis qu'elle s'installait à l'arrière avec Mélusine et Franky.

Tristan prit place derrière le volant, Léon à ses côtés. La clé électronique décoda l'alarme et démarra silencieusement le moteur. Léon, méfiant, se tourna soudain vers Tristan :

– Tu sais conduire, n'est-ce pas ?

– Bien sûr. J'ai appris pour mes 12 ans, se vanta le garçon en démarrant sur les chapeaux de roues.

12

– Vingt-cinq gardes. Tous équipés de gilets pare-balles en Kevlar et armés jusqu'aux dents. Ils font des rondes dans le bâtiment et doivent faire un rapport radio toutes les deux heures. D'autres équipes sont réparties dans la zone mais, *a priori*, on n'a pas besoin de s'en occuper. En tout cas, tant que tout se fait discrètement. On s'infiltre dans l'entrepôt, on neutralise les soldats du secteur, on récupère la fille et on disparaît. Première précision : Dima n'est pas notre cible. Si on peut l'éviter, on le fait. Si on tombe dessus, on l'endort et c'est tout. On ne sait pas quelles répercussions peut avoir la mort d'un baron de la mafia. Mieux vaut ne pas perturber l'équilibre de cette ville. Seconde précision : ces types sont trop à l'affût pour qu'on essaie d'entrer en utilisant l'invisibilité. Ce sont des mercenaires. Leur boulot, c'est de surveiller. Donc, ils ont tous les sens en alerte et ils nous verraient forcément. Le plus simple est de les mettre KO. Un bon petit somme leur fera le plus grand bien. Est-ce que c'est clair pour tout le monde ?

Quatre personnes hochèrent la tête en réponse au briefing de Léon. Ils étaient dissimulés derrière un tas de vieux bidons, le long du mur ouest du bâtiment. Tristan et Franky avaient le visage concentré, la bouche fermée et le regard dur. Framboise se sentait vaguement contrariée et

Mélusine était livide. Elle ne cessait de se répéter que tout ceci ressemblait trop à une mission suicide. Elle n'était que stagiaire. Elle ne s'occupait normalement que de paperasse ou de trucs relativement faciles: effacer les mémoires, paraître invisible mais sûrement pas affronter à cinq un commando de vingt-cinq hommes surarmés.

Voyant la nervosité de Mélusine, Léon lui ordonna de rester près de lui tandis que Framboise ne lâcherait pas Franky d'une semelle et que Tristan déterminerait l'emplacement d'Avril. Ils devaient tous rester en contact.

Ils se levèrent et gagnèrent le mur sud qu'ils avaient déjà nettoyé. Autour d'une porte rouillée, dormaient, affalés l'un contre l'autre, deux gardes. Le premier serrait affectueusement son fusil contre lui, tandis que le second ronflait en bavant abondamment sur le revêtement noir de son Kevlar. Ils avaient tous deux le visage épanoui de celui qui fait de beaux rêves. Ils passèrent la porte et avancèrent silencieusement dans le couloir qui s'ouvrait devant eux. Léon les précédait, à l'affût du moindre bruit et de la moindre pensée. Ils obliquèrent sur la gauche puis sur la droite. De part et d'autre s'ouvraient des pièces heureusement vides. Ils parvinrent à un nouveau coude et s'arrêtèrent.

– *Deux en approche*, entendit Framboise.

Elle sentit la main de Franky se poser sur son épaule et attendit.

– *C'est bon,* annonça Léon.

Dix secondes à peine s'étaient écoulées. Ils repartirent.

Au bout du couloir, dans lequel dormaient à présent deux hommes qu'ils durent enjamber, une porte barrait le passage. Léon s'appuya d'une épaule sur le cadran et sembla tendre l'oreille. Il énuméra en s'accompagnant de gestes de la main.

– Quatre à l'entrée. Quatorze répartis dans la pièce. Un homme qui n'est pas un soldat. Deux autres à ses côtés. Une quatrième personne en sommeil paradoxal.

Les trois Penseurs se chargèrent des soldats tout proches et ils passèrent de l'autre côté. Là, quatre types baraqués comme des rugbymen ronflaient autour d'une table parsemée de cartes à jouer.

La salle qui se dressait devant eux était gigantesque. On aurait dit un hangar d'entraînement pour commandos militaires. Des caisses et des cartons s'entassaient sur des palettes à distances régulières, formant de véritables remparts. Les étiquettes annonçaient le contenu, la provenance et la destination des marchandises. Framboise pensa qu'elles avaient dû se perdre en route et Mélusine étouffa un rire. On se serait cru dans un magasin d'audiovisuel non déballé : écrans 3D-holo, tablettes dernier cri, ordinateurs super-puissants, lecteurs multi-supports, etc. Le long du mur nord s'alignaient également trois voitures étincelantes et un camion flambant neuf, tous sans immatriculation.

À travers le labyrinthe qui se dressait devant eux, se répercutaient le bruit de pas des mercenaires et le chuintement de leurs micros. Au plafond, quelques néons défectueux clignotaient, ajoutant à l'ambiance glauque. Framboise murmura qu'elle n'aimait pas ça parce tout ressemblait bien trop à un jeu vidéo. Sauf qu'il n'y avait pas de vie bonus ni de pause possible. Et les balles étaient tout ce qu'il y avait de plus réel.

Franky essaya de la rassurer. Elle devait faire confiance à ses aînés qui avaient déjà vu bien pire et savaient ce qu'ils faisaient. Léon approuva d'un hochement de tête avant de se concentrer à nouveau sur la mission. Il s'accroupit dos à une palette, se pencha de côté pour regarder à l'angle, puis se lança dans le couloir étroit formé par les entassements de marchandises.

Léon et Mélusine prirent au nord. Franky, Tristan et Framboise au sud.

14 gardes.

Léon endormit un type en train de se gratter la nuque, Mélusine un autre à qui elle communiqua toute la lassitude qu'elle-même ressentait, épuisée par une tension incessante.

12 gardes.

Franky vint à la rencontre de deux gardes localisés grâce aux indications de Tristan. Il leur *comprima* le cœur juste assez pour qu'ils perdent connaissance et s'écroulent par terre. Tristan s'occupa d'en neutraliser deux autres qui discutaient dans un coin. Framboise tenta de suivre l'exemple de Franky mais *serra* trop bas. Le type vomit le contenu de son estomac avant d'être endormi en urgence par Tristan.

7 gardes.

Ils avançaient, les sens à l'affût, silencieux comme des ombres.

5 gardes.

Soudain, Tristan reconnut Avril. Il sentit sa présence au fond du hangar. Elle venait de se réveiller et tremblait comme une feuille morte. Des liens lui martyrisaient les poignets et les chevilles. Elle regarda autour d'elle et ce que vit Tristan par ses yeux ne lui plut pas du tout : une blancheur de morgue. Du carrelage aux murs et au sol. Un éclairage éblouissant qui chassait dans les moindres recoins la plus petite trace d'obscurité. Des instruments de chirurgie étalés sur un chariot en inox. Un homme qui l'observait avec des yeux d'ogre. Non, qui ne le regardait pas lui, mais Avril. Il détaillait la fillette avec une lueur malsaine. Le Boucher étudiait sa victime et ne tarderait pas à se mettre au travail. L'homme fit un clin d'œil, et Tristan eut la désagréable impression qu'il lui était personnellement destiné.

Une main le secoua. Un vertige l'étourdit alors qu'il retrouvait la vision de ses propres yeux. Framboise le tenait par les épaules et le secouait sans ménagement. Il baissa les yeux vers elle.

– Enfin ! Où est-ce que t'étais ? Tu crois que c'est le moment de rêver !

– Je sais où est Avril.

– Nous aussi. Franky a repéré une pièce sans fenêtre au bout du hangar. Il y a une seule porte et deux gardes qui font le pied de grue devant. Léon nous a contactés, il ne reste plus que ces deux-là. L'ensemble du bâtiment fait dodo, conclut-elle dans un sourire.

Les deux gardes du corps rejoignirent rapidement les autres au pays des rêves. Tous les cinq s'approchèrent de la porte et Tristan n'attendit pas les ordres. Il actionna la poignée et s'engouffra dans la salle insonorisée du Boucher.

L'homme était assis là où Tristan l'avait découvert à travers les yeux effrayés d'Avril. Il n'avait pas bougé de son poste d'observation. Il ne parut même pas surpris de voir le jeune homme entrer en trombe et se précipiter pour défaire les liens de la fillette.

Dima, avec toute l'assurance et la politesse de celui qui est habitué à commander, demanda :

– Mais qui êtes-vous ?

Tristan ne répondit pas, ne lui accorda même pas un regard. Avril s'était mise à pleurer en le voyant. Elle n'y croyait pas et s'imaginait en train de rêver.

Léon entra et considéra les outils de torture d'un air dégoûté.

– C'est donc là que vous commettez vos atrocités.

Dima se tourna vers le nouveau venu qui le toisait. Trois adolescents en uniformes se tenaient en retrait derrière lui. Ce devait être le chef.

– En effet. Vous êtes des admirateurs ?

– Pas vraiment. Je n'aime pas la lâcheté. La torture est une lâcheté.

– Oh vraiment ? Ça me désole que vous pensiez ça.

Dima se leva, un sourire carnassier au coin des lèvres.

– Voyez-vous, j'aime le sang et j'aime faire souffrir. Deux passions parfaitement compatibles. Mais je suis sûr que vous me comprenez. *Voué panimaiétié, niet ?* Vous connaissez le plaisir que l'on éprouve quand on se sait tout puissant.

Léon tressaillit. Ce n'était pas ce qui était prévu. Ce Dima semblait bien trop sûr de lui. En une fraction de seconde, le Penseur comprit. Cet esprit impénétrable, cette salle... Non, ce n'était pas possible.

L'homme se dressait devant eux avec le regard du fauve prêt à bondir.

– Je vous ai observés approcher. Tous les cinq. Je vous ai vus venir à bout de mes hommes avec autant de facilité que s'ils avaient été des chiots. Quel respect pour des soldats tout juste bons à appuyer sur une détente ! Eux ne vous auraient pas fait de cadeau. Ils ont pour ordre de tirer à vue. Enfin... Ils m'ont une fois de plus prouvé qu'ils n'étaient que des incapables. Je vais encore être obligé de sanctionner.

Avril sanglotait dans les bras de Tristan. Le jeune homme la serrait en essayant de masquer le trouble qui l'étreignait. Il jeta un coup d'œil à Franky dont le visage était devenu un masque de dureté.

Le Voleur avait compris ce qui se passait. Il se tourna vers les filles, restées en arrière, et dit d'un ton sec :

– Sortez

– Mais… commença Framboise.

Le regard que Franky lui lança la dissuada de continuer. Le balafré avait peur. Mélusine et Framboise reculèrent sans geste brusque vers l'unique sortie. Elles sursautèrent quand Dima s'adressa à elles.

– Oh non ! Ne partez pas déjà. *Restez encore un peu, jeunes filles.*

Framboise se pétrifia. Mélusine vacilla un instant, comme suspendue dans son mouvement, puis se figea à son tour.

– C'est très bien. Toi, viens dire bonjour à Oncle Dima.

Le visage sans expression, Framboise s'approcha de l'homme qui se tenait au centre de la pièce. Alexander Dimitrovitch avait le profil de ses ancêtres sibériens. Les yeux légèrement bridés, la peau mate, les pommettes saillantes, il pouvait avoir 30 ou 40 ans, un âge relativement jeune pour un homme de sa prestance. Il afficha un sourire ravi quand Framboise vint se ranger à ses côtés. Dans un geste affectueux il passa la main dans la tignasse châtain de la jeune fille.

– Gentille *diévotchka*. Je ne savais pas que l'Université envoyait des gamins non formés sur le terrain maintenant. Vous êtes en manque d'effectif ?

Tristan sentit son cœur faire un bond dans sa poitrine. Dima connaissait l'Université. Dima maîtrisait parfaitement la télépathie. Qu'est-ce que c'était que cette histoire ?

Framboise ne bougeait pas. Les bras le long du corps, elle paraissait simple d'esprit. Comme si Dima avait dévoré son âme.

– *Kak tébia zavout*, petite demoiselle ? Comment tu t'appelles ?

– Framboise, répondit-elle d'une voix atone.

– Oh, Framboise. En russe, on dit *Maliina*. Un joli fruit bien rouge et si fragile. N'est-ce pas que c'est un fruit fragile ?

– En effet.

Léon se tenait droit et figé. Sur ses gardes, il semblait prêt à réagir à la moindre faiblesse de Dima.

– Et ce serait dommage que cette Maliina s'abîme.

En un battement de paupière, tout amusement quitta le visage souriant de Dima. Sa voix jusqu'alors enjouée se fit menaçante.

– Vous conviendrez que la situation est assez tendue. Vous avez découvert qui je suis et je ne peux me permettre de vous laisser repartir chez les vôtres. Après tout, vous êtes vous aussi des tueurs. Combien de mes frères avez-vous massacrés ?

– Pas assez puisque vous êtes là.

Dima eut un rire froid.

– C'est amusant. Mais je ne me suis jamais mêlé de la guerre qui opposait l'Université aux vampires. J'aime ma solitude. Et ça m'a assez bien profité puisque j'ai survécu.

– Vampires ? répéta Tristan la voix étranglée.

– Oui, mon cher ami aux cheveux blancs. Je suis un vampire. Vous ne vous attendiez pas à ça, hein ? Quelle ironie du sort, n'est-ce pas ? J'ai toujours évité avec soin d'interférer avec l'Université et voilà que c'est elle qui vient à moi. Pour quelle raison au fait ? Juste pour récupérer un oisillon tombé du nid ? Sans talent, sans don particulier sinon celui de voler. Un petit oiseau humain. Vous faites dans l'humanitaire à ce que je vois.

Léon foudroya l'homme du regard.

– Assez parlé. Vous me rendez Framboise et on s'en va. Rien ne sera tenté contre vous.

– Vous me prenez pour un idiot ? Vous vous croyez peut-être en mesure de négocier ? Votre entrée dans la pièce a déclenché une alarme silencieuse. Vous vous êtes piégés vous-même. Nul autre que moi ne pouvait ouvrir cette porte sans actionner le signal. Ingénieux, non ? Mes hommes sont déjà en train d'investir les lieux et d'ici quelques secondes l'endroit grouillera de gardes armés. Que dites-vous de cela ?

Léon ne répondit rien. Il ignora Dima et *accrocha* l'esprit de Framboise. Celle-ci se frotta les yeux d'un air hébété et s'écarta de Dima pour rejoindre le Penseur qui posa une main protectrice sur son épaule. Elle était libérée de l'emprise du vampire et en serait préservée tant que Léon garderait un contact avec elle.

– Ohhh ! Mais je vois que vous êtes à la hauteur de votre réputation. Ça faisait bien longtemps que je n'avais pas eu d'adversaires comme vous. Je vais me faire une joie de jouer avec votre petite troupe.

Dima leva sa main ouverte et serra ostensiblement le poing.

En face de lui, Léon pâlit puis s'effondra, le cœur *comprimé* par les doigts éthérés du vampire. Framboise tenta de le retenir mais fut emportée par le poids du jeune homme. Terrifiée, elle hurla « Non ! » et *envoya* Dima percuter le mur.

Le contact brisé, Léon se remit maladroitement debout avec l'aide de Framboise.

– On sort ! s'exclama Franky tandis qu'il *repoussait* Dima pour l'empêcher de se relever et de les suivre.

Framboise soutenant Léon, Tristan portant Avril dans ses bras, Mélusine et Franky se précipitèrent hors de la salle de torture du Boucher de Bachkirie.

13

– Halte là !

Ils avaient presque franchi la moitié du hangar quand une voix leur fit lever la tête. Un mercenaire les tenait en joue, juché sur un entassement de caisses en bois.

Franky ralentit à peine sa course pour *repousser* l'homme qui bascula du sommet et chuta de plusieurs mètres. Sous la surprise, son doigt s'agrippa à la détente de son arme et un tacatac de tirs en rafale fit se plaquer au sol les six fugitifs.

Dans un bruit métallique, des balles allèrent cribler le mur en tôle de l'entrepôt. L'une d'elles toucha à la cuisse un garde qui accourait, une autre siffla au-dessus de la tête de Dima qui laissa échapper un chapelet de jurons russes, et une dernière alla perforer l'armoire électrique principale qui explosa dans une gerbe d'étincelles. Quelques-unes de ces particules d'électricité brute tombèrent en pluie sur une palette de cartons qui roussirent rapidement avant de s'enflammer. Le courant sauta dans tout le bâtiment. Quelques veilleuses se déclenchèrent sans arriver à dissiper l'obscurité qui s'installa. Paradoxalement, les flammes qui gagnaient du terrain apportaient un effet chaleureux au décor ambiant.

– Imbéciles ! entendit-on crier du fond du hangar. Empêchez le feu d'atteindre les voitures !

Framboise avait les oreilles qui bourdonnaient. Des hommes en arme semblaient totalement l'ignorer. Ils l'enjambaient indifféremment pour se précipiter vers le brasier. Ses tympans se débouchèrent dans un « plop ! » et elle entendit un piétinement puis le déclic d'une arme. Elle se risqua à lever les yeux et croisa le regard de pitbull d'un grand type au visage peinturluré comme pour la guerre qui pointait sa Kalachnikov sur elle. Le canon sombre du fusil la fixait de son œil unique.

– Levez-vous sans geste brusque, ordonna l'homme derrière le canon.

Elle s'appuya sur le sol poussiéreux et leva les mains. Derrière elle, ses compagnons l'imitèrent. Soudain, comme pour prendre appui sur elle, la main de Léon se posa sur son épaule et prit en partie possession de ses pensées. Un grand calme l'envahit, elle se concentra sans difficulté sur l'homme qui la menaçait et sentit battre son cœur au fond de sa poitrine. Elle pencha la tête sur le côté, semblant découvrir un charme secret à cette musique humaine puis, avec une détermination sans faille, elle le força à s'arrêter. Le muscle résista vaillamment une fois, deux fois. Il expulsa une dernière fois le flux sanguin et se paralysa. Le sang ne circulait plus, le cerveau cessa d'être irrigué et le soldat tourna de l'œil avant de s'effondrer à ses pieds. Mort.

Léon rompit le contact et s'écarta de la jeune fille, les jambes tremblantes. La lassitude submergea Framboise de nouveau. Elle avait du mal à réfléchir.

– J'en ai marre, gémit-elle.

– Sortons de ce traquenard. Vite, articula Léon.

Tristan, ralenti par le poids d'Avril, donnait des signes de fatigue. Franky lui prit la jeune fille des bras tout en poussant Mélusine devant lui. Ils repartirent tous à travers le dédale des marchandises sur lesquelles le feu crépitait.

Ils avaient presque atteint le couloir qui les mènerait vers la sortie quand Framboise s'arrêta brusquement. Nul n'avait remarqué son absence et le groupe s'engouffra par la porte devant laquelle les quatre gardes aux cartes dormaient toujours.

Framboise..

– Maman ?

Framboise... Aide-moi..

Tristan risqua un coup d'œil derrière lui. Framboise se tenait immobile entre deux pans de cartons qui tanguaient dangereusement. Et surtout, elle parlait toute seule.

– Maman ? Où es-tu ? Je ne te vois pas ?

– *Framboise*, appela Tristan.

Mais la jeune fille n'entendait pas. Son esprit était hanté par un autre.

Dima.

Le feu courait partout. Tristan se força à ignorer sa propre peur, cette angoisse qui se glissait le long de sa colonne vertébrale pour le paralyser. Il se précipita sur Framboise. Une caisse tomba derrière lui, puis une autre. Leur retraite était coupée.

Tristan attrapa Framboise et la retourna. Elle avait les yeux voilés, les traits décomposés. Il comprit ce qui se passait et sut qu'il n'avait pas le choix. Il serra la jeune fille contre lui, prit une grande inspiration et plongea dans l'esprit de Framboise.

À l'intérieur, un vent froid et lugubre sifflait des gémissements torturés. Il s'avança et faillit tomber sur une petite fille recroquevillée dans un coin. La tête cachée derrière ses genoux, les mains sur les oreilles, elle se balançait d'avant en arrière et tentait de protéger tant bien que mal sa raison qui vacillait sous les pensées cauchemardesques qu'un ogre aux dents longues lui projetait. Tristan agit d'instinct. Tandis qu'une partie de lui enveloppait l'enfant effrayée de ses bras fantomatiques, une autre partie, froide et insensible, s'interposa entre la fillette et le monstre qui la tourmentait.

Dima se trouva confronté à un adversaire dont il ne connaissait pas les failles. Un homme sans passé, vierge du genre de souvenirs qui émaillaient l'esprit de Framboise et faisaient ses faiblesses. Le vampire quitta rageusement l'esprit de la jeune fille en secouant un doigt menaçant vers Tristan. *Ce n'est pas fini,* siffla-t-il avant de disparaître en totalité.

Le corps de Framboise se mit à trembler. Tristan récupéra ses sens à mesure qu'il réintégrait son propre corps. Il avait du mal à se retrouver. Son esprit lui semblait disloqué, ses pensées se dispersaient.

Toujours serrée contre lui, Framboise ouvrit les yeux et murmura un merci.

Une explosion secoua le bâtiment. Le réservoir de la première voiture venait de s'enflammer. Les palettes s'effondraient les unes sur les autres, bloquant les différentes issues. Les composants de plastique des marchandises fondaient en libérant une fumée âcre et irrespirable.

Fragilisé par l'effort qu'il venait de fournir, Tristan sentit son cauchemar le happer sauvagement. Au milieu des flammes, il n'arrivait plus à faire la différence entre ce qui était réel et ce que son esprit lui projetait. Il toussa et s'accroupit pour trouver un air respirable.

Framboise l'imita. Elle avait arrêté de pleurer. L'adrénaline lui donnait un coup de fouet, et son cerveau se mit à fonctionner à plein régime. Il fallait qu'ils sortent de là. Absolument. Elle n'allait quand même pas se laisser cramer comme une vulgaire brochette.

Une seconde déflagration fit trembler les fondations et souffla plusieurs tas de cartons, ouvrant une brèche dans le mur de flammes qui les entourait. Framboise y vit leur chance. Elle secoua Tristan et lui montra la sortie. Le jeune homme était tétanisé. Dans sa tête, les bouteilles explosaient à la chaleur et la résine fondue lui collait les mains. Une violente douleur lui fit reprendre pied quelques secondes. Framboise venait de lui asséner une puissante claque et lui désignait quelque chose qui ressemblait à un passage. La jeune fille parla, mais ses oreilles bouchées par la cendre n'entendaient plus. Il se laissa cependant emmener hors du cercle de flammes par Framboise qui le tirait par la main.

Le feu atteignit la troisième voiture qui explosa dans une projection de tôles et de caoutchouc fondu. Framboise et Tristan furent envoyés à terre par le souffle. Framboise cracha la poussière qui crissait sous ses dents et ouvrit les yeux. Deux chaussures se tenaient au bout de son nez. Noires et lustrées avec soin.

Faites que ce soit Léon, espéra-t-elle. Mais la voix qui lui répondit la glaça jusqu'au sang.

– Non. Ce n'est pas Léon.

Elle chercha désespérément Tristan. Celui-ci était prostré à côté d'elle, le regard vide.

– Qu'est-ce que vous lui avez fait !

– Rien, ricana Dima. C'est le plus drôle. Rien du tout. Ton ami est hanté par une partie de lui-même. Il y a un petit garçon sur le point de mourir qui ne veut pas le laisser en paix.

– Tristan ! Tristan ! Réveille-toi ! hurla-t-elle en le secouant sans ménagement.

– Il ne t'entend pas, Maliina. Il est trop loin. Le feu est son bourreau.

Dima s'approcha pour donner un petit coup de pied dans les côtes de Tristan. Le jeune homme ne réagit pas d'un muscle.

– Ah, mes chers enfants. Ça faisait longtemps que je ne m'étais pas autant amusé.

– Profites-en. Ça ne va pas durer, articula Framboise dans un russe impeccable avant d'ajouter, stupéfaite : C'est moi qui ai dit ça ?

Dima la considéra d'un air surpris.

– Qu'est-ce que…

Éclairé par les flammes, un homme apparut derrière le Boucher. Grand, élancé, il avait un visage osseux et le regard noir. Framboise dut cligner plusieurs fois des yeux pour comprendre qu'elle n'était pas en pleine hallucination.

– Dante ?

Dima fit face au nouvel arrivant.

– Ça alors ! Le célèbre Dante vient me rendre visite. Je peux savoir ce qui t'a poussé à quitter ton repaire ?

– Ces jeunes gens sont sous ma protection.

– Ta protection ! Elle est bien bonne celle-là ! Tu as fait dix milles kilomètres juste pour me dire ça ?

Dante resta muet. Il passa devant Dima et se baissa pour attraper Tristan.

– Suis-moi, Framboise.

La jeune fille se releva et emboîta le pas au vampire.

– Alors toi aussi, tu veux me quitter, Maliina ? On s'amusait pourtant bien ensemble.

Framboise sentit les mots de Dima faire une nouvelle

incursion dans ses pensées. Mais quelque chose le repoussa froidement.

– Ne la touche pas, avertit Dante. Ne cherche pas à me provoquer.

Dima parut troublé par la menace. Il semblait craindre les réactions du vampire.

– Ce n'est pas fini, lança-t-il.

– Ça l'est pour l'instant, conclut Dante.

Il approcha d'un mur du hangar percé d'un trou. D'après la façon dont les bords étaient découpés, le passage ne pouvait avoir été percé que de l'extérieur. Dante se baissa pour le traverser et Framboise le suivit. L'air frais de la nuit lui fit l'effet d'une douche froide. Un soulagement intense et une fatigue monumentale la submergèrent. Elle résista difficilement à l'envie de se laisser tomber là où elle était pour dormir.

Dante déposa Tristan sur un tas de vieilles bâches en plastique. Framboise s'assit à côté du corps inanimé du garçon et ouvrit la bouche.

– Oui, il va bien, répondit Dante à la question qui n'avait pas encore franchi ses lèvres.

14

L'entrepôt continuait paresseusement à se consumer. De la fumée s'échappait de son ventre par longs filets. Tout à coup, un grondement enfla à l'intérieur de la bête et une partie de son toit vola en éclat.

– Le camion, expliqua Franky.

Son groupe avait rejoint celui de Framboise. Léon avait fait une drôle de tête en découvrant Tristan inconscient et Dante penché à ses côtés. La collaboration du vampire l'avait toujours rendu méfiant et le fait de le croiser ici, en plein chaos incendiaire, ne faisait que renforcer sa suspicion. Il laissa Franky vérifier les signes vitaux de Tristan et s'assurer qu'il ne courait aucun risque.

Léon et Dante se toisèrent comme de vieux ennemis.

– Qu'est-ce que tu fais ici ?

– Je te retourne la question. Qu'est-ce que vous faites ici, en effectif si réduit et en plus sur le territoire de Dima.

– Erreur de parcours, se contenta de dire Léon.

– On ne savait pas que Dima était un vampire, ajouta Franky, qui avait laissé Tristan sous la surveillance des filles. Comment on a pu être aussi peu prévoyants ? C'était de la folie de tenter un coup comme ça.

– Tout à l'heure ça te semblait faisable pourtant, railla Léon. Tu étais prêt à risquer ta vie pour une gamine de rien du tout.

– Ça a marché, non ? On s'en est sortis.

– Il faut voir dans quel état. Tristan est hors service, je me paie un mal de tête carabiné et Framboise a failli y rester. Jolie réussite. Et je ne te parle pas de ce qui nous attend tous les deux quand on va rentrer à l'Université. Vasco va nous passer un de ces savons ! La vache, on a vraiment agi comme des bleus.

– Hé ! Il bouge ! s'écria Mélusine.

– Je suis encore en vie, constata Tristan.

– Oui, Tristan. Tu es encore en vie, répéta l'homme aux yeux d'acier penché sur lui.

Mélusine ne connaissait pas Dante mais il lui avait suffi d'écouter les pensées de Framboise pour comprendre que cet homme était celui qui l'avait contactée cet hiver pour l'inciter à rencontrer la jeune Voleuse. Cet homme est un vampire, réalisa-t-elle.

– Dima était un vampire, comprit-elle à haute voix.

– Et il est toujours vivant, ajouta Léon. Merde, on a laissé une pourriture de vampire nous échapper !

Dante jeta un regard noir à Léon avant d'accorder à nouveau toute son attention à Tristan.

– Je me souviens, s'exclama le garçon.

– De quoi te souviens-tu, Tristan ?

– Je me souviens de papa et maman. Je me souviens de la datcha où on habitait, des balades dans la forêt et de l'odeur des pins. Je me souviens de papa qui se cachait et que je devais retrouver avec mon esprit. C'était facile. Je me souviens du jeu des devinettes que je faisais avec mama. Il fallait que j'arrive à trouver à quoi elle pensait.

(À présent, tous l'écoutaient. Le silence s'était fait et Tristan fronça les sourcils en parlant.)

– Je me souviens de ce vieil homme aux yeux verts qui venait de temps en temps. Il s'asseyait face à moi et demandait à mes parents de nous laisser seuls. Il testait alors mon esprit et analysait mes progrès. C'était la condition pour que mes parents aient le droit de me garder. Je devais apprendre à me servir de mon don et devenir fort, sinon l'Université reprendrait ses droits sur ma garde. Chaque fois, le vieil homme repartait satisfait et, au dessert, on mangeait une tarte aux myrtilles pour fêter ça. Mama avait l'air tellement soulagée. Je ne comprenais pas pourquoi.

Je me souviens de ce soir où papa avait sorti une vieille épée du fond d'un coffre en bois. Mama avait eu l'air horrifiée et je lui avais demandé ce qui se passait. « Le passé nous rattrape » m'avait-elle répondu avec un regard troublé. Je lui avais demandé si c'était un jeu de la devinette et elle m'avait disputé et m'avait envoyé au lit. Quand elle m'avait bordé ce soir-là, elle m'avait fait une recommandation : « Si tu entends du bruit dehors cette nuit, ne sors pas. Reste à tout prix dans la maison. » Je lui avais répondu d'accord sans comprendre. Avant de dormir, on avait chanté la chanson de la *Belle Volga*.

Je me souviens du cauchemar que j'ai fait après. Le feu. Les cris. La résine qui fond et la cendre qui étouffe. Je me souviens d'avoir été écrasé par le plateau de la table sous laquelle je m'étais réfugié et d'avoir cru que j'allais mourir. Je me souviens des flammes qui ont mangé la peau de mon bras et de cet homme qui est entré pour me sauver. Je me souviens de l'orphelinat où il m'a déposé et où les infirmières m'ont dit que je n'avais plus de parents et que je ne devais pas bouger parce que sinon les bandages glisseraient et que je ne guérirais jamais. Je me souviens d'avoir eu mal, d'avoir crié et frappé les infirmières avec mon esprit. Je me souviens qu'elles me prenaient pour un démon et n'osaient plus m'approcher. Je me souviens d'avoir oublié pour ne plus souffrir et d'être parti pour ne plus me souvenir. Je me souviens d'avoir erré sans but et d'être arrivé à la ville. Je me souviens d'avoir volé le portefeuille de Garibaldi parce c'est ce qu'il voulait que je fasse.

Tristan se tut et tous restèrent immobiles et silencieux. Avril pleurait sans bruit dans un coin, dépassée par ce qu'elle entendait.

– C'est vous, comprit Tristan. (Dante hocha la tête, silencieusement.) C'est vous, l'homme qui m'a sorti des flammes. Vous étiez blessé vous aussi, où sont vos brûlures ?

– Je n'en ai plus. J'ai guéri.

– Racontez-moi. S'il vous plaît.

Dante soupira profondément puis, à son tour, il donna sa version des événements.

– Ivan et Circée, tes parents, étaient bien plus que de simples agents de l'Université. Ils avaient pour mission de traquer et d'éliminer les vampires résidant en Europe de l'Est. Ils étaient très efficaces et sans pitié pour ceux qu'ils chassaient. Quand a été signé le Pacte de non-agression, ils ont obtenu l'autorisation d'être implantés et de s'installer dans une datcha non loin de l'endroit où ton père était né. Ils t'ont élevé et t'ont transmis leurs connaissances. Mais il restait de la guerre de nombreuses rancœurs, et un groupe de vampires rebelles a retrouvé la trace de ceux qui les avaient traqués comme des bêtes. Ils ne pensaient qu'à la vengeance, n'avaient que ce mot-là à la bouche. Une nuit, ils ont attaqué la datcha. Tes parents les attendaient de pied ferme. Le combat s'est engagé à l'extérieur mais leur nombre a fait la différence. Ils ont tué tes parents et ont incendié la maison pensant que ça suffirait à se débarrasser de toi. Je ne suis pas arrivé à temps pour sauver tes parents mais je suis entré dans la maison et je t'ai sauvé toi. Je voulais t'emmener avec moi, mais le feu m'avait blessé plus gravement que je ne pensais. Je t'ai déposé dans un orphelinat et comptais t'y récupérer quelques semaines après, une fois guéri de mes propres brûlures. Quand je me suis présenté, les gens de l'orphelinat m'ont dit que tu étais devenu fou et que tu avais fini par fuguer. J'ai bien tenté de te retrouver mais en vain. Tu avais oublié qui tu étais. Je ne pouvais plus te localiser.

– Quelle touchante histoire ! Merci d'avoir sauvé l'un des nôtres et d'avoir laissé tuer ses parents, railla Léon. Tu réécris le passé comme ça t'arrange… Il est temps de rentrer maintenant.

Dante se redressa et s'interposa entre Léon et Tristan.

– Non. Tristan ne sera pas l'un des vôtres. Il ne retourne pas à l'Université. Ni lui, ni Mélusine, ni Framboise. La collaboration qui nous liait prend fin aujourd'hui. Quelles qu'en soient les conséquences. Votre chantage est terminé.

Le visage de Léon changea. Il était partagé entre la colère et l'incrédulité.

– Est-ce que tu réalises ce que tu es en train de dire ? Tu veux déclencher une nouvelle guerre ?

– Moustafa a décrypté les derniers sas de Shiva. J'ai de nouvelles cartes en main. Des preuves irréfutables de ses agissements. Je connais la vérité et je peux la révéler.

– Impossible. Tu mettrais en danger tous ceux de ton espèce. Et tu signerais ton arrêt de mort.

– Possible, mais je me battrai pour ce que je sais être juste. Je ne vous laisserai plus réquisitionner des enfants pour en faire des soldats. Dis à Artémus que c'est fini.

– Très bien. Puisque c'est ainsi. Nous redevenons ennemis et je me réjouis de notre prochaine rencontre.

Léon eut un sourire mauvais. Il porta sa montre devant sa bouche et appuya sur un bouton pour ordonner à l'hélicoptère de le localiser en vue d'une récupération immédiate. Puis il se tourna vers Mélusine pour lui sommer de faire un choix. Décidait-elle de rejoindre l'Université ou se rangeait-elle du côté du vampire ?

Mélusine avait déjà pris sa décision. Depuis longtemps. En fait, depuis que Dante l'avait contactée le jour de l'Intégration de Framboise, elle avait entrevu un autre avenir que celui de l'Université. Elle annonça qu'elle restait.

– Moi aussi ! s'écria Framboise sans hésitation.

– Petites imbéciles. Vous avez choisi le mauvais côté. Il ne fait pas bon se dresser contre l'Université.

– Si je ne risquais pas de me retrouver en petite culotte, je te rendrais ton uniforme, pauvre nase, ajouta Framboise.

Un bruit saccadé se fit entendre en altitude. L'hélicoptère noir apparut et atterrit non loin d'eux. Léon eut un dernier regard dédaigneux pour ceux qui restaient en arrière.

– La prochaine fois… cria-t-il pour couvrir le vacarme de l'hélico. La prochaine fois, je serai sans pitié. Et je ne serai pas le seul.

Il se dirigea la tête baissée vers l'appareil qui continuait à faire tourner ses pales et s'y engouffra. Franky ne dit rien. Il échangea seulement un long regard avec Dante, hocha la tête et tourna le dos pour rejoindre Léon. La porte claqua et l'hélicoptère disparut dans la nuit.

Une fois que le bruit se fut éteint, Dante prit brièvement la parole. Le jour allait bientôt se lever, aussi le temps leur était-il compté. Ils devaient rejoindre la gare au plus vite où un train les attendait.

15

L'Orient Express filait à vive allure le long des rails. C'était un train inhabituel qui ne ressemblait que de très loin à son homonyme du passé. Chaque wagon était le bien d'un riche propriétaire et selon la demande, on décrochait ou accrochait le wagon correspondant aux passagers du jour. À chaque voyage, la composition et l'agencement des voitures changeaient. Tout dépendait de qui circulait à bord. Le train se contentait pourtant de faire l'aller-retour sur une seule voie qui s'étendait de Paris à Tokyo, en passant par Moscou, Pékin et Séoul. Mais sa rapidité et son confort avaient surpassé l'avion dans le cœur des plus fortunés.

Dante possédait une luxueuse voiture placée à chaque voyage, et selon ses instructions, en queue de convoi. Les stores étaient tous baissés, occultant le moindre rayon de lumière solaire. Tristan dormait allongé sur une banquette, Avril recroquevillée contre lui. Mélusine et Framboise somnolaient l'une contre l'autre, réfugiées dans un volumineux canapé, et Dante était assis dans un profond fauteuil en velours rouge, la tête renversée en arrière, les yeux fermés.

Bientôt Mélusine bâilla, repoussa Framboise qui grommela et vint s'asseoir tout près de Dante. Celui-ci entrouvrit les paupières.

– Tu peux parler ?

– Oui, je peux. Je suis fatigué mais je suis là.

– Je voudrais savoir… Ce que tu as dit sur l'Université, les parents de Tristan, la chasse aux vampires. Tout ça c'est vrai ?

– Je n'ai pas pour habitude de raconter des histoires. Oui, l'Université n'est pas une simple école qui rend service aux enfants encombrés par leurs pouvoirs. Elle est un rouage essentiel de Shiva. La multinationale manipule et organise le monde comme elle l'entend. Shiva anesthésie les consciences. Son seul but est de s'enrichir et de s'étendre. Les seuls qui représentaient un garde-fou étaient les vieux sages vampires. Ceux qui avaient vécu plusieurs vies et avaient atteint la sérénité de la vieillesse. La mémoire du monde.

Dante passa la main sur son visage comme si chaque mot lui demandait un peu plus d'effort.

– Les sages se sont élevés contre les agissements de Shiva. C'était au début, quand l'agence commençait juste à prendre de l'importance et que quelque chose pouvait encore être tenté. Ils sont sortis de leur retraite pour avertir qu'une chose néfaste était en train de s'étendre. Ils étaient les êtres les plus sages que la Terre ait jamais portés et Shiva a ordonné leur exécution. Ils ont tous été tués. Tous.

Mon peuple a protesté contre ce génocide. Depuis des siècles, nous avions vécu dans la discrétion et le respect. Les hommes avaient même oublié notre existence. Il ne restait plus de nous que des légendes et des superstitions. Nous nous étions intégrés à la vie humaine.

Tout cela a volé en éclats. Shiva a compris que nous étions un frein à son expansion. Elle nous a fait massacrer. Ces êtres qui se croyaient assez supérieurs à l'espèce humaine pour lui donner des leçons devaient disparaître.

Les seuls à pouvoir le faire étaient les Penseurs et les Voleurs de l'Université. Des êtres doués de capacités presque équivalentes aux nôtres, embrigadés dès l'enfance. Des soldats exemplaires, fiers de servir leur école.

Ils ont été efficaces. Ça oui. Ils ont tué sans remords. Après tout, ce n'étaient pas des humains qu'ils tuaient mais des monstres assoiffés de sang, comme leurs histoires pour enfants les présentaient. Ils tuaient le monstre caché sous leur lit quand ils étaient petits, ils tuaient leur peur du noir et leur croque-mitaine.

La guerre a duré des années. Au début, nous n'étions pas organisés pour le combat. La communauté vampirique vivait depuis longtemps dans le confort de sa noblesse. Quand on traverse les siècles sans encombre, on a tendance à se détacher de la réalité quotidienne. La plupart des miens se sont fait surprendre chez eux. Ils ne s'étaient pas mêlés de la révolte d'un petit nombre, pensant être à l'abri. Mais l'Université ne les a pas épargnés.

J'ai fini par prendre la tête d'un groupe de combattants. Nous nous mîmes à déjouer les pièges des Brigades de l'Université, à contrecarrer leurs plans. Malgré tous nos efforts, nous n'avons jamais réussi à trouver l'île invisible. Trop de Penseurs veillaient à sa protection.

Et puis, un jour, tout a basculé. Ils avaient réussi par je ne sais quel moyen à localiser notre planque. Nous étions tous partis en mission de reconnaissance mais il restait quelqu'un là-bas. Quelqu'un à qui je tenais beaucoup. Je la pensais en sécurité mais ils l'ont capturée et emmenée dans un laboratoire de Shiva. Je ne devais plus rien tenter contre eux sinon ils la supprimeraient. Définitivement.

J'ai jeté les armes et j'ai signé leur Pacte de non-agression. Tout s'arrêtait là. La guerre était finie. Beaucoup m'ont suivi et ont accepté de courber l'échine. C'était le seul moyen de survivre. Nous n'étions plus qu'une poignée par rapport à notre population d'avant la guerre. Nous avons été fichés et laissés en liberté à condition de ne pas nous écarter de notre lieu de résidence. Une surveillance constante nous a été imposée. Avec moi, l'Université est allée plus loin. J'étais le chef, je devais payer. J'ai dû recruter pour elle, lui trouver des enfants potentiellement exploitables. La dernière a été Framboise.

Dante leva les yeux vers l'intéressée qui était éveillée et buvait ses paroles. Tout comme Tristan et Avril qui écoutaient silencieusement.

– Qui était celle qu'ils ont emmenée ? demanda Tristan.

– Ma femme, Zora.

– Tu as une femme ! s'étouffa presque Framboise.

– Oui, bien sûr. Je ne suis pas un être sans cœur.

– Je ne sais pas. C'est bizarre.

Dante se redressa dans son fauteuil et examina son assistance.

Que les choses soient claires. Je peux éprouver des sentiments, avoir des enfants, être blessé et mourir. Je ne suis pas un monstre. Je ne mange pas les nouveau-nés. Je ne peux pas voler et je n'ai ni ailes, ni doigts crochus.

– Et les canines ? demanda Avril d'une toute petite voix.

Dante ne répondit pas. Il posa son menton sur son poing et les observa tous les quatre.

– Vous voulez tout savoir de moi ? Vous voudriez que je vous rassure. Que je vous dise que je suis normal, que je n'ai jamais fait de mal à personne et que je suis doux comme un agneau. Ce n'est pas le cas. Mais est-ce que vous connaissiez tout de Léon et Franky quand vous leur avez fait confiance ? Est-ce que vous saviez qu'ils avaient déjà tué, qu'ils avaient plus d'une fois fait couler le sang ?

Non. Et pourtant vous avez mis votre vie entre leurs mains et ils vous ont protégés.

– Oui, mais eux, ils pouvaient marcher à la lumière du jour. Ce n'est pas votre cas.

– Un point pour Mélusine, annonça Framboise. On doit savoir si on peut te faire confiance, Dante. Pour une fois, arrête les mystères.

– Très bien. Vous voulez un cours, Mous vous le fera. En attendant, reposez-vous. Nous arrivons au crépuscule, et la nuit sera longue.

16

– Framboise ! Ma potine ! Salam alékoum ! Bonjour les amis de Framboise ! Bienvenue chez moi. Entrez, entrez, n'ayez pas peur. Je suis Moustafa. J'espère que Dante vous a parlé de moi ? Vous avez faim ? Dante, tu les as nourris j'espère ?

– Mous, on n'est pas des animaux. On a mangé dans le train, râla Framboise. Alors vous avez déménagé ?

Elle cherchait ses repères. Les meubles étaient les mêmes mais l'endroit n'avait plus rien à voir avec l'ancienne cuverie du long du fleuve. Le seul point commun qu'on pouvait y trouver était l'espace. De grandes arches de briques courbaient leurs rondeurs à trois ou quatre mètres au dessus de leur tête, et de nombreux couloirs obscurs semblaient partir et aboutir à la grande salle où ils se trouvaient. La réverbération du son et la taille du lieu donnaient l'impression d'être dans une cathédrale.

– Tu ne crois pas si bien penser, Framboise. Nous sommes dans des catacombes. C'est un peu comme un ancien cimetière souterrain. Sauf qu'il n'y a plus de morts, rassure-toi, expliqua Moustafa.

– Un cimetière, c'est dégoûtant. On pourrait pas retourner à votre ancienne maison ? Je préférais.

– Bien sûr, pour que l'Université n'ait plus qu'à venir nous cueillir. Ou que tu n'aies qu'une seule tentation, aller voir tes parents. Cette planque est sûre, les petits gars de l'Université ne la connaissent pas et ne la localiseront jamais. Ici, on aura le temps de se préparer.

L'endroit était à l'opposé de l'idée qu'on pouvait se faire d'un cimetière. Il y faisait presque chaud, les ordinateurs de Moustafa auréolaient calmement la pièce d'une douce lumière bleue, des piliers massifs en pierre supportaient à intervalles réguliers les voûtes de brique rouge et des étagères ployant sous les livres s'alignaient aux murs. Au milieu de tout ça, quelques canapés étaient réunis en un salon douillet où tous prirent place.

Avril échangea quelques mots d'arabe avec Moustafa qui parut ravi d'avoir une nouvelle interlocutrice. Il les rejoignit près du petit salon improvisé, un drôle d'appareil entre les mains.

– Les gosses de l'Université, tendez votre main gauche, s'il vous plaît.

Il n'avait plus du tout l'air de rigoler. Mélusine fut la première à s'exécuter. Moustafa s'approcha d'elle et posa l'appareil sur sa paume. Il lui lança un regard peiné et ajouta :

– Je suis désolé.

Au même moment, il actionna le boîtier et Mélusine poussa un cri de douleur. Moustafa écarta la machine. Une petite brûlure ronde marquait à présent l'intérieur de la main de Mélusine dont les larmes ruisselaient le long des joues. Le vampire expliqua.

– Je suis obligé de désactiver votre puce le plus vite possible. La seule façon est de la soumettre à un fort courant électrique. J'ai réussi à ce que celui-ci soit localisé mais c'est quand même très douloureux. Choukrane, Mélusine. Merci. Tristan, à ton tour.

Le garçon donna sa main – Guidzit ! – et Framboise vit un arc doré sortir de la machine pour frapper la peau tendre de sa paume. Tristan ne pleura pas, mais ses yeux étaient humides. Ça devait vraiment être très douloureux. Framboise regarda avec terreur le moustachu se redresser et tourner son regard vers elle. Elle sut qu'elle ne voulait absolument pas être guidzitée. Plutôt se faire arracher la puce ou couper la main.

– Ne pense pas de telles bêtises, Framboise. Ça ne durera pas longtemps. Allez, on donne sa petite mimine.

– Non !

– Framboise, donne-moi ta main.

– Non !

– *Assieds-toi tout de suite.*

Framboise n'avait pas le choix, elle s'assit.

– *Donne-moi ta main.*

Framboise tendit sa main – Guidzit ! – et hurla de douleur, criant toutes sortes de mots qui choquèrent même Tristan, pourtant habitué à vivre dans la rue et à en entendre de toutes les couleurs. Finalement, elle s'apaisa et se laissa aller dans le canapé.

Moustafa alla poser son appareil et revint avec une poignée de feuillets de trois pages entre les mains. Il en distribua une à chacun.

– Tout ce que vous avez besoin de savoir sur les vampires, sur nous quoi, je l'ai écrit là-dedans. Ça suffira à vous clouer le bec, enfin j'espère. Pour les questions, on verra plus tard.

Tout ce que vous avez toujours voulu savoir sur les vampires sans jamais oser le demander

Origines

Le vampire est issu d'une branche parallèle de l'évolution humaine. Les deux espèces ont un ancêtre commun : l'*homo habilis*. Alors que la grande majorité des hommes vivaient à la lumière du soleil, chassant les animaux diurnes, quelques tribus prirent pour habitude de ne sortir que la nuit pour courir le gibier nocturne.

L'évolution a fait le reste.

Évolution

L'*homo habilis solis* est devenu *homo sapiens*. Il a développé des capacités intellectuelles étendues, au détriment de capacités sensorielles qui sont restées limitées. Il a appris à cultiver, à élever son bétail et à construire des habitations. Il a évolué vers l'*homo sapiens sapiens*.

L'*homo habilis noctis* a progressé plus lentement et plus discrètement. Ses cinq sens sont devenus six puis sept et se sont aiguisés : le goût, l'odorat, l'ouïe, la vue, le toucher, la télépathie et la télékinésie. Évoluant en *homo sapiens noctis*, il a continué à chasser et à se déplacer la nuit, dormant le jour dans des abris temporaires ou dans des grottes, supportant de plus en plus mal la lumière du soleil.

Ce peuple de nomades, qui se transforma au gré de ses traditions et de ses légendes, est parvenu plus tardivement au stade d'*homo sapiens sapiens noctis*.

La mixité a toujours existé entre l'*homo solis* (homme du soleil) et l'*homo noctis* (homme de la nuit). Ce qui explique que les dons de télépathie et télékinésie se soient transmis d'un peuple à l'autre.

Caractéristiques physiques

Le vampire possède une longévité exceptionnelle rendue possible par une régénération constante et complète de ses cellules. Il est immunisé contre la plupart des maladies et il cicatrise très vite.

Comme tous les êtres vivants qui vivent longtemps, son cœur bat très lentement: 15 pulsations par minute.

Il voit sans problème dans le noir, il est nyctalope.

Alors, oui, c'est vrai, ses canines sont plus longues que celles des hommes. C'est un héritage de son ancêtre préhistorien. Mais c'est pas une raison pour lui en faire la remarque.

Sa peau est photosensible. Il ne peut pas être exposé à la lumière du jour. Mais le soleil est un astre. Même protégé de ses rayons, le vampire subit sa présence dans le ciel. Elle se traduit par une fatigue profonde.

Les idées reçues qui ne sont pas vraies

Les histoires de croix, eau bénite, argent, gousses d'ail sont ridicules.

Le feu nous brûle, c'est normal. L'eau nous mouille comme vous, bande d'idiots.

On peut entrer dans les églises, les synagogues, les mosquées, les temples même si la religion n'a jamais été notre fort.

On peut entrer dans les maisons sans attendre d'autorisation de leurs propriétaires.

On n'est pas des morts vivants, ni des zombies. On ne vit pas dans les cimetières, ni dans les cryptes, ni dans les mausolées ou les trucs comme ça.

On ne dort pas dans des cercueils, ni la tête en bas comme des chauves-souris.

On ne fait pas de messes sataniques avec des croix à l'envers et tout le bazar en criant « Gloire au démon » ou « Gloire à Belzébuth » ou « Gloire à je sais pas quoi ». Je viens de vous dire que la religion n'était pas notre fort.

Pourquoi certains vampires boivent du sang

Anémie : diminution de la quantité de globules rouges dans le sang. Les principaux symptômes sont la pâleur, un état de fatigue générale, une insuffisance respiratoire, des vertiges.

Certains vampires souffrent d'anémie. Les mariages mixtes (humains + vampires) ont provoqué, après plusieurs générations, une dégénérescence des cellules sanguines. Ce qui nécessite un apport régulier, voire quotidien, de plasma sanguin. La prise est orale car il suffit aux malades de boire le sang pour que celui-ci soit absorbé par son organisme.

LIVRE IV

LA CONFRÉRIE DES HEURES OBSCURES

Secteur Recherches V (cellules)
Niveau Terre 14
Complexe Avenir
Shiva

– Sujet femelle. Hybride. Poids : 55 kg. Taille : 1,72 m. Âge apparent : 28 ans. Âge physiologique : 133 ans. Test numéro 74 : résistance au virus de la fièvre bleue. Jour 3 de l'expérience. Sujet affaibli mais toujours vivant. S'est plongé de lui-même dans un état semi-comateux, il y a vingt et une heures..

Zora écoutait l'homme parler. Elle était allongée dans l'alcôve creusée à même le mur du fond de la cellule aseptisée et insonorisée. Les murs blancs et froids.

L'homme en blouse verte l'observait à l'abri derrière la paroi de verre qui faisait office de quatrième mur. Aucun son n'était censé parvenir jusqu'à elle. Mais ce n'était pas avec ses oreilles qu'elle écoutait. Pendant que son corps achevait de combattre le virus qu'ils lui avaient injecté, son instinct la poussait à recueillir la moindre information susceptible de lui servir plus tard.

Elle savait que le chercheur de l'autre côté de la vitre s'appelait Lion, comme l'animal, qu'il avait à peine 21 ans et qu'il menait une thèse audacieuse sur la résistance physique des vampires. Un travail qui, s'il était concluant, lui promettait une jolie carrière au sein de Shiva. Elle savait aussi que parmi tous les sujets d'études que contenait le complexe, elle avait sa préférence. Bien sûr, il n'osait se l'avouer mais chaque jour il faisait un détour pour passer devant sa cellule et s'accordait une longue pause sous prétexte d'une nouvelle prise de notes.

Zora en était persuadée, sa chance était là, dans la fascination qu'elle exerçait sur Lion. Elle se devait de créer un contact privilégié avec le jeune homme, l'engluant petit à petit dans un trouble psychique presque amoureux.

Elle respira profondément et, malgré la souffrance qui rendait chacun de ses mouvements plus douloureux que le précédent, elle fit l'effort de tourner la tête. Ouvrant les yeux, elle plongea son regard bleu dans celui de Lion.

L'homme derrière la vitre tressaillit. Il balbutia quelques syllabes incompréhensibles dans l'enregistreur accroché au revers de sa veste avant de se ressaisir.

– Le sujet... Contre toute attente, le sujet... la femme, euh... elle a ouvert les yeux! Elle me regarde à travers une vitre qui est censée être sans tain!

Il se déplaça de quelques pas latéraux et Zora le suivit des yeux.

– Elle me voit! Pas de doute là-dessus. Elle vient de survivre à un virus qui tue n'importe quel être humain en douze heures et fait à présent preuve d'une parfaite conscience. C'est tout bonnement incroy...

Aide-moi.

– Non!

Lion avait presque crié quand la phrase s'était formée dans sa tête, aussi claire que si elle avait été parlée. C'était impossible! Elle ne pouvait pas l'atteindre.

Il porta la main à son front, tâtant la puce qui lui faisait comme un troisième œil. C'était un dispositif sans faille qui interdisait pour son porteur toute intrusion dans ses pensées. Une garantie contre les ordres des télépathes vampires que Shiva avait rendue obligatoire dans ses laboratoires. Pas question de côtoyer des êtres capables de manipuler vos pensées sans une protection efficace.

Il passa une main tremblante sur ses cheveux tressés avec soin et comprit qu'il n'y avait que deux explications plausibles. Soit la puce était défectueuse, auquel cas il devait se dépêcher de remédier à ce bug, soit il avait *souhaité* ce contact assez fort pour qu'un lien soit temporairement créé. Dans ce cas, il avait intérêt à rendre vite fait visite au psychologue du complexe.

Non, il se ferait virer aussi sec, et adieu la chance de terminer son travail de thèse, adieu la bourse d'études et la reconnaissance de ses pairs.

Il était fatigué, voilà tout. Fatigué et surmené. Quelques jours de repos lui feraient le plus grand bien. Deux, trois jours chez sa mère qui se ferait un plaisir de le chouchouter jusqu'à ce qu'il n'en puisse plus.

Inspirant une grande goulée d'air, il se força à regarder de nouveau dans la cellule. La jeune femme vampire semblait dormir, plongée dans une immobilité de marbre. N'aurait été l'écran de constantes vitales affiché sur le côté de la cellule, on aurait pu la croire morte. Mais non, son cœur battait. À un rythme bien inférieur à celui d'un être humain, mais il battait.

Lion secoua la tête et se décida enfin à s'éloigner, troublé par ce qui venait de se passer. Dans quelques heures, son cerveau rationnel parviendrait à le persuader qu'il avait rêvé. Les projets de vacances seraient déjà oubliés ainsi que la peur qu'il avait ressentie.

Dans les catacombes
Planque des vampires

C'est un trou de verdure…

Un ciel bleu. Tellement lumineux qu'il vous force à plisser les yeux. Du bleu parsemé de petits bouts de blanc qui dérivent mollement vers l'horizon. L'herbe chatouille son menton. Ses brins ploient comme une mer verte en vagues successives. L'air est chaud. Quelques insectes volent de fleur en fleur avec un bourdonnement paresseux.

Surtout ne pas faire d'effort. Laisser son corps reposer simplement contre la terre tiède, le dos calé dans l'herbe haute, les pieds nus. De l'œil suivre un papillon, flap-flap, puis l'oublier pour rêvasser dans le bleu du ciel.

Framboise est heureuse. D'un bonheur simple emprunt de nature et de soleil. L'un de ces moments de bonheur qui vous fait sourire béatement. Là-bas, un peu plus loin, elle entend ses parents discuter à voix basse. La voix profonde de son père et le doux alto de sa mère. Elle se sent veillée, protégée. Elle sait que Mathieu et Françoise sont là aussi, quelque part.

Elle n'a rien à faire, rien à penser. Juste à rester au soleil et à laisser son corps si froid boire un peu de chaleur. Pourquoi d'ailleurs a-t-elle si froid ? Pourquoi l'air ambiant ne la réchauffe-t-il pas ? Ses os, sa chair lui semblent faits de glace, comme figés. Elle veut bouger pour échapper à cet immobilisme mais son corps ne réagit pas.

Pas un seul de ses muscles ne tressaille, pas un nerf. Elle veut se lever, sortir de cet état de statue glacée. Rien n'y fait. Une coquille vide...

Elle va se briser, c'est sûr. Elle va éclater en mille morceaux. Il suffirait juste d'une fissure comme celle qui serpente sur sa joue...

– Aaah !

Framboise se réveilla en criant. Un hurlement libérateur, bref et terrifié.

Un rêve... c'était juste un rêve.

Elle tendit la main à côté d'elle pour y trouver un lit vide. Mélusine avait déjà quitté le matelas qu'elles partageaient sans la réveiller. Mais le froid y était arrivé, lui. Le froid et le rêve. Framboise se recroquevilla sous la couette pour laisser son cœur se calmer. Elle le sentait battre fort dans sa poitrine, si vulnérable.

Encore une fois, le froid l'avait rattrapée jusque dans ses rêves. Aucune solution pour y échapper. Il la rongeait, éveillée comme endormie, même serrée dans les couettes les plus chaudes, même pelotonnée contre Mélusine. La lumière du feu devant lequel elle passait ses journées n'était qu'un faible répit contre l'attaque insidieuse et infatigable du froid.

Framboise repoussa rageusement la couette dans laquelle elle s'était tant bien que mal entortillée et s'assit sur le bord du matelas en soupirant. Veste, pantalon, chaussures, elle enfila rapidement l'uniforme de l'Université, sale et usé, qui était désormais le sien.

En traînant les pieds dans ses chaussures délacées, elle contourna le paravent en papier de riz qui s'efforçait d'apporter aux deux filles un minimum d'intimité. Car il n'y avait ici qu'une seule pièce à vivre. Cette fameuse salle voûtée comme une chapelle et piquée de piliers de briques était leur seul et unique lieu de vie. Encombrés de fils qui serpentaient jusqu'aux ordinateurs de Moustafa, agrémentée d'une gigantesque bibliothèque aux ouvrages séculaires, sa seule source de vrai confort résidait dans son immense cheminée régulièrement ravitaillée en bûches aussi grosses que des troncs et dans ses fauteuils en cuir élimé disposés autour de l'âtre. Ah oui, il y avait aussi une table en bois repoussée contre un mur et couverte de papiers, de cartes, de machins pas intéressants sauf peut-être pour Dante qui y passait un temps mémorable.

Assise sur un petit coussin au plus près du feu, Mélusine avait le regard vague, perdu dans les flammes qui dansaient devant elle.

Nulle trace d'Avril dans la pièce. Le lendemain de leur arrivée, Dante l'avait emportée avec lui en prétextant qu'elle serait bien mieux confiée à une famille aimante, éloignée des tracas de l'Université. Avril n'avait pas protesté, l'esprit déjà lavé par le vampire. Les yeux vides, elle faisait penser à une poupée de chiffon attendant qu'on veuille bien disposer d'elle.

Deux heures plus tard, Dante était revenu pour annoncer que tout s'était bien passé. Il avait conditionné un couple aisé. Un homme et une femme qui ne pouvaient pas avoir d'enfant mais qui avaient entrepris des démarches d'adoption. Grâce aux papiers falsifiés par Moustafa et une bonne *suggestion* de la part de Dante, l'affaire s'était arrangée sans heurt. Oubliés, ses compagnons et les souvenirs traumatisants que pouvaient représenter son ancien patron Garibaldi ou Dima, le Boucher de Bachkirie, son passé était désormais percé d'un grand trou que les papiers de l'institut d'adoption expliqueraient par une amnésie post-traumatique. Avril se lançait dans une nouvelle vie, gâtée et choyée par des parents aimants. Une vie dont elle avait finalement toujours rêvé.

Framboise n'avait pas supporté cette injustice.

– Pourquoi elle et pas nous ? Est-ce qu'on n'a pas mérité le droit nous aussi d'être naïves et heureuses ? d'être en famille ? Pourquoi est-ce qu'on ne pourrait pas bénéficier du même traitement de faveur ? Quel est l'intérêt de nous laisser croupir dans ces égouts ?

– Parce que cette guerre vous concerne, avait répondu Dante avec le ton calme et sérieux dont il ne se départissait jamais. Parce que si je vous lâche en pleine nature et que je vous abandonne à votre propre sort, l'Université vous retrouvera et se fera un malin plaisir de vous supprimer.

– Supprimer… tu veux dire tuer ?

– Pas forcément. La mort serait le sort le plus enviable. Ils pourraient tout aussi bien vous effacer entièrement la mémoire, vous faire croire que vous appartenez à l'Université depuis votre naissance et vous transformer en formidable petit soldat prêt à vous sacrifier pour sa cause. Donnerais-tu ta vie pour moi ?

– Non ! Enfin, je ne sais pas. Ça dépend.

– Eh bien, certains enfants de l'Université le feraient sans hésiter pour protéger Père. Ils n'en ont même pas conscience. Voilà une des raisons pour lesquelles il est impossible d'affronter l'Université de front. À moins d'être prêt à voir mourir des innocents.

Dante avait quitté la pièce sur ces dernières paroles, laissant les trois enfants à la bonne garde de Moustafa.

Framboise se rapprocha du foyer et se laissa tomber dans un fauteuil. Elle se souvenait de son enthousiasme quand elle était arrivée ici le premier soir. Ils avaient sauté du train qui roulait au ralenti au plus profond d'un tunnel ferroviaire et s'étaient glissés dans un refuge noirci par la suie. Au bout de ce renfoncement, dissimulée derrière une armoire électrique, une porte soigneusement entretenue détonnait dans cet univers de briques sales car elle était visiblement blindée et protégée par trois serrures anti-effraction. Dante avait sorti un trousseau et avait trouvé sans hésitation la clé pour chaque serrure. Puis, après un regard en arrière, il avait tiré l'huis qui avait glissé silencieusement sur ses gonds. Poussant les trois enfants devant lui, il avait refermé consciencieusement la porte et s'était enfoncé dans le long couloir qui les avait amenés jusqu'au sommet d'un escalier chichement éclairé descendant dans les entrailles de la Terre. En bas, leur progression avait abouti à cette splendide salle chauffée par une gigantesque cheminée.

Tout ce mystère et ces secrets avaient été terriblement excitants mais, au bout de quelques heures, la tension était retombée et l'émerveillement avec. Plongés dans une obscurité sans fin, les trois ados avaient vite perdu leurs repères. Ils dormaient dorénavant quand le sommeil se faisait sentir, mangeaient à l'envi. Et puis, il y avait ce froid tenace qui donnait l'impression que jamais le soleil ne se lèverait à nouveau, les murant dans une nuit sans fin.

Une semaine, un mois, un an, Framboise ne pouvait dire depuis combien de temps ils étaient là. Chacun réagissait de façon différente au dérèglement de son horloge interne : Mélusine était tombée dans un état amorphe, Tristan semblait ne plus dormir et apprenait frénétiquement tout ce que Moustafa était en mesure de lui enseigner. Quant à Framboise, elle s'était transformée en marmotte, dormant plus que de raison, fuyant la réalité dans le sommeil. En tout cas, tant qu'un cauchemar ne venait pas piétiner sadiquement ses rêves.

Framboise zieuta du côté des ordis pour y trouver Moustafa et Tristan qui ne semblaient incommodés ni par le froid ni par la fatigue. Tous deux étaient en train de pianoter devant une multitude d'écrans, complètement silencieux. Sûrement en pleine conversation, pensa la jeune fille avec une pointe de jalousie.

– Laisse-les tranquilles, dit Mélusine en faisant sursauter la Voleuse.

Elle avait perçu la frustration de Framboise mais désapprouvait son hostilité envers le jeune homme. Mélusine en savait plus sur Tristan que n'en devinerait jamais Framboise. Le fait de partager le même don les rapprochait malgré eux et, de temps en temps, l'un laissait échapper une bouffée d'émotions que l'autre percevait. Mélusine savait donc que l'apparente froideur de Tristan n'était qu'une protection, une attitude qui vous sauvait la vie dans la rue, et qu'il fallait du temps au jeune homme pour accorder sa confiance. Mais sa vie d'avant ne lui manquait pas, les seuls regrets qui l'étreignaient parfois concernaient ses parents. Mélusine l'avait souvent surpris à visionner des holophotos de son enfance quand il pensait que Framboise et elle étaient endormies. Elle avait aussi perçu le sentiment de faute qui accompagnait inexorablement ces moments de nostalgie. Comme s'il était porteur de la culpabilité de ses parents. Tristan éprouvait un véritable tiraillement · fils d'assassins de vampires, pouvait-il faire confiance à ceux que ses parents avaient combattus ? Devait-il prendre parti ? Et à quel prix ?

Mélusine compatissait à la souffrance de Tristan et comprenait qu'il la garde profondément enfouie. Alors, quand elle avait perçu la jalousie de Framboise, elle l'avait trouvée terriblement injuste. La Voleuse ne savait rien du dilemme qui hantait Tristan, et ce n'était pas Mélusine qui allait le lui apprendre. Ce que Tristan gardait au fond de lui n'avait aucune raison d'être dévoilé par un autre. C'était une loi tacite entre Penseurs.

Framboise grimaça à l'intervention de Mélusine, renifla bruyamment et rétorqua dédaigneusement :

– Toi, arrête de m'espionner.

Framboise en avait vraiment plus qu'assez. De tout. De l'Université, de Mélusine qui écoutait tout ce qu'elle pensait, de Tristan qui la snobait avec Moustafa, du moustachu qui ne faisait rien de spécial mais c'était déjà suffisant pour l'énerver et de Dante qui n'était jamais là. Ras le bol du froid, du noir, des vampires, de la peur et de la fatigue qui ne cessait de la happer dans un sommeil de plus en plus torturé.

Oui, Framboise avait peur. Elle avait les boules, la pétoche, les chocottes. Elle avait beau serrer les dents, ça ne passait pas. Elle avait l'impression de se retrouver enterrée. Même affronter Léon aurait été préférable à ça. Elle en venait presque à envier le sort des étudiants restés à l'Université. C'était de toute façon sûrement mieux que de moisir ici sans savoir ce qu'ils allaient devenir. Elle avait la désagréable sensation d'être retenue prisonnière dans ces caves morbides.

Et puis il y avait les souris. Elle les entendait traverser les couloirs poussiéreux quand elle avait le dos tourné. Ça devait être un sixième sens de souris : attendre que personne ne les regarde pour s'aventurer hors de leur abri, perchées sur leurs petites griffes pointues, et traînant derrière elles leur petite queue dégoûtante

Le cours rédigé par Moustafa avait reussi à tout sauf à la rassurer. C'était sûr cette fois : elle vivait avec des vampires. Youpi. Deux vrais vampires avec des crocs, des envies de sang et des réactions bizarres. Deux vampires qui ne parlaient que quand ils n'avaient vraiment pas d'autre choix. Deux vampires qui se servaient de leurs pouvoirs aussi naturellement que Framboise se grattait le nez OK, ça n'était pas leur faute, c'était dans leur nature. Mais bon, il y avait une limite au nombre d'objets que Framboise supportait de voir voler. Surtout quand Moustafa semblait trouver hilarant de la faire hurler de peur en lui faisant léviter une araignée sous le nez. Très drôle, ah, ah. Aussi drôle que l'histoire de la fille qui se retrouve coincée au fond d'un égout avec deux vampires parce qu'un jour elle a voulu faire du roller un peu plus tard que d'habitude.

La vie est un truc stupide. Un jour, on embrasse sa mère pour lui souhaiter bonne nuit et le lendemain on se retrouve en train de combattre un vampire dans un entrepôt en feu. La vie de Framboise avait forcément dû prendre le mauvais chemin à un moment ou à un autre. Normalement, elle aurait dû réussir son bac, aller à la fac et avoir un petit copain qui aurait fait enrager ses parents.

Bon, alors, où est-ce que ça n'avait pas marché ? Où est-ce que le destin avait déraillé ? Ça devait être un type marrant lui aussi, le destin. Ou alors, complètement stupide. À moins qu'il n'ait voulu faire son malin pour impressionner une fille et dire un truc du genre : « Je te parie que j'arrive à ruiner la vie de quelqu'un, rien qu'avec une paire de rollers. » Et il avait fallu que ça tombe sur elle !

Sans quitter les flammes des yeux, Mélusine vint interrompre le monologue de Framboise.

– Arrête ! Tu te tortures la tête pour rien. Tu crois que je ne me suis pas posé les mêmes questions ? Encore et encore ? Pourquoi Monsieur B. ? Pourquoi l'Université invisible ? Pourquoi je suis Penseuse alors que je n'ai rien demandé ?

Framboise posa son front contre le bord de la cheminée fumante et sentit la chaleur des flammes lui caresser affectueusement le visage. Elle répondit à voix basse :

– Même quand j'essaie de pas y penser, j'y pense. Ou alors je fais des cauchemars. Ça fait longtemps que je n'ai pas dormi sans faire de rêves affreux sur ce qui aurait pu se passer à l'entrepôt. Et puis j'ai l'impression de ne plus y voir clair. Il y a tellement de choses qui se bousculent dans ma tête. Avant, la vie était si simple.

– Et alors, tu crois que ressasser tout ça va régler les choses ?

– Non, mais je commence à me poser des questions et ça me ronge. Il y a encore des morceaux de l'histoire qui ne collent pas. J'ai beau essayer d'assembler les pièces du puzzle, ça rentre pas. Il faut que je te le dise, mais... pas comme ça. Pas avec la voix. Est-ce que... (Elle se mit à murmurer en se penchant un peu plus vers Mélusine.) Est-ce que tu peux écouter ce que je pense sans que les autres entendent ?

– En principe, oui. Mais je n'ai jamais tenté l'expérience. Si tu veux qu'on essaie, il faut qu'on réussisse à créer un lien entre nous. Viens t'asseoir à côté de moi.

– Si tu me promets que tout restera secret.

Framboise rejoignit Mélusine sur les dalles chauffées par le feu. Elles se recroquevillèrent l'une contre l'autre et joignirent leurs mains. La Voleuse sentit une brèche s'ouvrir dans son flot de pensées. Comme si un couloir venait de se former entre les deux jeunes filles. Un couloir qui devint une autoroute quand la voix de Mélusine résonna dans la tête de Framboise.

– *Promis. Qu'est-ce qu'il y a de si important pour que tu ne veuilles pas le dire à voix haute ?*

– *Ça promet de pas être très ordonné.*

– *Avec toi, j'ai l'habitude. Je t'écoute.*

Elle hocha la tête et laissa ses pensées mêlées de souvenirs s'écouler vers Mélusine.

– *Dante est un vampire. Moustafa est un vampire. Dima est un vampire. Dima était vraiment effrayant. Comment savoir si Dante n'est pas comme Dima ? Le Boucher de Bachkirie. Il a eu peur de Dante. Tu n'étais pas là mais moi j'ai vu.*

(L'image de la scène d'affrontement surgit au milieu de leur échange de pensées. Tristan effondré par terre, les flammes tout autour et Dima, les yeux grands ouverts, surpris par l'apparition inopinée de Dante.)

– *Dima ne voulait pas affronter Dante. Est-ce que ça veut dire que Dante est plus à craindre que Dima ? Même s'il nous a sauvés, Tristan et moi ? Comment savoir si on peut lui faire confiance ? Qui est l'exception ? Dante ou Dima ? Est-ce que l'Université a vraiment tort ? Les parents de Tristan ont été tués par des vampires. Ce jour-là, Dante nous a dit qu'il était arrivé trop tard. Est-ce que c'est vraiment vrai ? Est-ce qu'il n'a pas tout simplement fermé les yeux sur l'assassinat de deux chasseurs de vampires ? L'Université chasse les vampires. Ou plutôt les chassait. Quels intérêts protégeait-elle ? Les siens ou ceux de tous les êtres humains ? L'Université... Léon lui aussi nous a sauvés la vie dans l'entrepôt de Dima. Et Franky... Bon sang ! Où sont les gentils et les méchants dans cette histoire ? Qui nous dit qu'on est du bon côté ?*

– *J'en sais rien. Moustafa a l'air gentil, lui. C'est un vampire aussi.*

– *Il n'a l'air ni gentil ni méchant. Il s'en fiche de nous. C'est comme si on était transparentes. Je l'ai jamais vu sortir en ville comme Dante le fait tout le temps. C'est comme si Dante veil-*

lait sur Moustafa. Peut-être que c'est un vampire malade. Ça existe les vampires malades ?

– *Tu veux dire qu'il serait anémique. Il ne serait pas aussi fort que Dante ?*

(Une image jaillit : un souvenir de la nuit que Framboise avait passée dans la planque des deux vampires. Dante rapportant à manger pour Framboise et à boire pour Moustafa.)

– *Ça voudrait dire qu'il boit du sang. Beuh, rien que d'y penser…*

– *On mange bien du steak de vache morte. Non, la question c'est : est-ce que Moustafa se nourrit de sang humain ? Est-ce qu'il mord des gens ? Est-ce qu'un jour il pourrait nous croquer parce qu'il aurait une petite faim ? Tu trouves pas qu'il ressemble à un ogre avec ses moustaches ?*

– *Hé ! J'ai pas envie d'être mordue ! Mais si Mous se nourrit de sang, qu'est-ce qu'il mange, Dante ? On ne connaît que trois spécimens de vampires : Dante, Mous et Dima. Ça fait un sur trois qui est un psychopathe. Avec Mous qui boit du sang, ça fait deux sur trois qui aiment le sang. Oh la vache, ça fout…*

– *les boules. Ça, on peut le dire. Tu comprends maintenant…*

– *pourquoi tu as peur ? Oh oui. Et finalement, Léon…*

– *n'était pas si effrayant que ça.*

– *Et lui au moins…*

– *était humain.*

– *OH, LES FILLES ! Ça vous dérangerait de nous faire part de vos petites messes basses ?*

Mélusine et Framboise tressaillirent à l'unisson quand la voix de Moustafa rugit dans leur tête.

Le géant se tenait devant elles, les poings appuyés sur les hanches, son expression oscillant entre colère et inquiétude.

– C'est très impoli de faire ce genre de truc, s'alarma Moustafa. Qu'est-ce que vous cherchez à dissimuler, bande de petites cachottières ?

– Qu'est-ce que ça peut te faire, espèce de fouineur ! cracha Framboise d'une voix faible.

La séparation avait été trop brusque. Elle était étourdie par un vertige qui faisait tanguer toute la pièce. En inspirant lentement pour faire disparaître sa nausée, elle se fit l'impression d'avoir oublié comment garder son équilibre. Au bout de quelques minutes, son vertige diminua et le sol sembla se calmer. Elle en profita pour accommoder sa vision et jeter un coup d'œil à sa copine.

– Ça va, Mélu ?

La jeune fille ne répondit pas, pas plus qu'elle ne sembla avoir entendu. Le teint livide, elle gardait les yeux fermés dans l'espoir de calmer le maelström qui secouait le monde autour d'elle et tentait désespérément de reprendre son souffle. Elle avait l'impression que le tourbillon allait l'emporter sans lui laisser l'opportunité de reprendre pied. Son sang pulsait si fort contre ses tempes qu'elle y posa ses mains dans l'espoir d'apaiser la migraine qui s'installait. Elle entrouvrit les yeux pour vérifier qu'elle n'était pas tombée au fond d'un gouffre.

Le vampire continuait à la fixer. À travers une vision rendue floue par la douleur, Mélusine fut surprise de découvrir que Moustafa était inquiet.

– Je suis chargé de vous surveiller. Et, comme par hasard, je me lève pour raviver le feu et je me rends compte que vous êtes justement en train d'enfreindre les règles. On ne vous *entendait* plus !

– On a quand même le droit de parler en privé. Non ? tenta de plaider Framboise.

Moustafa soupira bruyamment, l'air soucieux.

– Bien sûr. Mais pas de cette manière. Pas sans me prévenir que vous tentez un truc avec vos pensées. Que je suis stupide ! Je n'aurais jamais dû vous faire confiance et relâcher ma vigilance. Bon sang, ça fait plus d'une heure que vous êtes assises là sans bouger.

– Une heure ! Mon œil ! Ça fait à peine cinq minutes.

– On a juste échangé quelques phrases, compléta Mélusine d'une voix tremblante.

Tristan intervint du fond de la pièce :

– Non, Moustafa a raison. Ça fait plus d'une heure que Dante est parti. Quand Moustafa vous a vues, il a tout de suite senti que quelque chose n'allait pas. Heureusement que le feu faiblissait car Mous et moi étions tellement absorbés par ce que nous faisions qu'on a rien *entendu*. Pourtant c'était évident une fois qu'il me l'a fait remarquer. Il était impossible de démêler l'esprit de Framboise du tien, Mélusine. C'était comme si vous aviez deux corps pour une seule identité.

– Et une seule voix, compléta Moustafa. Ça me vexe de le concéder, mais heureusement que le feu m'a détourné à temps des ordis parce que sinon on aurait eu une fille avec deux esprits et une enveloppe vide autrefois appelée Framboise. Mélu aurait réintégré son corps en t'emportant avec elle. À moins qu'elle n'ait réussi à se dépatouiller de toi en te laissant dans un coma profond.

– J'aurais très bien pu reprendre conscience toute seule. Je suis assez grande pour savoir ce que je fais.

– Mais bien sûr ! Laisse-moi te rappeler, ma petite, que tu n'es qu'une Voleuse. Tu n'as aucune notion du danger que tu cours en prenant part à ce jeu de Penseur. Ton corps n'aurait aucun moyen de récupérer ton esprit si celui-ci s'échappait. C'est ce qui a bien failli arriver. (Moustafa soupira et s'éloigna en secouant la tête, dépité.)

J'ai eu tort de vous faire confiance. Vous n'êtes vraiment que deux gamines écervelées. Et Dante va me passer un sacré savon quand il va savoir ça.

Piquée au vif, Framboise tenta de se lever et trébucha maladroitement. Le sang afflua de nouveau dans ses membres ankylosés et des fourmis vinrent lui grignoter chaque muscle des jambes. Elle s'écarta du feu, la démarche hésitante.

– Pour qui tu te prends ? Toi qui n'es même pas capable de sortir en plein jour sans te mettre à croustiller comme une biscotte. De quel droit tu me donnes des leçons ? Espèce de vampire !

– Framboise… commença Tristan.

– Toi, l'enfant prodige, ça va ! Tu es aussi inhumain que lui. Je ne serais même pas étonnée si tu te mettais à boire du sang. Vous en faites une jolie paire de cinglés. Ajoutez-y l'autre qui n'est jamais là et ne daigne même pas nous adresser la parole. Ça fera le trio infernal. D'ailleurs vous devriez rester entre mecs puisqu'on vous encombre tant que ça. Vous avez déjà réussi à vous débarrasser d'Avril, alors pourquoi ne pas nous faire toutes disparaître ? Je ne demande que ça, retrouver une famille et oublier toute cette histoire de guerre de pouvoir de machos et compagnie. Pourquoi vous ne faites pas la même chose avec moi ? Un petit effaçage et hop ! Bonjour nouveau papa et nouvelle maman, je suis votre fille adorée, Framboise !

– Tu sais que ce n'est pas aussi simple, intervint Moustafa d'une voix sombre.

– Mais si ça l'est. Je veux que ça le soit.

Malgré ses efforts pour les retenir, des larmes s'échappaient de ses yeux pour aller s'écraser par terre. Larmes stupides ! Parterre stupide ! Garçons stupides ! Pour qui se prenaient-ils avec leurs grandes leçons de morale ? Est-ce qu'elle n'était pas assez grande pour se débrouiller seule ? Une bouffée de colère lui apporta la réponse. Si ! Elle était Framboise ! Elle n'avait besoin de personne.

Framboise hurla de rage et sentit le pouvoir affluer en elle. Il fallait qu'elle casse quelque chose pour se défouler. Comme s'il l'avait entendu penser (et c'était sans aucun doute le cas), Moustafa s'avança vers elle et Framboise le prit pour cible. Elle libéra d'un élan le pouvoir qui menaçait de la submerger et le projeta vers lui. Le vampire reçut de plein fouet l'attaque. Il sembla l'absorber en partie jusqu'à ce qu'un air surpris s'affiche sur son visage. Au même instant, le pouvoir qu'il pensait contenir le déborda pour le projeter violemment à terre. Il se releva dans la seconde, s'épousseta le pantalon et s'approcha de nouveau, un demi-sourire au coin des lèvres.

Framboise laissa exploser sa fureur.

– C'est pas possible ! Pour une fois qu'on se sentait bien, Mélusine et moi, vous pouviez pas nous laisser tranquilles ? Et puis, de toute façon, qu'est-ce que ça peut vous faire qu'on prenne des risques ? Si on mourait toutes les deux vous seriez bien débarrassés, non ? Enfin libres. Plus besoin de jouer les baby-sitters avec ces deux poids morts d'adolescentes. Qui ça pourrait embêter qu'on disparaisse ? Personne ! Tu t'occupes de nous parce que Dante te l'a demandé mais visiblement tu t'en serais bien passé ! Ça fait des jours qu'on croupit dans ces égouts dégueulasses et quoi ? Rien ! Il ne se passe rien ! Toi, tu nous ignores, tu n'as d'yeux que pour Tristan et tes ordinateurs, et nous, on passe notre temps à tourner en rond et à manger des paquets de gâteaux. On est pas des hamsters ! Merde ! J'ai rien d'autre à me mettre qu'un uniforme tout pourri. Je me suis pas lavée depuis beaucoup trop longtemps ! Je sens pas bon, mes cheveux sont dans un état lamentable, je suis malade à en crever mais tout le monde s'en fout ! Dites ce que vous voulez, mais moi je me casse de cette tombe ! Ras le bol !

Framboise s'attendait à être retenue, empêchée par Moustafa ou Tristan mais rien. Elle atteignit rapidement l'escalier qui menait à la surface et s'arrêta, la gorge serrée par l'appréhension. Elle piétina quelques secondes dans la poussière lourde, essuyant les larmes qui lui brouillaient la vue et redoutant de faire marche arrière. Puis, dans un élan, elle se jeta dans l'ascension des marches.

À elle de prendre sa vie en main. Elle était aussi capable que n'importe qui d'autre de se défendre. Est-ce qu'elle n'avait pas réussi à bousculer Moustafa ? Elle n'était plus une gamine et elle pouvait se débrouiller toute seule. Toute seule ou avec Mélusine. Si seulement celle-ci acceptait de la suivre. Elle essaya de penser assez fort pour être entendue, allant jusqu'à crier dans sa tête : *Mélu, viens avec moi !* Mais aucune réponse ne lui parvint. Soit elle ne savait pas s'y prendre, soit Mélu ne voulait pas l'entendre parce qu'elle était trop lâche pour l'imiter. Tant pis pour elle, pensa Framboise en gravissant deux par deux les marches de l'escalier souterrain.

Hôtel des Deux Mondes
Business Center

Cela faisait cinq ans que Samya était réceptionniste à l'hôtel des Deux Mondes et elle aurait pu sans conteste classer cette nuit première au palmarès des nuits les plus bizarres de toute sa vie.

Pourtant, des choses bizarres, elle en était presque devenue une habituée. C'était en partie dû à l'endroit où elle travaillait. Son patron, un fanatique des monuments historiques avait racheté l'immeuble défraîchi il y avait un quart de siècle et lui avait rendu son clinquant d'antan. Enfin… un antan qui devait remonter au milieu du XIXe siècle, quand la télé, la climatisation et l'informatique étaient des mots inconnus au vocabulaire. Bref, tout était d'époque. Des lampes à gaz aux tapis qui décoraient le hall d'entrée. Ça ne manquait pas de classe, bien sûr. Ça avait même fait les gros titres des journaux, à son ouverture.

Seulement, le directeur et propriétaire de l'hôtel des Deux Mondes avait omis plusieurs détails le jour où il avait investi toute sa fortune pour retaper cette ruine. D'abord, les deux immeubles de part et d'autre du petit hôtel avaient eux aussi été rachetés par deux compagnies concurrentes qui n'avaient ensuite eu de cesse d'élever un plus grand building que le voisin de son voisin. L'hôtel avait vite été plongé dans une obscurité grisâtre digne d'une nuit polaire, ses modestes deux étages encastrés entre deux pans de béton qui frôlaient, quant à eux, les cent cinquante étages. Une réconciliation inopinée avait bientôt entraîné la fusion des deux entreprises qui avaient, pour fêter ça, fait ériger une large passerelle entre leurs immeubles respectifs : un troisième pan de bureaux, suspendu entre les deux premiers qui surplombait du dixième au cent cinquantième étage le minuscule hôtel désormais plongé dans une nuit sans fin.

Pour finir, le quartier entier s'était converti en Business Center, désert à partir de 19 heures, sans un commerce à l'horizon. Un décor de béton peuplé d'une cohorte de femmes de ménage et d'hommes d'entretien la nuit, et le jour par des cadres au costume gris et au stress agressif.

Il y avait cinq ans, Samya avait été embauchée pour remplacer la réceptionniste qui venait de démissionner pour dépression nerveuse. Elle était partie vivre dans une station balnéaire du Pacifique qui se targuait d'être, d'après la carte postale de démission qu'elle avait fait parvenir, « la ville la plus ensoleillée du monde ! » La phrase était agrémentée d'une image de plage de sable et de ciel bleu et, en pressant sur le soleil, on pouvait même entendre le ressac et le cri des mouettes. Ce que Samya évitait soigneusement de faire, elle qui trouvait que le chant de ces oiseaux marins ressemblait plus à des gémissements de déments.

Dire qu'il n'y avait jamais de clients à l'hôtel des Deux Mondes n'était pas la stricte vérité. De temps en temps, des hurluberlus se perdaient dans le quartier des affaires et atterrissaient devant l'hôtel, attirés et fascinés par sa façade en bois sculpté, comme des mouches devant un néon. Ils venaient alors débiter leurs élucubrations sur le comptoir de Samya qui les écoutait en prenant des notes avec la patience d'une psychologue expérimentée. Voyageurs inoffensifs, ils se laissaient offrir le gîte et le couvert pour la nuit et repartaient le lendemain matin les yeux hagards et le cerveau embrouillé par cette étape hors du temps.

Ce soir-là, Samya avait pris comme d'habitude son service à 19 heures. Elle était arrivée par le dernier bus, avait salué l'unique femme de ménage qui venait de terminer le dépoussiérage des chambres et s'empressait de rentrer chez elle. Samya avait passé le corset, les jupons et la robe vert foncé qui constituaient aujourd'hui son uniforme. Elle avait noué avec soin les bottines qui achevaient de la transformer en femme modèle du siècle de la révolution industrielle et s'était lancée dans sa ronde habituelle au cours de laquelle elle vérifiait le bon fonctionnement des becs de gaz des lampes. Cela fait, elle avait gagné son poste de garde et s'était assise dans une chaise en bois qu'elle avait fini par trouver confortable.

À 21 heures, ce soir-là, elle veillait tranquillement à la réception, une tasse de café fumant à portée de main et le regard vrillé sur le clavier de l'antique machine à écrire qui lui servait à retranscrire les paroles décousues de ses visiteurs dérangés. C'était devenu comme un jeu et les suites de phrases qu'elle conservait précieusement finissaient par former, à son grand ravissement, comme une sorte de recueil de poésies oscillant entre art et folie. Elle s'attachait à taper la phrase «Triste voyage qu'accomplit cet aristoloche pour le seul confort de sa petite Angèle»* quand un toussotement poli la fit sursauter.

– Hum, hum…

Samya se redressa vivement, surprise de ne pas avoir entendu la clochette de la porte d'entrée tinter et annoncer le client qui se tenait à présent devant elle.

C'était un homme grand, élancé et finement musclé. Il avait le style beau gosse avec ses cheveux bouclés négligemment retenus en une queue-de-cheval. Seule détonnait une peau d'une infinie blancheur là où on se serait attendu à un bronzage de surfeur. Ses yeux bleus brillant d'une intelligence vive la fixaient patiemment. Samya ne put s'empêcher de rougir avant de se reprendre et de donner à son sourire une rigueur toute professionnelle.

– Monsieur ?

– Belle demoiselle, commença l'homme blond en s'appuyant sur le comptoir, je souhaiterais savoir si des chambres sont disponibles pour cette nuit et la suivante.

– Sans problème, monsieur. Vous désirez combien de chambres ?

– En fait, je préférerais louer tout l'hôtel pour être tranquille. Mes amis et moi-même ne souhaitons pas être dérangés par des visiteurs inopportuns.

– Oh !... Très bien, monsieur. À quel nom dois-je réserver ces chambres ?

– Vincent de la Morsanglière. Mais vous pouvez m'appeler Vincent, Mademoiselle... Samya, déchiffra-t-il en se penchant un peu plus pour lire le badge accroché à la poitrine de la réceptionniste.

– Donc, je vous réserve les vingt-cinq chambres de l'hôtel. Vous savez que, pour une telle demande, je vais avoir besoin de votre empreinte d'identité. C'est une caution obligatoire, expliqua Samya

Elle sortit la MAII* de dessous le comptoir. C'était un appareil qui permettait d'accéder à la fiche descriptive du client grâce au prélèvement indolore d'un minuscule morceau de peau et à son analyse ADN immédiate. L'hôtel vivait peut-être dans un autre siècle, mais le gouvernement, lui, rendait obligatoires des machines telles que celle-là. Identité du client, somme d'argent disponible sur son compte, casier judiciaire et profil psychologique, le gouvernement ne plaisantait jamais avec la sécurité.

Vincent de la Morsanglière leva la main à la vue de la machine et rétorqua avec un sourire charmeur :

– *Oh non. Ce serait vraiment inutile de prendre mon empreinte, n'est-ce pas ? De toute façon, vous n'avez jamais eu confiance en ces machines. Est-ce que je me trompe ?*

Le regard de Samya fut voilé par un instant de doute. Pas d'empreinte ? Pas de mesure de sécurité ? Après tout, pourquoi pas ? Cet homme était assez séduisant pour être sincère.

Vincent sembla hocher la tête en accord avec ce qu'elle venait de penser. Samya retrouva son sourire poli. Elle se retourna, posa la MAII et décrocha du mur une grosse clé argentée qu'elle posa sur le comptoir de bois lustré et expliqua :

– Au lieu de vous donner 25 clés, je vous confie le pass de l'hôtel. Il ouvre toutes les chambres. Faites-en bon usage.

– Merci Samya, dit Vincent en attrapant la clé et en la faisant tourner autour de son index. Vous êtes une jeune femme très séduisante.

– Le petit déjeuner est à 6 h 30, répondit Samya en rougissant de plus belle.

– Ne prévoyez pas de petit déjeuner. Et donnez congé aux femmes de ménage. Cette robe vous va à ravir. Elle met en valeur l'éclat doré de vos yeux.

– La réception est ouverte 24 heures sur 24 et je serai en poste de 19 heures à 9 heures du matin si vous avez besoin de moi.

– Ne vous a-t-on jamais dit que vous aviez un air de famille avec la princesse Anne de Bretagne ? Vous avez le même profil et le même grain de beauté au coin de la lèvre. Anne adorait les promenades à cheval sous la pleine lune. Vous savez monter à cheval ?

– Vous pouvez contacter le service d'étage à partir de votre chambre en tirant sur le cordon qui se trouve à droite de votre tête de lit, continua Samya d'une toute petite voix.

– Et ces cheveux ! Quelle beauté ! Le rouge insolent des guerrières écossaises ! s'émerveilla l'homme en tirant l'épingle qui retenait le chignon de la jeune femme ; une cascade de cheveux roux explosa sur les épaules de la jeune femme. Vous devriez les laisser libres. Une telle parure ne doit pas être attachée.

– Un dîner pourra vous être servi... euh, je...

– Vincent ! s'exclama l'homme en costume qui venait d'entrer à son tour dans la réception. Veux-tu bien laisser cette demoiselle faire son travail. Quel manque de tenue. Tu fais un bien piètre hérault. Je savais bien que j'aurais dû me charger moi-même de cette besogne.

Le nouveau venu attrapa les doigts que Samya avait laissés posés sur le comptoir.

– Veuillez pardonner mon compagnon, Dame. Il ne sait jamais se tenir très longtemps face à une belle femme. Et Dieu sait que vous êtes une personne d'une exquise beauté. Un spectacle pour les yeux, un ravissement pour le cœur.

Il se pencha pour lui faire un baisemain et vriller son regard dans les yeux de Samya.

– *Quoi qu'il en soit, vous aurez l'extrême politesse de ne plus accorder d'attention à nos allées et venues. Nous ne sommes que des ombres pour vos sens et un souffle pour votre esprit. Vous resterez seule à la réception pour décourager d'autres clients et donnerez congé à tous les autres employés. Dans deux jours, nos chambres seront vidées et vous trouverez sur le compte de l'hôtel suffisamment d'argent pour que ce désagrément soit justifié. Qu'il en soit ainsi.*

– Amen, ajouta Vincent en ricanant. Tu ne pouvais pas faire encore plus compliqué pendant que tu y étais ? Ça ne te suffisait pas de dire « vous ne nous verrez plus » et voilà. Il faut toujours que tu épates la galerie avec des phrases qu'on dirait sorties du théâtre de Shakespeare.

– Ça te va bien avec tes « j'ai bien connu la princesse de Bretagne ». Qui croyais-tu impressionner, sincèrement ? Il n'y a que les mignonnes pour croire à tes fables.

– Mais j'ai vraiment connu la princesse ! Mettrais-tu en doute ma sincérité ?!

– Ce que je mets en doute, ce sont tes manières rustres de chevalier.

– Tout le monde n'a pas été élevé à la cour de la reine d'Angleterre !

– Sa Majesté la Reine savait, elle au moins, s'entourer de gens de goût.

Pendant que la dispute continuait entre les deux hommes, Samya retourna s'asseoir devant sa machine à écrire, se disant que décidément, ses nuits étaient vraiment trop calmes. Pas une seule fois, elle ne releva la tête. Elle ne vit, pas plus qu'elle n'entendit, les deux hommes continuer à se chamailler comme deux gosses au sujet de la conduite à tenir dans les lieux publics. Son cerveau, désorienté, recevait des informations qu'il lui était impossible de traiter et qui finissaient pas disparaître, en l'absence de cibles à atteindre. Désormais, elle savait que l'hôtel était loué et complet pour deux nuits. Par qui ? Pour qui ? Elle n'en avait pas la moindre idée. Mais cela ne l'alarmait pas. *On* lui avait dit de ne pas s'inquiéter.

Aux yeux du commun des mortels, Vincent et son compagnon auraient pu passer pour des gens parfaitement ordinaires. Encore eût-il fallu que ce commun-là soit myope et ait égaré ses lunettes. Vincent portait, accroché à la ceinture de son jeans, un baudrier de cuir qui abritait une épée longue à la garde finement ouvragée sur laquelle il avait négligemment posé une main. En face de lui, l'homme au physique de lord anglais et au costume impeccable tenait dans sa main gauche une canne à pommeau d'ivoire qui dissimulait la lame effilée d'un fleuret.

Pendant que les deux hommes discouraient, d'autres individus firent leur apparition dans le hall discrètement éclairé de l'hôtel des Deux Mondes. Une femme brune, serrée dans un corset étroit et jupée dans un frou-frou de tissus couleur prune (qui n'était pas sans rappeler le style XIXe du costume de Samya, quoique dans une version plus décolletée), entra sans un bruit. Derrière elle, venait un homme à la peau et aux cheveux noirs. Habillé de noir, il se déplaçait avec les mouvements fluides du prédateur et on devinait, attaché dans son dos, la forme d'un sabre endormi dans son fourreau. L'homme accompagnait une femme mince aux longs cheveux blonds délicatement tressés et entrelacés d'une multitude de rubans rouges.

Tandis que le couple s'enfonçait silencieusement dans la pénombre des couloirs de l'hôtel, la femme brune vint s'interposer gaiement entre les deux amis dont le même sujet entretenait la même dispute depuis des siècles. Elle s'accrocha amoureusement aux épaules de l'homme qui n'était pas Vincent et déclara d'une voix d'alto :

– William, ça suffit. Tu es aussi fatigant que Vincent. Aucun de vous deux n'aura le dernier mot.

Passage secret
Tunnel ferroviaire

Framboise déboucha dans le refuge du tunnel sale. La porte blindée se referma derrière elle dans un bruit sourd. Elle ne pouvait désormais plus faire marche arrière. Trébuchant sur la voie ferrée, elle tomba les deux mains en avant sur les pierres poussiéreuses et s'écorcha le genou. « Ça commence bien » marmonna-t-elle en s'essuyant les paumes sur sa veste. Son pantalon avait maintenant un trou et des morceaux de tissu collaient à sa blessure qui picotait. Elle se redressa, grimpa en équilibre sur la surface lisse d'un rail et se mit à le suivre, à la façon d'une gymnaste sur sa poutre. Elle tendait de temps en temps l'oreille craignant de ne pas entendre les trains arriver. Quand elle parvint enfin à l'air libre, elle ne put réprimer un soupir de soulagement. La voie ferrée était toujours encaissée entre deux pans de murs couverts de tags délavés et de suie mais au moins elle avait un ciel au-dessus de la tête.

La nuit venait juste de tomber et les lumières de la ville l'empêchaient de voir les étoiles. Parsemé de quelques nuages qui traînaient paresseusement en bandes grisâtres, le ciel n'avait rien d'exceptionnel, pourtant Framboise le trouva magnifique. Elle marcha le nez en l'air sur un bon kilomètre avant de repérer une échelle de service qui lui permit de gagner le niveau du sol et de bifurquer vers des rues plus éclairées.

Mais ce qu'elle découvrit au bout de quelques centaines de mètres la laissa pantoise. Dans un quartier à l'architecture très européenne, s'alignaient des restaurants d'où s'échappait une odeur délicieuse, des vendeurs de journaux aux gros titres indéchiffrables, des fruitiers aux étals chargés de mangues, de litchis et même de bananes.

Chinatown ! Bien sûr, elle ne pouvait être que dans un quartier chinois.

Il devait être près de 20 heures mais l'endroit était aussi animé qu'en plein jour. Elle passa devant un marchand de fruits et l'homme lui offrit une figue mûre à point qu'elle accepta avec un sourire ravi. Quel danger pouvait-elle bien courir dans un quartier aussi vivant ? Elle s'arrêta pour croquer le fruit à pleines dents et contempler la vie qui l'entourait. Après cet isolement forcé, tant d'odeurs et de bruits lui donnaient le tournis et la faisaient sourire comme une imbécile. Quand elle voulut remercier le marchand pour la figue, elle eut la désagréable surprise de le voir détailler avec intérêt l'insigne brodé à son uniforme. Elle se força à continuer son chemin et à faire comme si de rien n'était.

Jusqu'où pouvait bien se porter l'influence de l'Université ? Puisqu'elle l'ignorait, il valait peut-être mieux se montrer discrète. Du calme, se rassura-t-elle, des uniformes comme celui-là, il doit en exister pour chaque école du quartier et pour chaque quartier de la ville. Je ressemble à n'importe quelle lycéenne de mon âge ; le marchand voulait peut-être juste savoir de quelle école je viens. Ça ne sert à rien de s'inquiéter.

Elle essuya ses mains poisseuses de jus de figue sur son pantalon et serpenta entre les passants. Mais son impression de liberté s'évaporait plus vite que la fumée d'un bâton d'encens. Elle se surprit à guetter les réactions de ceux qu'elle croisait. Est-ce que celui-là ne la regardait pas d'un air un peu trop insistant ? Est-ce que le coup de fil que passait en ce moment même le marchand de fruits n'avait pas, en fait, pour but de la dénoncer à l'Université ? Ce coup-ci, personne ne l'épaulait pour lui porter secours en cas de problème. Elle ne put retenir un frisson qui lui laissa la nuque glacée et les joues enflammées. Quoi qu'il arrive désormais, elle était vraiment toute seule.

Framboise se sentit soudain aussi vulnérable qu'un bébé antilope entouré de lions. Elle se frotta les yeux prenant pour excuse une poussière et un besoin pressant de se moucher.

Mieux valait peut-être faire demi-tour avant de commettre une bourde irréparable. Rentrer et se comporter comme si rien ne s'était passé, voilà la meilleure solution. Moustafa pourrait bien la railler, elle s'en moquerait. De toute façon, elle n'avait pas d'argent, pas d'endroit où dormir et il commençait à faire vraiment froid.

Non ! Ne faiblis pas ! Ne craque pas ! hurla la petite voix combattante dans sa tête. Souviens-toi de ta colère !

Elle sentit une bouffée réconfortante de rage la pousser en avant.

Bon sang, mais comment avait fait Tristan pour vivre si longtemps dans la rue ? Ça paraissait facile quand c'était lui qui le racontait. À l'évocation du garçon, une idée lumineuse germa dans sa tête. Bien sûr ! Voler, voilà ce qu'il fallait qu'elle fasse. Se procurer un truc de valeur qui l'aiderait à commencer. Ensuite, elle pourrait toujours l'échanger contre de la nourriture ou un manteau.

Elle se souvint être passée devant un bijoutier qui avait mis à l'extérieur de son magasin un stand de perles en pierres semi-précieuses. Voilà un truc idéal à faire voler et à voler.

Elle s'approcha nonchalamment de l'étalage, jeta un coup d'œil innocent aux petites perles qui s'entassaient là et s'éloigna tout aussi tranquillement. C'était parfait. Une perle, c'est comme une bille c'est dur, plein et ça ne demande qu'à rouler.

Framboise dépassa le bijoutier et se chercha un coin tranquille où personne ne ferait attention à elle. Elle s'arrêta devant la façade d'un restaurant où tournaient des canards laqués embrochés. À côté du gril à l'odeur délicieuse, s'entassaient des cageots et des cartons vides qui faisaient comme un mur de protection. Elle se glissa derrière et s'assit sur un amas de cartons déchirés. À travers les petites bandes de bois des cageots, elle voyait parfaitement le bijoutier et son étalage prétentieux de pierres. L'appréhension nouait sa gorge comme un étau mais elle s'exhorta au courage. Elle en était capable, elle le savait.

La foule s'interposait par vagues entre sa cible et elle. Il allait falloir qu'elle se concentre. Elle choisit une petite perle, une verte, qui se voyait distinctement dans l'amas de billes sombres. Elle essaya de se la représenter, posée sur les autres, toute ronde, toute lisse qui pesait son poids de petite pierre. La perle trembla et Framboise retint son souffle quand une autre perle posée contre elle dévala le petit sommet avant de s'arrêter, bloquée par le bord de la boîte. Alerté par le bruit, le bijoutier assis à côté de son stand interrompit sa lecture, jeta un regard à son étalage puis replongea dans son roman.

La perle verte se souleva un peu, juste de quoi ne pas perturber encore une fois l'équilibre de ses voisines. Elle tourna délicatement sur elle-même, vérifia sa propre rondeur puis bondit d'un saut souple par-dessus la boîte qui la retenait prisonnière. Elle freina sa chute juste avant son impact avec le sol et atterrit avec légèreté sur le bitume gris. Les pieds des passants défilaient devant elle et elle fut prise d'un instant de timidité. Elle en profita pour rouler de droite à gauche, s'assurant qu'aucun défaut ne viendrait encombrer sa course. Puis, prenant ses courbes à son cou, elle se lança en zigzaguant à travers le fleuve humain qui piétinait. Un petit tour sur la gauche, un autre sur la droite, une semelle évitée de justesse, plus rien ne pouvait l'arrêter ! Pour finir, elle contourna une muraille percée de meurtrières horizontales et fut accueillie par la main de son maître.

Framboise avait réussi !

Elle serra dans sa main la petite perle de jade qui prouvait qu'elle n'était pas une Voleuse si nulle que ça. Ah, ah ! Mélusine pouvait bien se moquer de ses capacités et Moustafa la traiter comme un bébé. Elle était la Grande Voleuse Framboise.

Une perle parfaite en pierre précieuse, ça devait peser son pesant d'or, mais mieux valait qu'elle ne mise pas tout sur une seule. La petite bleue là-bas lui plaisait bien aussi. Il fallait qu'elle soit à elle.

Ce fut encore plus facile que la première fois. La perle réagit tout de suite. Elle la fit sauter par-dessus bord et elle était occupée à la faire rouler vers elle quand les choses se corsèrent. La perle bleue refusa tout d'un coup d'obéir à sa volonté. Elle roulait encore mais commençait à dévier un peu sur la gauche et à s'écarter sérieusement du chemin choisi par Framboise.

La jeune fille dut se lever et sortir de sa cachette pour ne pas perdre son butin de vue. La perle serpentait entre les passants, s'éloignant rapidement et obligeant Framboise à la suivre. Elle courut le nez au sol, bien décidée à récupérer la petite fugitive bleue. Elle n'eut pas à aller très loin puisque la perle s'arrêta bientôt aux pieds d'un homme, tourna deux ou trois fois sur elle-même avant de s'élever dans les airs et de gagner la paume offerte du propriétaire des pieds.

Framboise eut soudain la bouche très sèche. Elle ne voulait pas lever les yeux et redoutait de croiser le regard de celui qui l'attendait.

– *Regarde-moi.*

Elle ne put qu'obéir et grimaça devant l'air sévère et réprobateur de son interlocuteur.

Dante.

Évidemment, encore et toujours lui. Il fit rouler la perle entre ses doigts, regarda la fugueuse d'un silence qui en disait long et s'éloigna sans avoir ouvert la bouche. Comme attachée par un lien invisible, Framboise n'eut d'autre choix que de le suivre.

Dans les catacombes
Planque des vampires

Mélusine n'avait pas vu Framboise partir. Elle ne s'était même pas posé la question de savoir où elle était. Sa douleur aux tempes était rapidement devenue insupportable. Elle ne se rappelait pas avoir déjà souffert d'un mal de tête aussi violent. Elle s'était pelotonnée à même les dalles chaudes de la cheminée et, si Moustafa avait bien tenté de la déplacer, il s'était vite résolu à ne rien en faire. Chaque mouvement semblait redoubler la brûlure dans la tête de Mélusine. Il l'avait donc laissée là où elle était, se contentant de s'assurer que le pare-feu était bien installé et recouvrant la jeune fille tremblante d'une couverture épaisse.

Moustafa était soucieux. Autant le sort de Framboise ne l'inquiétait pas, autant celui de Mélusine le tracassait. Il avait tiré un banc et avait délaissé ses ordinateurs chéris pour veiller sur la petite. Des rides striaient son front au-dessus de ses sourcils froncés. À ses côtés, Tristan partageait son inquiétude et maudissait son inutilité. Il connaissait la souffrance des migraines pour les avoir subis et les subir encore. Mélusine avait avalé deux comprimés mais ça n'avait rien changé. Sa fièvre était toujours alarmante, son mal de tête si présent qu'il semblait irradier par tous les pores de sa peau.

– Qu'est-ce qui se passe ? finit-il par demander à voix haute.

Par une peur superstitieuse, il lui semblait que le fait d'utiliser sa pensée le rendrait lui aussi vulnérable au virus qui rongeait la Penseuse. Comme pour confirmer ses propres craintes, le vampire répondit oralement : elle avait mal.

Moustafa n'aimait pas les longs discours. Il n'aimait d'ailleurs pas parler, tout simplement. Habituellement Tristan comprenait. Mais cette fois, il décida que le vampire devrait faire un effort. Il insista en demandant pourquoi ça ne ressemblait pas à une migraine ordinaire. Moustafa soupira profondément et se pencha pour aller poser sa grande main sur le front brûlant de Mélusine, le tout avec une infinie douceur. Il expliqua à voix basse que la nourriture de l'Université était enrichie d'une protéine qui bloquait le processus neurologique qu'était le mal de tête. Chez les Penseurs, la migraine c'était un peu comme la défragmentation d'un disque dur : un nettoyage long, douloureux mais nécessaire. Pour éviter ce processus encombrant, l'Université avait donc modifié génétiquement les plantes qu'elle cultivait sur son île en y ajoutant un gène qui fonctionnait comme un comprimé d'aspirine permanent. Efficace sur les Penseurs, sans effet sur les Voleurs, en quelque sorte le médicament miracle.

Tristan commençait à comprendre mais redoutait d'entendre la suite. Que se passait-il quand un Penseur quittait définitivement l'Université ?

Moustafa continua d'une voix atone : le cerveau reprenait ses droits. Toutes les fois où il aurait eu besoin d'un petit nettoyage et qu'il n'avait pas pu le faire… C'était comme un contrecoup, une migraine puissance dix, comme un drogué en désintoxication : souffrance, perte de conscience, tremblements, fièvre et délire. Une belle pratique que celle de l'Université qui était assurée de voir tout Penseur déserteur menacé de mort cérébrale. Heureusement pour Mélusine, elle était restée à peine un an et demi à l'Université. Elle n'était pas assez intoxiquée pour en mourir et devrait donc s'en sortir.

Le conditionnel qu'employa Moustafa fit tiquer Tristan qui s'était attaché à la jeune fille. Inquiet, il demanda la durée habituelle de ce genre de migraine. Moustafa estima que le sort de la jeune fille serait fixé dans une dizaine d'heures.

Dante rentra peu après, Framboise sur ses talons. La jeune fille affichait un air très contrarié même si le fait de retrouver l'abri des catacombes la rassurait quelque peu. Sa colère s'évapora au moment où elle découvrit le corps tremblant de Mélusine.

Dante foudroya Moustafa du regard. On devinait entre ces deux-là un échange muet dans lequel le moustachu n'avait pas le beau rôle. Ce dernier finit d'ailleurs par se justifier à voix haute :

– Tu savais que ça devait de toute façon arriver. Maintenant ou plus tard, qu'est-ce que ça change ?

Dante ne daigna même pas répondre oralement, se contentant de toiser Moustafa avec froideur.

– Oh non ! Je voulais venir moi aussi !... Non, tu as raison... Je veillerai sur elle comme sur la prunelle... D'accord, d'accord. Excuse-moi, s'il te plaît.

Comme en réponse, Dante s'approcha de son ami et posa sa main sur son crâne chauve. On aurait dit le geste d'un adulte protégeant et raisonnant un petit enfant, ou celui d'un sage avec son novice. Un geste étonnant quand, physiquement, Moustafa paraissait avoir vingt ans de plus que Dante.

Le vampire reporta finalement son attention sur Tristan et Framboise, assis près de Mélusine, et les invita à le suivre. Framboise faillit lui demander pourquoi mais elle se retint au dernier moment. Mieux valait faire profil bas pour l'instant. Surtout quand son petit doigt lui disait que les choses allaient enfin bouger.

Sur la table du fond, était posé un long coffre en bois, visiblement aussi vieux qu'il était massif. Un coffre que ni Tristan ni Framboise n'avaient remarqué avant aujourd'hui. Il y avait donc d'autres pièces identiques à celle dans laquelle ils étaient cloîtrés. Et elles étaient utilisées par Dante comme réserves.

D'un brun presque noir, le bois accusait des siècles d'existence mais semblait en même temps d'une solidité à toute épreuve. Le couvercle était fermé en son centre par une énorme serrure composée d'un mécanisme plutôt complexe – un taquin – qui imposait de faire glisser les pièces dans un ordre précis. Chaque morceau était gravé d'un symbole différent : une feuille de chêne, un calice, une lune, un corbeau, un dragon, etc. Toute une imagerie du Moyen Âge était réunie dans ces petites pièces métalliques.

D'une main experte, Dante ne mit que quelques secondes à manipuler le taquin et à remettre les pièces dans l'ordre exigé. La serrure s'ouvrit dans un bref cliquetis. Le vampire souleva le couvercle qui tourna sur ses gonds sans un grincement.

Tristan et Framboise s'attendaient à découvrir des Louis d'or ou les bijoux de la Reine tant Dante manipulait le coffre avec précaution. Mais ce fut l'éclat froid d'une lame que captèrent leurs yeux à la lumière du foyer. En effet, à l'intérieur du coffre, ne s'alignait nul autre trésor qu'un tissu vert protégeant des armes blanches de toute taille. La pièce principale de cette collection était vraisemblablement une épée longue frappée à sa garde de l'image d'un corbeau.

Sur la table, Dante se saisit d'une ceinture en cuir équipée d'un fourreau et la passa bas autour de ses hanches. Puis, avec dextérité, il empoigna l'épée par la garde et, en prenant soin de ne pas toucher la lame, il la glissa dans son baudrier, le long de sa cuisse gauche.

Framboise et Tristan observaient ce rituel bouche bée. Ils avaient l'impression d'avoir fait un bon temporel de plusieurs siècles en arrière. Noyé au milieu de la lueur dansante du feu, du craquement des bûches dans l'âtre et de l'odeur d'huile des lames, le seul élément qui les maintenait ancrés dans le présent était le souffle de la demi-douzaine de ventilateurs d'ordinateurs qui troublait le calme solennel.

Au fond du coffre, reposaient encore six dagues du même matériau argenté, soigneusement huilées et toutes flanquées du même sceau, comme une représentation miniature de l'original porté par Dante. Ce dernier passa à la taille de chacun une ceinture équipée d'un baudrier plus court que le sien puis y glissa une dague dont il bloqua la garde avec une petite langue de cuir prévue à cet effet.

Parler avait toujours semblé l'incommoder, pourtant il dit d'une voix un peu rauque :

– Ne posez jamais vos doigts sur la lame, ne sortez d'ailleurs jamais ces armes sans que je vous l'aie explicitement demandé. La meilleure façon de porter une dague est de placer le baudrier dans votre dos du côté de votre main la plus forte. Ce que vous ferez donc sans attendre. Vous vous habituerez à marcher avec, à dormir avec. Cette arme est cent fois plus vieille que vous, vous lui devez un respect sans borne. Sa lame est aussi effilée qu'un rasoir, c'est pourquoi je vous le répète une dernière fois : vous ne la sortez pas du fourreau sauf dans le cas extrême où votre vie serait mise en danger. Est-ce que tout cela est bien compris ?

Framboise avait contemplé le baudrier serré à sa taille et s'imaginait en combat, entourée de redoutables ennemis sanguinaires, sa seule dague en main pour la défendre, quand une petite gêne à la gorge l'obligea à déglutir. Faute de chasser l'irritation, elle revint à la réalité et baissa les yeux : la pointe d'une lame était posée contre la chair tendre de sa gorge. Dante la menaçait de son épée sans qu'elle ne l'ait vu ou entendu. Il avait dégainé en un battement de paupière, si vite que l'œil humain de Framboise n'avait rien capté.

– Ceci requiert toute ton attention, Framboise. Pour une fois, cesse de papillonner et concentre-toi. (Il rengaina son épée dans un geste si naturel qu'il témoignait de siècles de pratique.) Ce que je viens de dire est d'une importance capitale. *Vivre pour le sang, vaincre dans le sang, renaître par le sang.* Le symbole de ma famille était un corbeau car, comme le démontre cet aphorisme, nous étions considérés comme des charognards et des oiseaux de mauvais augure. Je te protégerai tant que je le pourrai Framboise, et toi aussi Tristan, mais je ne vous laisserai pas non plus vous mettre entre l'Université et moi. Te trouver à la surface tout à l'heure a été une très mauvaise surprise. Ne t'avise pas de me refaire un coup pareil car tu en pâtirais. Je ne veux pas être obligé de te surveiller, et Moustafa a autre chose à faire. Il a son utilité et c'est pour cette raison qu'il est à mes côtés. Tristan se montre impliqué et attentif et c'est tout ce que j'attends de lui pour le moment. Mais toi, Framboise, dis-moi. Vas-tu te montrer utile ou inutile ? Je ne veux plus être encombré par ta présence. Ta fugue de tout à l'heure aurait pu avoir des conséquences très fâcheuses. Le seul inconvénient, c'est que tu n'y penses même pas. Tu dois cesser dans l'instant de jouer les ingénues. Je te pose donc une seule et dernière fois la question : sauras-tu m'être utile, sauras-tu t'investir dans ce qui va suivre ?

Framboise se sentait incapable de laisser échapper ne serait-ce qu'un borborygme. Investie ? Utile ? Elle n'avait jamais été utile à quoi que ce soit. Elle avait toujours été la dernière choisie quand on faisait les équipes en sport. La fille encombrante qu'on plaçait là où elle gênerait le moins. Elle avait pris l'habitude de se comporter comme un électron libre. Pas de contrainte mais personne non plus qui comptait sur elle. Alors, qu'est-ce que Dante attendait d'elle ?

Elle sentit quelqu'un la toucher à l'épaule et tourna la tête. C'était Tristan qui la fixait amicalement. Il eut une façon presque imperceptible d'acquiescer et ses yeux glissèrent vers la cheminée. Mélusine. Oui, elle se sentait responsable de Mélusine, un peu comme une grande sœur. Elles étaient ensemble maintenant. Dépossédées de leur famille, enrôlées malgré elles par une Université fantôme. Avec Tristan, ils formaient un groupe uni pour le pire et le meilleur.

– Utile.

Ses lèvres avaient prononcé le mot au moment même où elle l'avait pensé. Elle voulait être utile.

– Je veux être utile, affirma-t-elle dans un écho à ses propres pensées.

– Bien. J'en suis heureux. Souviens-toi de ce moment que je n'ai pas à te rappeler pourquoi tu te trouves à mes côtés.

Dante referma le coffre et le poussa. Derrière se trouvait un second coffre, réplique exacte du premier en trois fois plus petit. Le vampire s'en saisit et le coinça sous son bras.

– À présent, suivez-moi sans un bruit et ne posez pas de question tant que vous n'y êtes pas autorisés.

Sans un regard pour Moustafa ou Mélusine, Dante s'engouffra dans un des couloirs obscurs qui aboutissaient à la grande salle.

La chaleur relative du feu ne fut bientôt plus qu'un lointain souvenir. Dante n'avait pas jugé utile de se munir d'une source de lumière si bien que Tristan et Framboise durent presque lui marcher sur les talons pour continuer à suivre la silhouette qu'il dessinait à peine dans l'obscurité.

Framboise commençait déjà à râler contre Tristan qui la serrait de trop prêt et contre Dante qui allait beaucoup trop vite quand le vampire nyctalope stoppa brusquement. Retenant les deux enfants avant qu'ils ne le percutent, il pensa d'un ton sec où pointait une touche d'impatience :

– *Framboise, en tant que Voleuse, tu es capable de te représenter la consistance de chaque objet. En toute logique, tu es aussi capable de te repérer dans le noir et d'évaluer les distances. Alors, par pitié, arrête tes jérémiades et fais un petit effort. Tristan, tu es un Penseur. Utilise Framboise comme transmetteur s'il le faut mais débrouille-toi. Je ne vous le redirai pas deux fois : je ne veux plus vous entendre vous plaindre. Ce que je fais, vous êtes en grande partie capables d'en faire autant. Servez-vous de votre tête, ouvrez votre esprit et arrêtez de vous comporter comme si vous n'aviez que cinq sens.*

Sur ces mots, il repartit aussi promptement qu'il s'était arrêté. La main collée à la paroi, Framboise tenta tant bien que mal de suivre Dante, alors même qu'elle analysait ses paroles. Un sixième sens ? Comment éviter les murs si elle ne les voyait pas ? Aïe, pensa-t-elle en se cognant à un angle. Ils avaient changé de couloir et suivaient à présent une artère plus large.

Comme si un voile venait d'être ôté de son cerveau embrumé, Framboise se rendit compte qu'elle pouvait *sentir* l'espace qui les entourait. Pas en détail mais comme une esquisse inachevée. À la manière d'un brouillon tracé par un peintre, c'était comme une impression de murs, une idée de sol. Elle s'écarta de la paroi qu'elle s'évertuait jusqu'alors à longer et s'efforça de suivre à distance la silhouette imprécise de Dante. Elle le voyait marcher d'un pas sûr devant eux. Ce n'était pas du noir et blanc, il n'y avait aucune couleur, aucune ligne définie. C'était comme si son cerveau imaginait une représentation que ses yeux pouvaient comprendre. Elle ferma les paupières et l'image resta imprimée dans sa tête. Mes yeux ne voient rien, comprit-elle. Elle sentit Tristan trébucher à côté d'elle et déplaça son *regard* vers lui. Le jeune homme tâtonnait maladroitement dans l'obscurité, les mains parcourant fébrilement le mur à sa gauche, les yeux dans le vague.

Dès qu'il sentit l'attention de Framboise se poser sur lui, Tristan tourna ses yeux aveugles à l'endroit précis où la jeune fille se trouvait.

– *Framboise, accompagne-moi, s'il te plaît. Tu vois peut-être les murs mais moi pas. Je ne perçois que ce qui peut émettre une pensée.*

Elle ouvrit les paupières et laissa le jeune homme s'accrocher à son bras. Elle le sentit créer un lien discret dans sa tête et le laissa partager sa vision. Ils continuèrent main dans la main, côte à côte.

Ils pénétrèrent dans une nouvelle section des catacombes et Framboise ralentit pour contempler l'endroit.

L'artère était devenue une salle aux piliers inégaux et au sol poreux. Elle toucha le pilier le plus proche d'elle et renifla sa main. Ça sentait comme de la craie humide. Du calcaire.

Une pensée émanant de Dante se forma dans son esprit.

– *Surtout ne parlez pas. Faites le moins de bruit possible et ne vous appuyez sur aucun pilier. Nous sommes dans une ancienne carrière et ici, tout s'effrite aussi facilement que les murs d'un château de sable. Nous serons bientôt sortis.*

Framboise entendait de l'eau plicploquer* en de multiples endroits. L'humidité suintait de partout, rognant goutte après goutte les fondations du sous-sol. Ils pataugèrent à plusieurs reprises dans de petites flaques et reçurent deux fois sur la tête un filet d'eau qui les fit frissonner. Au détour d'un pilier, le sol changea encore et ils sentirent des pavés inégaux sous leurs pieds. L'air s'assécha quelque peu, laissant l'atmosphère se charger de poussière. Ils grimpèrent une volée de marches étroites au terme desquelles de nouvelles galeries les attendaient. Dante les menait sans jamais hésiter ni ralentir. Au cours du voyage, ils pénétrèrent dans une nouvelle salle. Framboise sentit un vertige gagner son compagnon.

– *Je n'aime pas cet endroit.*

– *Il n'y en a pas pour longtemps*, le rassura Dante qui semblait partager son malaise.

Framboise ne comprenait pas. Cette salle avait effectivement quelque chose de bizarre, mais qu'est-ce que c'était ? Les murs donnaient l'impression d'être sculptés en profondeur comme si un artiste fou s'était laissé aller à la démesure. Elle entraîna malgré lui Tristan vers les sculptures. Puisqu'elle n'arrivait pas à percevoir une image précise, il fallait qu'elle les touche. Elle porta la main vers le relief le plus proche et sentit une bosse toute lisse.

– *Non… Framboise, n'y touche pas, s'il te plaît,* la supplia Tristan. Elle n'avait jamais entendu autant d'angoisse dans la voix du jeune homme d'habitude si imperturbable.

Pourtant sa curiosité était plus forte. Elle laissa sa main glisser vers le bas de la bosse et identifia une petite cavité ronde. C'était creux. Quelle sculpture était creuse ? Promenant ses doigts, elle rencontra une seconde cavité presque parallèle à la première et tout aussi arrondie. Bizarre… Puis ses doigts descendirent un peu et sentirent une autre fente, plus étroite celle-là, au milieu des deux premières. La sculpture s'achevait brusquement par une série de minuscules gravures en demi-cercle. Ça lui disait quelque chose mais quoi ? L'artiste devait être un maître pour avoir réussi à tailler quelque chose d'aussi minutieux, quelque chose qui ressemblait à s'y méprendre à… des dents. Oui, c'était ça. Des dents ?

Que feraient des dents sur une sculpture ? pensa Framboise. À moins que ce ne soit pas du tout une sculpture mais plutôt de véritables dents, accrochées à une véritable tête. Un crâne !

– La tête de quelqu'un de mort ! s'étouffa-t-elle en retirant vivement sa main comme si le crâne allait la mordre. Comment tu as fait pour les sentir ? murmura-t-elle à Tristan qui tremblait à ses côtés.

– *Je n'en sais rien. C'est indéfinissable. Ça ressemble à une lointaine vibration, sans pensée définie. Et je te promets que je ne crois pas aux fantômes. En tout cas, ça n'a rien d'agréable, tu peux me croire.*

Framboise s'essuya frénétiquement la main tandis que Tristan les emmenait à la suite de Dante. Elle avait touché un mort !

Salle du Conseil
Medersa – 1er étage
Université invisible

La pluie rebondissait avec force sur les tuiles vertes dans un grondement ininterrompu. Elle ruisselait sur le toit et se déversait dans la cour avec la violence d'un torrent. Franky pouvait l'entendre tomber à grosses gouttes dans les bassins intérieurs et sur les dalles déjà inondées. Il sentait la terre se gorger d'eau et vibrer sous les assauts des vagues qui venaient s'écraser sur les côtes. L'île était plongée dans la tourmente d'un ouragan. À son approche, Franky ne pouvait s'empêcher d'être fébrile. Le déferlement de forces qui accompagnait toujours une tempête de cette ampleur le noyait dans un déluge de sensations parasites qui mettaient sa volonté et sa concentration à rude épreuve. Garder le fil de la conversation, écouter les consignes, répondre aux questions, tout devenait laborieux.

Sa main gauche se mit à trembler et il s'empressa de lâcher son stylo pour poser ses doigts bien à plat sur la table. La main droite montra aussitôt les mêmes signes de faiblesse et rejoignit l'autre à contrecœur.

Le contact avec le bois épais et noueux calma Franky. Il essaya de s'intéresser à ce que Père disait et chemin faisant, il surprit le regard insistant de Vasco. Père s'était tu lui aussi et tous le regardaient à présent. Léon lui donna un coup de coude qui le fit sursauter. Ses mains quittèrent leur appui sur la table, qui flottait d'une bonne dizaine de centimètres au-dessus du sol et chuta lourdement pour retomber sur ses pieds.

– Excusez-moi, marmonna Franky.

– Ce n'est pas grave, le rassura Père en rassemblant les papiers qui avaient volé de tous côtés. Je sais qu'une réunion en un moment pareil est contraignante pour vous mais nous avons presque fini. Des dispositions doivent être prises dès à présent.

La « réunion » comme l'appelait Père, ressemblait plus à un conseil de guerre. Sitôt rentrés, Franky et Léon avaient fait leur rapport à Vasco qui avait aussitôt convoqué les membres du Conseil. Une seule mission, qui plus est non programmée, avait eu raison de l'alliance qu'entretenaient Shiva et les vampires. Le rapport des deux agents en avait ébranlé plus d'un. D'une part, la menace vampire n'avait pas été éradiquée puisqu'il existait des êtres tels que Dima et, d'autre part, trois étudiants venaient de déserter l'Université pour rejoindre les rangs de Dante, autrefois maillon principal de la collaboration V, aujourd'hui traître à son propre Pacte.

Siégeant en bout de table, Père avait le visage sombre, et s'était plongé dans un silence méditatif en laissant le soin à d'autres de protester. Ce que Vasco avait fait avec la plus grande éloquence. Le Commandeur bouillait de rage et multipliait les gestes d'emphase et les coups de poing sur la table. Il avait forcé Léon et Franky à répéter encore et encore les faits, les interrogeant pour éclaircir le moindre détail. Mais il avait surtout protesté avec vigueur contre le comportement de ses deux meilleurs agents.

Ceux-ci étaient désormais affiliés à une unique mission : la récupération des dissidents. La puce des enfants avait été désactivée mais, par chance, Framboise avait déjà été repérée par une caméra de quartier quelques heures auparavant. Il leur suffisait désormais de quadriller la zone pour resserrer maille après maille le filet. Ça n'était pas deux vampires et trois gamins qui allaient damer le pion à toute une organisation. D'autant que Shiva apportait toute l'aide nécessaire en mettant à leur disposition Dolorès, une arme destructrice dont le seul nom faisait trembler même le plus aguerri des Penseurs.

Dans les catacombes

Ils avançaient depuis presque une heure. Plusieurs fois, Tristan avait senti qu'ils affleuraient car il avait capté les pensées de passants à quelques mètres au-dessus d'eux. Et plusieurs fois, ils avaient replongé dans les profondeurs, là où le silence était autant physique que psychique. Framboise avait arrêté de râler depuis longtemps déjà, et sa main tenait fermement celle de Tristan. C'était un contact utile, mais n'y avait-il rien d'autre ? Le jeune homme avait intercepté des réflexions étonnantes dans la tête de Framboise. Il s'était efforcé de ne pas y faire attention mais son nom revenait un peu trop souvent pour qu'il ne soit pas tenté d'écouter.

Framboise était troublée. Quand, dans les passages les plus étroits, Tristan s'était serré contre elle, elle avait d'abord ressenti de l'agacement. Puis un autre sentiment était venu déloger le premier. La présence du jeune homme la rassurait. Ils avaient été côte à côte dans l'entrepôt de Dima et s'en étaient sortis à deux. De nouveau, ils étaient ensemble, alors que Mélusine était séparée d'eux. Elle et lui. Framboise et Tristan. Il avait réclamé sa main quand ils avaient été plongés dans le noir. Il avait besoin d'elle. Est-ce qu'elle avait besoin de lui ? Est-ce qu'elle voulait qu'il lui lâche la main ? Non ! Non ? Mince alors, elle voulait qu'il reste près d'elle.

Tristan avait fini par laisser tomber et s'était fermé aux pensées de Framboise. Tout ça devenait trop compliqué. Il avait 15 ans et se demandait si la fille dont il tenait la main était vraiment aussi âgée que lui. On était en pleine guerre et elle pensait à lui ? Mieux valait qu'il fasse comme s'il n'avait vraiment rien entendu. Sans compter que Framboise lui ferait un véritable scandale si elle savait qu'il avait écouté.

Tristan finit d'ailleurs par lâcher avec soulagement la main de Framboise quand ses yeux aveugles purent capter une lueur timide au centre de laquelle se découpa la silhouette de Dante. Le vampire se courba pour se glisser sous une arche en briques, premier signe de construction récente depuis une bonne demi-heure. Ils le suivirent et émergèrent dans une salle carrée aux dimensions impressionnantes. Ils se tenaient sur une passerelle en fer qui ceignait ses quatre murs et surplombait d'à peine un mètre une eau irradiant paisiblement une lumière presque phosphorescente. De part en part, des piliers de soutènement partaient du plafond pour aller se perdre dans la masse liquide. Pas une ride ne venait troubler la surface de cet immense miroir. Seul le bruit de leurs pas sur la passerelle métallique leur revint en écho, comme si, de l'autre côté de la salle, des inconnus s'appliquaient à suivre le même itinéraire qu'eux.

– *Un des réservoirs d'eau potable de la ville,* précisa Dante. *Ça ressemble à une piscine mais gare à celui qui voudrait s'y baigner. Les vannes peuvent s'ouvrir à n'importe quel moment pour déverser des milliers de litres d'eau.*

La passerelle qu'ils empruntaient s'élargissait parfois pour s'avancer au-dessus de l'eau ou laisser la place à un système complexe de tuyauterie. On devinait ainsi à un angle ce qui ressemblait à un poste de commande : tableaux constellés de manomètres, voyants lumineux et rangées de boutons. D'énormes canalisations percées de soupapes et de dérivations s'enfonçaient dans le liquide bleuté tandis que d'autres disparaissaient dans le mur de pierre. Leur groupe s'arrêta au pied d'un court escalier qui conduisait après une dizaine de marches à une porte en fer close par une écoutille rouillée.

À peine Dante eut-il posé le pied sur la première marche que la porte s'entrebâillait dans un grincement lugubre. Le vampire stoppa et tous l'imitèrent. La main sur la garde de son épée, il attendit. Une voix sépulcrale surgit de l'autre côté du battant pour demander :

– Wer reitet so spät durch Nacht und Wind ?

– « Es ist der Vater mit seinem Kind »*, répondit Dante sans hésitation.

– J'ai failli attendre, mon ami.

Le passage s'ouvrit en grand, révélant une pièce où régnait une semi-pénombre. Elle servait à première vue de cave à vin car, le long de ses murs, s'alignaient des dizaines de casiers chargés de bouteilles poussiéreuses couchées à l'horizontale. Appuyé contre une pile de caisses en bois, dans un angle où la lumière d'un second escalier répugnait à s'aventurer, un homme semblait les attendre. Le visage caché dans l'ombre, l'inconnu se redressa pour dévisager les visiteurs :

– Voilà une singulière équipée. Je t'ai connu de meilleurs compagnons, Dante.

– Ça va, Vincent. Épargne-moi tes quolibets.

– Content de te voir. Salutations les jeunes.

La porte se referma toute seule derrière eux et on entendit son écoutille se verrouiller. Dante reporta son attention sur Vincent et ajouta d'un ton morose :

– Tu vas nous garder longtemps au fond de cette cave ou tu te décides à nous emmener là-haut ?
– Ça va, ça va. Suivez-moi, voyageurs.

Vincent sortit de l'ombre et les précéda silencieusement dans l'escalier. Framboise eut une vision fugitive de son profil et de sa chevelure blonde et fut immédiatement séduite. Elle emboîta lestement le pas à Dante qui gravissait les ultimes marches de leur ascension.

Ils parvinrent à une deuxième cave encombrée de meubles bancals, de tentures jaunies et de toiles d'araignées puis grimpèrent à l'échelle qui avait été laissée là. De la cave, ils se retrouvèrent dans une lingerie dont l'odeur de lessive vint remplacer celle de poussière. Vincent les guida hors de la pièce et suivit un couloir à la moquette fleurie et à la lumière tamisée. De chaque côté, s'alignaient des portes ornées de numéros à la dorure écaillée. Tristan en déduisit qu'ils se trouvaient dans un hôtel. Il en eut la confirmation quand ils débouchèrent dans un hall presque désert.

Presque, parce qu'une jeune femme se tenait silencieusement derrière le comptoir. Framboise ralentit pour tenter de croiser le regard qu'elle n'allait pas tarder à poser sur eux. En vain. À aucun moment la femme ne sembla remarquer leur petite procession. Elle ne levait la tête que pour jeter des coups d'œil ennuyés à la double porte d'entrée et pour parcourir d'un air endormi le hall en plein milieu duquel se tenait la jeune fille. En fait, c'était un peu comme si Framboise et ses compagnons étaient transparents et silencieux, ou réglés sur une fréquence différente.

– Elle est réelle ? demanda Framboise qui s'était approché et remuait la main à dix centimètres du visage de l'intéressée.

– Bien sûr qu'elle l'est. Je te présente Samya, la réceptionniste de l'hôtel, répondit Vincent avant de pousser la jeune fille devant lui.

Salle de restaurant
Hôtel des Deux Mondes
Business Center

Dans ce qui était censé être la salle de restaurant, régnait un silence troublant. Pas de serveur, pas de client attablé, pas de bavardage. L'endroit était désert à l'exception du centre même de la salle où trônait une large table ronde nappée de noir.

Non loin, quatre individus patientaient. Installé sur un divan de velours vert, un couple, bras dessus dessous, les toisait. L'homme les considérait avec une petite moue dédaigneuse qui contraria Framboise. Heureusement, sa compagne semblait plus avenante. Serrée dans un pantalon et un corset noir qui lui faisaient presque comme une seconde peau, elle leur adressa un sourire malicieux doublé d'un petit clin d'œil. Ses cheveux noirs, raccourcis en une frange courte au-dessus des sourcils, tombaient librement sur ses fines épaules. Les deux autres inconnus, une femme blonde et un homme noir daignèrent à peine accorder un regard aux nouveaux venus.

Autour de la table ronde, un nombre exact de sièges vides attendait les visiteurs. Avant de prendre place, Dante glissa à Framboise et Tristan :

– *Faites ce que je fais. Ne parlez pas. Ne posez de questions que si l'on vous y autorise. Et surtout ne rompez pas le cercle.*

Dante ouvrit sur la table le coffre qui ne l'avait pas quitté de tout le trajet et en sortit le contenu : un fin bol de porcelaine blanche et une dague à double tranchant d'une propreté immaculée. Tous s'approchèrent, formant un cercle autour de la table. La main posée sur la garde de son épée, Dante sembla se recueillir quelques secondes. Puis il mit son arme au clair et la posa sur la table. C'était le signal que tous attendaient. Dans un silence solennel, chacun dégaina et plaça sur le tissu noir de la nappe son épée, la pointe dirigée en son centre. Avec un peu de retard et beaucoup d'appréhension, Framboise et Tristan tirèrent leur dague de leur fourreau pour la déposer devant eux.

Hormis les poignards des anciens élèves de l'Université et l'épée de Dante, la table comptait maintenant un cercle de cinq autres armes. À gauche, Vincent avait placé une réplique exacte de l'épée de Dante. Venait ensuite un fleuret déposé par William, une épée à la garde coquille finement ouvragée pour la femme blonde, un katana pour la brune et un cimeterre pour l'homme noir.

Dante eut un hochement de tête et tous s'assirent en silence, imités avec un temps de décalage par Framboise et Tristan. Le vampire se mit à énoncer avec solennité :

LAMES DÉPOSÉES, CŒURS DÉNUDÉS, ESPRITS ÉVEILLÉS,
ENCORE UNE FOIS, D'OBSCURES HEURES SE SONT LEVÉES
QUI METTENT EN PÉRIL NOTRE DESTINÉE.
CETTE NUIT, UN NOUVEAU CERCLE S'EST FORMÉ.
ESPRIT, COURAGE, HONNEUR, INTÉGRITÉ

Que se nomment à présent les chevaliers.

– Vincent de la Morsanglière, dit l'homme placé à la gauche de Dante.

– Sir William Clybow

– Averroès

– Larme

– Jhaved Sy
– Tristan
– Euh… Framboise
Dante hocha la tête et reprit son discours :
– LARMES DÉPOSÉES, CŒURS DÉNUDÉS, ESPRITS ÉVEILLÉS,
MOI, DANTE, SUIS DE CE CERCLE LE DERNIER CHEVALIER.
LA CONFRÉRIE DES HEURES OBSCURES EST AINSI FORMÉE
QUE PAR LE SANG VERSÉ SON PACTE SOIT SIGNÉ,
QUE PAR LE SANG OFFERT, IL SOIT SCELLÉ.

Dante tendit la main vers la coupe et la dague qu'il avait laissées au centre de la table. Ces deux dernières glissèrent silencieusement dans sa direction. Il s'empara de l'arme et, d'un geste ostensible, s'entailla la paume de la main gauche d'un mouvement sec. Son sang se mit aussitôt à couler le long de son poing fermé et à chuter en gouttelettes grenat dans le bol d'un blanc immaculé.

Au bout de quelques secondes, l'hémorragie cessa d'elle-même. Dante attrapa une serviette posée à cette intention sur le dossier de sa chaise et essuya la lame puis sa paume. Sous le sang coagulé, la peau était indemne. Le vampire passa le bol et la dague à Vincent qui répéta les mêmes gestes.

Tristan observa chaque compagnon verser un peu de son sang et comprit que chacun était un vampire. Un survivant de la guerre, comme l'avait expliqué Dante, un guerrier qui avait combattu l'Université de toute son âme et avait vu périr nombre de ses frères. Peut-être tués par mes propres parents, pensa Tristan, le cœur serré par l'ironie de la situation. L'homme nommé Jhaved nettoya consciencieusement la lame de la dague et la lui passa avec le bol.

La porcelaine, fine comme une coquille d'œuf, était remplie à moitié du liquide opaque d'un rouge presque noir dont chacun avait fait offrande. Tristan se demanda avec superstition si son sang se mêlerait à celui des vampires ou s'il resterait suspendu hors du mélange, comme de l'huile dans de l'eau.

La main tremblante, il saisit la poignée de l'arme et posa la lame sur la chair tendre de sa paume. Le contact de l'acier était froid, presque glacé. Le jeune homme prit une grande inspiration et appuya franchement. La lame effilée entailla facilement la peau et le sang jaillit aussitôt. Figé par la douleur, Tristan ne réagit pas quand on lui saisit la main pour que son sang coule dans le bol. La plaie était profonde et saignait abondamment. Tristan eut un instant de panique quand il se rappela que, contrairement à l'assemblée, il était humain et mortel. Son sang ne s'arrêterait pas tout seul, il avait besoin de points de suture.

Semblant capter ses pensées, Jhaved lui lâcha la main. Sans un mot, mais en s'assurant que le jeune homme le regardait bien, il trempa deux doigts dans le bol et appliqua le sang qui perlait sur la plaie. Un picotement envahit d'abord sa paume puis toute la main tandis que l'hémorragie semblait ralentir puis s'arrêter. Jhaved nettoya la lame et passa le tissu blanc sur la paume de Tristan qui se laissa faire comme un enfant, trop médusé par ce qui lui arrivait. Non seulement la coupure s'était refermée mais encore elle paraissait vieille de plusieurs semaines, blanche comme peuvent l'être les anciennes cicatrices. Il plia et déplia la main et constata que la douleur n'était plus, laissant la place à un petit tiraillement qui aurait tôt fait de disparaître à son tour.

Toujours en silence et sans se formaliser, Jhaved se pencha pour placer le bol et la dague devant Framboise qui eut un mouvement de recul. Les yeux écarquillés, elle regarda tour à tour Tristan, Jhaved et Dante. Les deux vampires hochèrent la tête dans un geste d'encouragement et Tristan lui montra sa paume indemne en haussant des sourcils.

Non, non, non, répétait la voix intérieure de Framboise. Ses bras pesaient des tonnes, la table était distante d'un kilomètre et l'air si opaque qu'elle ne pouvait plus respirer. Tous les regards convergeaient vers elle, tous attendaient de voir si elle était à la hauteur. Des yeux, elle fit le tour de l'assistance pour trouver un soutien mais tous paraissaient pouvoir attendre des heures. Vincent souriait en la scrutant comme une bête curieuse tandis que William la toisait, persuadé qu'elle n'y arriverait pas. Il le lui fit d'ailleurs savoir en pensant à son intention :

– *Laisse tomber, petit chaton. Romps le cercle. Tu sais très bien que tu n'es pas à la hauteur. Tu ne mérites ni cette place ni cet honneur. Abandonne !*

– Certainement pas ! chuchota-t-elle.

D'un geste plus rapide que sa pensée, elle se mit debout, attrapa brusquement la dague et passa sèchement la lame sur sa paume. La douleur explosa dans sa main et faillit faire flancher sa colère. Mais elle tint bon, tendant le poing au-dessus du bol et fusillant William du regard.

– Alors ? Qui est-ce qui n'est pas à la hauteur ? lâcha-t-elle à voix haute.

Alors qu'un vertige la saisissait, elle se décida à s'asseoir et plongea un doigt dans le liquide sombre pour le passer sur la coupure nette qu'avait tracée la lame. Le même miracle qui avait guéri Tristan s'accomplit et le sang coagula sous ses yeux, formant une croûte qui sécha rapidement. Elle accueillit cette cicatrisation avec soulagement, heureuse que ce qui avait marché pour Tristan marchât aussi pour elle.

Autour d'un bol de sang
Hôtel des Deux Mondes

Le bol rempli du liquide sombre était revenu devant Dante. Chacun y avait versé une partie de soi. Framboise attendait avec fébrilité qu'on en finisse avec cette cérémonie stupide et que les discussions banales reprennent enfin.

Un peu de normalité, par pitié, implora-t-elle silencieusement. Qu'on m'invite à prendre un café ou une part de gâteau plutôt qu'à donner mon sang.

Mais la communion n'en était pas finie. À la plus grande surprise et au plus grand dégoût de Framboise, Dante porta le bol à ses lèvres et but distinctement une gorgée. Puis, avec un geste lent et solennel, il passa le réceptacle à Framboise qui le regarda d'un air bête.

Il n'est pas question que je boive ça, pensa-t-elle le plus clairement possible à son attention.

– *Tu n'as pas le choix,* lui répondit le vampire en lui tendant le bol. *Tu ne peux rompre le cercle.*

Il la regardait avec un demi-sourire contraint et féroce. La lumière tamisée capta le reflet d'une canine effilée entre ses deux lèvres. Elle avait rarement été aussi proche de Dante et ce qu'elle découvrait de lui ne lui plaisait pas du tout. Hors de question qu'elle boive le sang de tous ces vampires.

– *Tu ne souhaiterais tout de même pas offenser notre assemblée ?* insista Dante en tendant un peu plus le bol.

L'assemblee en question était tout yeux et toutes oreilles pour Framboise. Surtout William qui laissait échapper un semblant de sourire narquois. Cela eut l'effet escompté car la colère de Framboise s'embrasa. Elle attrapa le bol d'un air obstiné et le porta à ses lèvres.

– *Dis-toi que c'est de la soupe de tomate*, lui suggéra la voix de Dante.

– On voit bien que tu ne sais pas à quoi ressemble la soupe de tomate, rétorqua-t-elle avant de desserrer les dents et de laisser une petite quantité de liquide couler dans sa bouche.

Je vais vomir ! pensa-t-elle, secouée par un spasme qui l'empêcha d'avaler.

– *Ça, c'est hors de question.*

La main de Dante se posa sur l'épaule de la jeune fille et Framboise sentit le vampire prendre brièvement les commandes pour la forcer à déglutir.

Gloups.

L'étreinte mentale cessa aussitôt. Le liquide avait gagné son estomac et semblait en bonne voie d'y rester. Ses papilles captèrent le goût cuivré du sang qui ressemblait beaucoup au sien. Sauf que ce n'était pas son sang mais celui de vampires ! Est-ce qu'elle allait devenir une vampire elle aussi, maintenant qu'elle avait bu leur sang ? Est-ce que ce n'était pas censé se passer ainsi ?

– *Ne sois pas stupide*, la morigéna Dante.

Elle passa le bol à Tristan qui s'en saisit immédiatement. Sans laisser transparaître quelque hésitation que ce soit, le jeune homme avala une gorgée et transmit le bol à son voisin de droite.

Framboise se demanda si Tristan ne faisait pas ça de façon un peu trop naturelle. Après tout, il était vraiment pâle pour un humain et un peu trop à l'aise avec les vampires. Elle supposa qu'il avait entendu ses pensées mais s'étonna qu'il dédaigne regarder ou se justifier de sa non-vampirité.

– *C'est parce que tu es stupide*, renchérit Dante

– Laisse-moi tranquille ! souffla-t-elle, outrée.

La coupe achevait de faire le tour des convives. Vincent fut le dernier à l'avoir en main et se fit visiblement un plaisir de boire le reste de son contenu. La dernière gorgée avalée, il se lécha les babines d'un air satisfait et reposa le bol près du coffret. Puis il cala sa chaise en équilibre sur deux pieds et croisa les talons de ses bottes sur la table.

– Fi de toutes ces cérémonies, tapons un peu la discute. Alors, ce qu'on dit sur ton départ est vrai ? Tu t'es affranchi de l'Université ? Est-ce que c'est de là que tu nous ramènes ces deux loupiots ?

– Il n'y a qu'à voir leur uniforme, fit remarquer Larme. Dis-moi, Dante, tu n'as pas songé à leur procurer de nouveaux vêtements ?

Dante la regarda comme si c'était là la dernière idée qui aurait pu lui venir à l'esprit.

– Oui, c'est vrai ! Ils n'avaient que ça à faire, ricana Vincent. Du magasinage. Je vois bien Dante dans un centre commercial avec les paquets de Myrtille plein les bras.

– Framboise, l'interrompit la jeune fille avec les dents serrées. Je m'appelle Framboise.

– Eh bien j'espère, mademoiselle Framboise, que tu as une meilleure raison que le choix d'une nouvelle garde-robe pour déranger les hautes instances que nous sommes.

– Mais j'ai jamais demandé à ce que vous m'habilliez ! s'exclama Framboise.

– C'est juste une plaisanterie ma jolie, intervint Larme. Ne fais pas attention.

–. Elle est marrante, ricana Vincent.
– Je suis pas marrante.
– Tu finiras vite par la trouver fatigante, râla Dante.
– Hé ! Je suis pas fatigante !
– Qu'est-ce que je disais ?

Soudain, un souffle invisible sembla traverser le groupe car tous, sauf Framboise, tournèrent leur regard vers la réception.

- Quelqu'un vient, crut bon de préciser Tristan à la jeune fille, surprise par cette interruption soudaine.
– Quelqu'un ? Qui ça ?
– Pas de panique. Ce n'est que Moustafa qui nous rejoint.
– Alors Mélu est là aussi ?

Tristan hocha la tête et Framboise se précipita pour accueillir son amie. Mélusine entrait à peine quand Framboise lui sauta dessus pour la serrer dans ses bras.

– Si tu savais comme je suis contente de te voir ! Enfin quelqu'un de normal. Tu m'as tellement manqué !
– Merci, bredouilla Mélusine un peu surprise par l'accueil.
– Et moi ? Je n'ai pas le droit à un bisou ? s'exclama Moustafa en entrant dans le hall les bras chargés de grosses valises rigides.

Framboise lâcha Mélusine et alla déposer un baiser sonore sur la joue tendue du moustachu tout sourire.

– C'est quoi tout ça ?
– Un peu de matériel informatique.
– Un peu ? Mais elles sont énormes ces valises !
– À ce propos, j'aurais bien besoin de deux paires de bras supplémentaires pour décharger le van. Allez, venez m'aider les filles.

Framboise et Mélusine ne se le firent pas dire deux fois.

Autour de la grande table ronde
Hôtel des Deux Mondes

– Elle n'a aucune maîtrise de ses pensées. Si ses dons de Voleuse sont aussi erratiques, je me demande ce que l'Université lui a trouvé, fit remarquer Larme après que la jeune fille se fut éloignée.

– Elle pourrait devenir efficacement puissante si elle trouvait un précepteur patient. Pour l'instant elle n'est que désordonnée, susceptible et bornée. Il sera très difficile de lui faire apprendre quoi que ce soit tant qu'elle sera aussi indisciplinée.

– Je me souviens de toi au même âge. Impatient, arrogant, tout son portrait. Il faut laisser le temps au temps, rappela Averroès sur un ton nostalgique.

Dante fronça un sourcil et s'apprêtait à répondre quand William le coupa dans son élan.

– Dans quoi t'es-tu fourré ? Quelle idée a bien pu te passer par la tête le jour où tu as décidé de leur venir en aide ? Je t'ai connu impitoyable et revanchard et voilà que tu nous apparais sous les attributs d'un père de famille. J'ignorais que tu aimais pouponner.

– Et moi, j'ignorais que tu étais devenu aussi irascible, William.

– L'inactivité l'empâte, ricana Vincent. Mais il n'a pas tort. Tu ne nous ramènes pas trois prodiges mais trois gamins mal dans leur peau. Une Penseuse encore endormie, une

Voleuse plongée jusqu'au cou dans la crise d'adolescence, et un mystérieux petit soldat aussi muet qu'une tombe.

– Que voulez-vous savoir de moi ?

– Ah non, il parle. Tu es jeune, garçon, et je ne sais pas ce que cachent tes airs de dur.

– Une vie a fondu sous la neige, une autre est partie en fumée, la troisième commence par des réminiscences. Il suivra notre voie tant que celle-ci lui conviendra.

Comme elle aurait fredonné une comptine, Averroès venait d'exposer à voix basse les tenants de la vie de Tristan. Elle semblait le connaître alors que le garçon prenait bien garde de ne pas se montrer à découvert. Il s'était efforcé de fermer son esprit à tous et pourtant cette femme vampire savait. Dante lui avait-il fait un résumé des caractéristiques de chacun ? Mais comment était-elle au courant de ses projets ? Il n'en avait parlé à personne. Pas même à Dante qui l'avait sauvé des griffes de Dima. Il ne voulait faire de tort à personne, il en avait juste assez de laisser les autres décider pour lui. L'Université d'abord puis Garibaldi avaient modelé sa vie sans qu'il puisse y redire quoi que ce soit. Il ne voulait plus confier son devenir à un autre que lui-même. Durant les jours qu'il avait passés en compagnie de Mous et Dante, il avait beaucoup réfléchi et était parvenu à une décision : il suivrait les vampires tant que leurs desseins seraient communs au sien. Puis viendrait le jour où il se détacherait du groupe pour enfin prendre sa destinée en main.

– Il a affronté Dima, dit simplement Dante.

– Le Boucher ? Ce bon vieux Dima est toujours vivant ? Est-ce qu'il est toujours aussi cinglé ? s'étonna Vincent.

– Je ne sais pas comment il était avant. Mais la première et dernière fois que je l'ai vu, c'était dans une salle de torture, expliqua Tristan.

– Ah, ça ne m'étonne pas. Il avait déjà de drôles d'obsessions quand je le fréquentais, sourit nostalgiquement Larme.

– Merci, Larme de me rappeler que nous n'avons pas toujours été ensemble, grimaça William.

– Mais c'est toi que je préfère, mon amour, lança-t-elle en déposant un baiser léger sur la joue de William.

– *Salam alekoum* la compagnie ! s'écria Moustafa en entrant dans la pièce.

Seul Vincent se leva pour aller serrer dans ses bras le vampire moustachu.

– Ça me fait plaisir de te voir, mon frère. Comment vas-tu ?

– *Labès*, répondit Moustafa. J'espère que tout va bien pour toi.

– Je me porte comme un charme.

Vincent regagna sa place, deux chaises supplémentaires furent ajoutées et, après que Moustafa eut fait le tour de table pour serrer les mains de William et Jhaved, embrasser Larme et (à la grande surprise des trois humains présents) faire le baisemain à Averroès, chacun se rassit et le cercle fut de nouveau fermé.

– Voici donc la Belle au Bois Dormant, commença Larme en désignant Mélusine, réfugiée entre Framboise et Tristan.

– Comment va ta tête ? s'inquiéta Tristan.

– Mieux, répondit Mélusine. Un peu embrouillée mais beaucoup mieux.

Averroès leva la main, réclamant l'attention.

– Je sais que nous sommes ici pour plusieurs jours et que nous aurons tout le temps de discuter de la santé de celle-là et du passé de celui-ci, mais, Dante, je souhaiterais comprendre ce qui a changé pour que tu nous convoques comme cela n'a pas été fait depuis des décennies.

– Je veux détrôner l'Université, la faire chuter de son omnipotence et la pousser à capituler.

– Rien que ça ! s'exclama Vincent. Tu passes vite d'un extrême à l'autre. Il me semble qu'ils avaient une bonne raison pour te forcer à collaborer. Que fais-tu de Zora ?

– Je ne l'ai jamais oubliée. La seule solution pour faire taire l'Université est de la délivrer.

– Bravo ! Grandiose ! Comme si on avait pas déjà essayé des dizaines de fois. Qu'est-ce qui a changé depuis la dernière fois ?

– Moustafa ?

Le vampire, occupé à se lisser les moustaches sursauta. Il se redressa, s'éclaircit la gorge en toussotant et se mit à expliquer :

– Après des mois de recherche, j'ai enfin réussi à définir le logarithme qui actualise quotidiennement le langage codé de Shiva. C'est une suite binaire *a priori* assez simple mais qui, en fait, se compose exclusivement de nombres premiers. J'ai fait appel à la métaheuristique des calculs complexes pour appréhender...

– Viens-en au fait, je te prie Mous, le coupa Dante.

– Eh bien, en résumé, ça veut dire que j'ai décodé le programme direct de Shiva. J'ai pu accéder à ses données, ses archives, son réseau interne. Je sais tout ce que l'agence sait et elle sait que je le sais. Depuis, on joue au chat et à la souris. Il semble que par la suite elle ait tenté de reconfigurer son système mais elle ne peut plus me semer. J'intègre ses modifications. En trois mots : je la hante.

– Et ?... le relança Dante.

– Et... Ah oui ! Et je suis en mesure de localiser Avenir. Informatiquement parlant, pas géographiquement.

Je dispose des plans de son installation même si certaines données restent encore floues. Ce que je peux affirmer c'est que, de toute évidence, Zora comme nombre de nos compagnons est encore vivante. Si on peut appeler « vivant » quelqu'un qu'on transforme en bête de laboratoire. Ce qu'ils leur font subir est affreusement inhumain. Le fait que j'ai trouvé des vidéos d'expériences ne me semble pas anodin. Ils les ont laissées là à mon intention. Les visionner a été éprouvant. Tant de souffrance, de cruauté, j'ai beau être un garçon solide j'ai eu du mal à supporter. C'est tout de même de ma sœur qu'il s'agit. Vous pouvez me croire, c'est, c'est… On ne peut pas imaginer…

Moustafa se rencogna au fond de son fauteuil et recommença machinalement à caresser les deux pans de sa moustache. Un silence lourd de signification s'abattit sur la table.

– Je sais où se trouve Avenir.

Les regards convergèrent vers le garçon aux cheveux blancs. Tristan avait beaucoup hésité avant de révéler cette information cruciale. Il était partagé entre son attachement à l'Université (après tout, ses parents étaient des agents et des proches de Père), sa volonté de non-ingérence (ne pas se mêler d'un affrontement qui ne le concernait pas) et le besoin de protéger ceux et celles qui étaient devenus ses amis (Mélusine, Framboise, Moustafa et Dante). Donner le secret d'Avenir, c'était ouvrir la porte qui mènerait les vampires vers l'Université.

– S'il vous plaît, expliquez-vous, invita Averroès d'un ton poli. Elle semblait deviner le conflit intérieur qui habitait le jeune homme.

– Ulysse est consultant pour Avenir. Le jour où je l'ai rencontré, il m'a emmené dans son bureau, perché au-dessus de la mer. Nous sommes arrivés en voiture et repartis en hélicoptère. Je ne me souviens pas précisément du chemin parce que j'avais à l'époque d'autres préoccupations en tête. En revanche, il y a un détail que je n'ai pas oublié : Avenir se cache dans une falaise.

– Une falaise ! s'étrangla presque Moustafa. Mais bien sûr ! Ça expliquerait quantité de choses. Puisqu'Avenir possédait trois types de voies d'accès, air, terre, mer, je pensais qu'elle était installée dans une tour au pied de la mer. J'ai perdu un temps considérable à passer en revue les ports qui pouvaient accueillir une construction de cette envergure. Mais c'était bien plus simple que ça. Une falaise ! Des niveaux souterrains, des niveaux sous-marins. Rien de repérable à partir du ciel ou de satellites. Ah, ah, brillant !

– Ça va t'aider à le localiser ? demanda Dante.

– C'est comme si c'était fait, déclara Moustafa. On ne trouve pas des falaises partout. Il faut que ce soit un lieu naturel, loin de toute civilisation. Il suffit de repérer les allées et venues suspectes de bateaux ou d'hélicos.

– Très bien, conclut Averroès. L'aube est proche. Nous continuerons demain soir.

Tous acquiescèrent et se levèrent.

– Attendez !

Framboise levait la main, l'air gêné

– Je voulais savoir, cette histoire de je-donne-mon-sang-je-bois-du-sang, ça sera pas tous les soirs comme ça, hein ?

Les vampires se regardèrent et ricanèrent joyeusement avant de saisir leur arme respective et de la ranger dans leurs fourreaux. Aucun ne répondit à la jeune fille qui continuait à protester dans le vide.

– Non, parce que merci beaucoup. Vous appréciez peut-être ça mais moi j'y tiens pas trop. Je laisse les trucs de vampire aux vampires et je garde mon sang.

Averroès, Jhaved, William et Dante quittèrent la salle sans un mot. Moustafa se dirigea vers l'amoncellement de bagages noirs déposés tout à l'heure dans le hall et entreprit de tout rapatrier dans le grand salon puis d'en vider morceau par morceau le contenu. Il sortit une multitude de périphériques et de supports qu'il raccorda avec l'habileté du professionnel. En moins de dix minutes, trois ordinateurs prirent vie sur le bar. Moustafa enfourcha un tabouret et il n'exista bientôt plus pour lui que ce qui défilait sur ses écrans.

Framboise et Mélusine n'avaient pas bougé et paraissaient anéanties par ce qui s'était dit ici. Tristan avait croisé les bras contre son torse et semblait plongé en pleine réflexion. Seuls restaient en face d'eux Vincent et Larme qui les regardaient avec un petit air réjoui.

– Qu'est-ce qui vous amuse ? demanda Framboise quand elle en eut assez d'être observée.

– Nous nous sommes portés volontaires pour nous occuper de vous, annonça Larme. Je vous propose deux choses. D'abord, je vous conduis à vos chambres où vous prenez un bon bain chaud et où vous changez de tenues. Et ensuite nous pourrons faire ce que Dante attend de nous : vous donner des cours. Alors zou, dans vos chambres les enfants ! Hi, hi, j'ai toujours rêvé de dire ça.

Chambre 203
Hôtel des Deux Mondes

Après une demi-heure à tremper dans le bain moussant d'une immense baignoire en porcelaine, Framboise et Mélusine avaient passé un très bon moment à grignoter des biscuits et regarder Larme déballer une malle de vêtements qu'elle avait apportée à leur intention.

Ça ressemblait à s'y méprendre à une soirée entre filles (sauf bien sûr qu'il devait être aux alentours de 5 ou 6 heures du matin). Elles avaient essayé des dizaines de tenues et de chaussures différentes, avaient parlé des derniers événements et des potins récents que les filles avaient manqués et avaient même fait une bataille de pop-corn.

Larme se comportait comme une grande sœur aimante et attentive. Elle conseillait sur le choix d'une tenue, plaisantait avec calme et serrait les filles de temps en temps dans ses bras. Elle coupa avec soin les cheveux de Mélusine qui se retrouva avec un carré jusqu'aux épaules, peigna la tignasse indomptable de Framboise et la modela avec du gel. Elle leur apporta du chocolat chaud, quelques croissants encore croustillants et les regarda manger.

Enfin, quand l'aube commença à pointer, elle disparut dans sa propre chambre non sans avoir embrassé chaleureusement les filles et les avoir une dernière fois rassurées.

– Nous commencerons les cours la nuit prochaine. D'ici là, faites de beaux rêves mes petites.

Framboise et Mélusine s'endormirent presque instantanément, comblées de tant d'attentions, flottant dans une impression de sécurité, d'amour et de bien-être qu'elles n'avaient plus ressenti depuis longtemps.

De son côté, Vincent avait passé la fin de la nuit en compagnie de Tristan. Difficile d'approche, le jeune homme s'était peu à peu laissé amadouer par le caractère jovial et l'intelligence du vampire.

Après une douche bien chaude, Tristan avait enfilé ce qu'il considérait comme la tenue la plus confortable : jeans, tee-shirt, Docs. Puis il eut droit à un énorme plat de spaghetti bolognese, suivi de quelques parties d'échecs devant la cheminée de l'hôtel.

Le vampire était un adversaire efficace mais impatient. Il gagnait souvent mais sacrifiait la plupart de ses pions pour y parvenir. Et Tristan devait garder à l'esprit de protéger ses pensées car il n'eut pas déplu à son adversaire d'y lire le prochain coup.

Vincent finit par déclarer forfait pour aller se coucher, le soleil fraîchement levé limitant sa concentration. Épuisé, Tristan suivit son exemple et alla s'effondrer de fatigue dans le large lit de sa chambre.

Héliport
Au sommet d'un immeuble
Business Center

Comme prévu, les mailles du filet s'étaient resserrées avec efficacité. La piste de Framboise avait mené à celle de Moustafa, flashé par une caméra routière dans un van qu'il conduisait en compagnie de Mélusine. La suite de l'enquête convergeait vers un seul et même point : l'hôtel des Deux Mondes, un établissement hors du temps qui correspondait tout à fait au goût désuet de Dante. En étudiant les derniers enregistrements des caméras du quartier, on découvrit que les cinq suspects n'étaient plus seuls : des vampires, plutôt bien classés dans le panthéon des suceurs de sang les plus recherchés, les avaient rejoints. Une gigantesque cerise sur le gâteau de Vasco.

L'hélicoptère de l'Université se posa au cœur du Business Center, au sommet d'une massive tour de béton. En sortirent Léon et Franky ainsi que Vasco et sa sœur Espérance. Les cheveux courts couleur chocolat, les yeux verts et la peau mate, cette dernière était plus menue que son frère mais n'en semblait pas moins bâtie pour être endurante et efficace. Et tout comme son petit frère, elle respirait naturellement l'autorité. Quelques hommes les accompagnaient, vêtus de combinaisons noires en Kevlar et solidement armés.

En tant que chef des brigades d'intervention, Espérance prit la tête des opérations et expliqua comment les choses allaient se dérouler. Leur consigne était de ramener tout le monde vivant. Les vampires pouvaient être en mauvais état, on s'en fichait puisque, de toute façon, ils guériraient vite. Quant aux enfants, expliqua-t-elle en distribuant à chacun un petit pistolet noir ainsi qu'un holster, une seule des seringues hypodermiques contenues dans ces armes suffirait à les mettre K.-O.

Tandis que chacun retirait sa veste pour enfiler le holster, Espérance crut bon de leur rappeler de ne pas oublier le cran de sûreté. Il aurait été dommage d'avoir une seringue plantée dans la fesse à la suite d'une mauvaise manipulation. De toute façon, si tout allait bien, ils n'auraient pas besoin de s'en servir car Dolorès aurait fait le sale boulot à leur place et ils n'auraient plus qu'à les cueillir.

Un nouveau bruit de rotor vint à point nommé troubler le calme de leur réunion en altitude, et l'hélicoptère bleu nuit de Shiva se posa non loin du leur. Une porte s'ouvrit dans l'habitacle de l'appareil et un petit escalier se déploya. Un homme descendit et déplia sur le tarmac un fauteuil roulant dans lequel un second homme déposa et sangla une enfant endormie. Puis tous deux approchèrent de l'assistance, l'un poussant le fauteuil, l'autre portant une mallette noire.

– Nous sommes l'escorte de Dolorès, se présenta le premier homme sur un ton neutre. Je suis monsieur Noir et voici monsieur Blanc.

– À votre service, s'inclina légèrement monsieur Blanc.

La petite fille dans le fauteuil penchait un peu sur la droite. Elle avait les cheveux noirs coupés en une frange courte au-dessus des yeux. Habillée d'une robe rouge et de sandales de la même couleur, elle serrait dans son sommeil un doudou lapin plus qu'usé par des années de sollicitations.

Franky se demanda quelle perversité avait poussé Shiva à faire une arme d'une enfant.

Salon
Hôtel des Deux Mondes

À l'hôtel, le soleil achevait de se coucher sans que ceci ne change quoi que ce soit à la pénombre ambiante des lieux. Dans le salon, Tristan, Mélusine et Framboise partageaient leur dîner-petit déjeuner composé de tout ce qu'ils avaient pu dénicher dans le garde-manger du restaurant : compotes, pâte à tartiner, rillettes, glaces, foie gras...

William s'était absenté pour vingt-quatre heures et Vincent et Larme les avaient prévenus que leur entraînement débuterait après le petit déjeuner. Framboise et Mélusine étaient bien contentes d'être enfin considérées comme des adolescentes et plus comme des adultes ou des mini-soldats. Elles avaient quitté avec plaisir l'uniforme de l'Université et revêtu des tenues plus en accord avec elle-même : jeans et col roulé épais pour Mélusine, pantacourt et sweat à capuche rayé pour Framboise. Elles en profitaient pour absorber le maximum de nourriture tout en feuilletant les magazines que Mélusine avait dénichés à la réception. Les sentiments de Tristan étaient plus mitigés. Il ne partageait pas ce besoin de frivolité des filles. Il n'avait jamais connu ça et se sentait vexé d'être mis à l'écart de la réunion qui se déroulait de l'autre côté de la grande salle.

Du côté des ordinateurs de Moustafa, se tenaient en effet les membres de la Confrérie. Debout, assis ou penchés sur les innombrables valises que le hacker avait ramenées, ils discutaient silencieusement de tactique, de techniques d'intrusion, de piratage de réseau. Des cartes, des images satellites étaient accrochées aux murs aux côtés de plans annotés de rouge et de photos capturées sur Internet. Ils semblaient tous très affairés, mais Tristan se tenait trop loin d'eux pour vraiment comprendre de quoi il s'agissait.

De dépit, le jeune homme se resservit une tasse de chocolat chaud.

Non loin de l'hôtel
Business Center

Ils avaient quitté l'héliport et rejoint un fourgon noir qui les attendait, dissimulé à deux rues de l'hôtel. À son bord, un commando armé était prêt à intervenir au signal d'Espérance. Shiva avait une organisation sans faille, capable de fournir en quelques heures le matériel nécessaire pour les missions les plus diverses en tout point du globe.

Aux côtés de monsieur Blanc qui poussait le fauteuil de la fillette endormie, monsieur Noir ouvrit sa mallette et en sortit des petits joyaux bleus qu'il distribua aux membres du commando, ainsi qu'à Franky, Vasco et Espérance.

– Ceci est une puce dermo-adhésive que vous devez appliquer entre vos deux yeux à même le front. Elle n'est efficace qu'en complément d'une robuste Protection mentale. D'après nos dossiers, seuls Franky, Vasco et Espérance pourront donc nous accompagner.

– Ça a intérêt à fonctionner, grommela Vasco en pressant la puce pas plus grosse qu'un ongle sur son front.

– Quant au reste du commando, continua monsieur Noir, votre Protection mentale étant trop faible, vous devrez rester éloignés de 500 mètres au minimum de l'hôtel. Cette distance ne va pas vous empêcher d'entendre Dolorès mais au moins, ça ne vous brûlera pas les synapses. Dès que le Cri cesse, vous accourez pour intervenir comme renfort.

– Et vous ? s'emporta un membre du commando d'un ton aigre. Vous n'avez pas besoin de protection ?

– Si vous posez la question, c'est que vous ignorez qui nous sommes. Essayez seulement de lire l'esprit de monsieur Blanc ou le mien.

L'homme s'exécuta et fut immédiatement saisi d'une désagréable impression de *trébucher*. Monsieur Blanc, tout comme son compère monsieur Noir, était d'un vide absolu. Aucune pensée à laquelle se raccrocher, aucune image, aucun son n'émanait de cet homme. Et ce n'était pas grâce à la protection d'un mur mental. Non. C'était juste qu'il n'y avait rien. Comme si ces deux hommes n'étaient pas vraiment là ou qu'ils n'étaient que des objets sans pensée ni vie propre.

– Je vois que vous avez compris, conclut monsieur Noir. Nous n'avons rien à craindre d'une arme qui n'atteint que ce qui peut émettre une pensée. Vous allez donc rester bien sagement en retrait le temps que nous opérions avec Dolorès.

Chambre 205
Hôtel des Deux Mondes

À l'hôtel, l'entraînement avait commencé. Vincent avait pris Mélusine et Tristan sous son aile tandis que Larme s'occupait de Framboise.

Ces deux dernières s'étaient réservé une chambre au deuxième étage, le plus loin possible de toute moquerie ou toute influence étrangère. La vampire essayait d'instruire Framboise de la façon la plus ludique qui soit. Elle suspendait une tasse en l'air et demandait à Framboise de la rattraper avant qu'elle ne se brise sur le sol, elle lui faisait trier des petites dragées au chocolat par la couleur de leur enrobage et elle avait mélangé un puzzle de cinquante pièces pour enfants de plus de 6 ans que la jeune fille devait recomposer sans y poser les mains.

Framboise se fatiguait vite mais s'obstinait beaucoup. Elle ne voulait pas décevoir cette femme qui lui témoignait tant d'affection. Tout en croquant une cacahuète enrobée de chocolat et en s'attaquant au puzzle de *Koum fait du bateau*, elle se demanda comment s'en sortaient Mélu et Tristan.

Ces derniers étaient restés dans le salon avec Vincent. Celui-ci testait tour à tour leur résistance et leur combativité. Ils tiraient chacun une carte sur laquelle était inscrit un nom de plante, d'animal ou de personnage célèbre et devaient ensuite garder ce mot secret pendant que les deux autres cherchaient à pénétrer dans leur esprit pour l'y dénicher.

Mélusine était souvent trop douce, refusant de jouer les intruses dans les pensées d'autrui et de blesser sa cible à force de trop insister. Vincent avait expliqué calmement la méthode à suivre :

– Le jour où tu blesseras quelqu'un par la pensée n'est pas arrivé. Ne cherche pas à pénétrer par la force mais par cette douceur et cette intelligence qui te sont propres. Chacun procède à sa façon et tu n'es pas une violente, ça se comprend tout de suite. Vois l'esprit de ton adversaire comme un casse-tête ou un labyrinthe qu'il te faudrait résoudre. Tu es dans une pièce inconnue sans porte ni fenêtre et pourtant tu sais qu'il existe une issue quelque part. Il faut juste la trouver. C'est à toi de modeler l'esprit de l'autre à ta façon. Trouve la métaphore qui te convient le mieux. Allez, essaie encore sur Tristan.

Le défaut de Tristan était surtout de perdre sa concentration et de se laisser déstabiliser. Vincent finissait par s'engouffrer dans ces manques d'attention et trouver le mot convoité.

L'ambiance était bon enfant et Vincent bon professeur. Mélusine regardait souvent en direction de Dante, à l'autre bout du salon, pour savoir ce que celui-ci pensait de leurs éclats de rire et de leurs réflexions enjouées. Mais son ancien protecteur ne semblait même pas les avoir remarqués, concentré dans le feuilletage d'une liasse de papiers que Moustafa avait laissée à son intention. Les autres étaient sans doute allés faire une pause, et dans la pièce régnait un calme reposant.

Mélusine venait enfin de trouver le mot que Tristan lui cachait depuis cinq bonnes minutes : « kangourou ! », quand quelque chose d'imperceptible changea dans la pièce. Elle eut le réflexe de se retourner tandis que ses compagnons levaient les yeux vers cette zone de trouble qu'ils avaient eux aussi senti. À l'endroit où le salon devenait la réception, cinq personnes et une enfant dans un fauteuil roulant avaient fait leur entrée en toute impunité. Le cœur de Mélusine se serra quand elle reconnut sur trois d'entre eux l'uniforme de l'Université : Franky, le Commandeur en personne et une femme qu'elle ne connaissait que de vue. Tous les toisaient avec froideur.

Dante s'était déjà levé et reculait pour se mettre entre les intrus et leur groupe. Il fut rejoint presque aussitôt par Vincent qui se posta à ses côtés.

– Que venez-vous faire ici ? s'enquit Dante d'une voix rauque.

– Nous venons vous capturer, quelle question ! répondit Vasco en haussant les épaules comme s'il s'agissait d'une évidence. La chasse a repris et au moindre signe nous apparaissons.

– Vous êtes pires que des hyènes, cracha Vincent. Vous ne nous laissez aucun répit.

– Réglez vos comptes avec Dante. C'est lui qui a brisé le Pacte. Vous deviez vous attendre à une intervention de la sorte. La question est de savoir si vous acceptez de vous rendre ou si nous devons faire usage de la force, énonça calmement Espérance.

– Vous rêvez ! Si je n'ai jamais été capturé, ce n'est pas pour être aujourd'hui votre prisonnier. Allez vous faire voir !

Sur ces mots, Vincent dégaina son épée de son fourreau et se mit en garde. Vasco éclata de rire et claqua des doigts. À ce signal, monsieur Noir, qui était resté avec monsieur Blanc légèrement en retrait, ouvrit sa mallette de cuir sombre et en sortit une seringue remplie d'un liquide rouge vif. Il enleva le capuchon de l'aiguille, fit fuser un peu de liquide pour en chasser les bulles d'air et s'agenouilla face à la petite fille du fauteuil. Entre-temps, respectant une chorégraphie maintes fois répétée, monsieur Blanc avait relevé la manche de la fillette et présentait le creux du coude. Tendrement, monsieur Noir enfonça l'aiguille dans la petite veine de l'enfant et injecta le liquide d'une seule traite.

Avec monsieur Lapinou
Hôtel des Deux Mondes

À peine le produit eut-il pénétré dans son sang que Dolorès ouvrit les yeux. Elle battit un peu des paupières, étira ses bras et ses jambes et laissa le Cri, comme elle l'avait affectueusement appelé, se déployer autour d'elle. C'était comme un manteau dont elle ne pouvait se défaire, un large manteau qui s'ouvrait par vagues, par pétales ondoyants. Elle ne pouvait le retenir, elle n'en avait jamais trouvé l'intérêt. Elle serra monsieur Lapinou dans ses bras et leva les yeux vers monsieur Blanc qui hocha la tête en guise de Bonjour. Rassurée de sa présence et de celle de monsieur Noir qui restait accroupi à côté d'elle, elle se redressa bien droite dans sa chaise et observa le nouvel endroit où on l'avait amenée.

Son Cri avait trouvé plusieurs obstacles et les avait fait plier sans difficulté. Non loin d'elle, elle comptait quatre personnes à terre. À ses côtés, un peu en retrait, des gens avaient accompagné messieurs Blanc et Noir. L'un deux l'intrigua immédiatement avec sa grande cicatrice sur la joue. Il semblait parfaitement conscient, absolument pas gêné par le Cri. Un nouveau monsieur? Il croisa son regard et lui fit un sourire un peu forcé. Ravie, elle lui répondit par un coucou joyeux. Ils étaient tellement rares ceux qui résistaient au Cri.

– Comment tu t'appelles ? demanda-t-elle en battant des pieds dans son fauteuil.

– Franky.

– Bonjour, monsieur Franky ! Moi je suis Dolorès, et ça, c'est monsieur Lapinou ! s'exclama-t-elle en tendant son lapin.

– Vous êtes quelqu'un d'intéressant, fit remarquer monsieur Noir. Rares sont ceux qui ont les faveurs de la petite et qui bloquent parfaitement son Cri. Vous ne cherchez pas une reconversion, par hasard ?

– Est-ce que tu peux arrêter de faire ça ? demanda Franky en ignorant la question de monsieur Noir et en désignant les quatre personnes là-bas qui se tordaient de douleur.

– Pourquoi ? dit Dolorès avec la plus sincère innocence.

Franky répondit en faisant non-non de la tête et Dolorès ne comprit pas ce qu'il voulait dire. Il semblait un peu triste en tout cas.

Les deux autres personnes à côté de Franky n'étaient pas très intéressantes. Il y avait une dame et un monsieur tout grimaçants. Ils s'étaient recroquevillés sous le Cri mais celui-ci ne parvenait pas à les atteindre complètement car ils portaient, comme Franky, le Bijou-Anti-Cri que monsieur Noir distribuait chaque fois qu'ils sortaient.

Et puis, un peu plus loin, elle sentit que le Cri trouvait d'autres victimes. Elle en compta cinq et constata que tous ne réagissaient pas de la même façon à l'agression du Cri déjà atténué par la distance. Trois d'entre eux avaient réussi à s'éloigner de la source et emportaient les deux autres trop faibles pour résister.

Elle reporta alors son attention sur les quatre devant elle. Deux avaient déjà cédé et s'étaient évanouis. Même pas drôle… Les deux autres résistaient de tout leur être mais c'était comme essayer de rester debout face à un raz-de-marée. Finalement, le Cri les submergea eux aussi, leur faisant saigner les oreilles et verser des larmes de sang.

Elle était déçue. Tout était déjà fini. D'un air triste, elle attendit la suite inexorable. En se tournant vers monsieur Noir qui préparait déjà la seringue bleue, elle tendit d'elle-même le bras, comme une gentille petite fille qu'elle était. Elle soupira quand les premières gouttes bleues se mélangèrent à son sang et l'emportèrent vers l'inconscience.

– Dors bien, Dolorès, murmura monsieur Blanc en lui caressant le front.

Hôtel des Deux Mondes
Partout et nulle part

La souffrance fut terrible.

Par chance, Mélusine perdit presque immédiatement connaissance et n'eut pas à subir le déploiement total du Cri.

Tristan chercha à résister mais il n'avait jamais connu une telle douleur. La souffrance provoquée par ses brûlures n'était rien comparée à celle qui striait son esprit maintenant. Il avait l'impression d'être disséqué, mis à nu au burin. *Par pitié, faites que cela cesse !* avait-il supplié avant de sentir avec soulagement son corps flancher et l'emmener vers les ténèbres de l'inconscience.

Dès le premier assaut du Cri, Vincent avait lâché sa précieuse épée. Il s'était retrouvé à genoux sans même s'en rendre compte et essayait désespérément de résister à l'horreur qui déferlait sur lui. C'était comme être trop prêt du soleil : insoutenable.

Dante ne comprit pas tout de suite ce qui lui était arrivé. Il avait tenu tête à Vasco et ses hommes, la petite fille s'était réveillée et puis... Et puis l'enfer s'était déchaîné sur eux. C'était comme être à la fois écartelé et écrasé. Une souffrance étouffante. Son corps lui était devenu insensible car son esprit avait pris toute la place, auréolé qu'il était de douleur. Rien n'avait d'importance que cette insidieuse torture qui le mettait à genoux. Il avait la sensation que son cerveau gémissait sous la pression mais il se rendit compte que c'était lui-même qui criait sans pouvoir se retenir.

Le Cri toucha aussi Framboise et Larme. Cette dernière avait capté le message d'alerte que Dante lui avait *pensé* quelques secondes plus tôt et se tenait sur le qui-vive quand le Cri les renversa, elle et sa protégée. Heureusement la distance fut suffisante pour atténuer son influence et lui laisser la capacité de bouger et de réfléchir. Ce ne fut pas le cas de Framboise qui fléchit telle une brindille et s'affala sur la moquette de la chambre.

Dans la chambre voisine, Moustafa avait passé un bon moment à faire et refaire son sac à dos. Quand l'alerte fut donnée, il ferma le sac et le passa sur son dos. Une poignée de secondes après, une avalanche de douleur ébranla son esprit. Quelque chose qui ressemblait au crissement de deux objets métalliques en contact. Moustafa tint bon. Il se raccrocha à l'idée qu'il refusait d'être capturé, que sa prise signerait sa perte.

Sur le toit de l'hôtel, Averroès et Jhaved avaient eux aussi saisi l'avertissement de Dante. En combattant accompli, le guerrier s'était aussitôt tenu prêt. Le Cri de Dolorès l'avait ébranlé malgré l'éloignement et il avait soutenu Averroès prise de vertiges en attendant l'accalmie.

Cette dernière n'avait pas tardé à venir. Au bout de cinq minutes de souffrance où il lui avait fallu grincer des dents pour résister, le Cri s'était enfin éteint. Jhaved s'était alors précipité vers les étages inférieurs. Il avait croisé Larme dans le couloir du deuxième, Framboise dans les bras et Moustafa encore titubant à ses côtés. Il leur avait confié Averroès qui reprenait ses esprits et continué sur sa lancée.

Le guerrier détestait l'Université. Il détestait qu'on l'attaque sur son propre territoire. Et il détestait qu'on blesse Averroès. Voilà pourquoi, malgré les appels à la raison de Larme, il continua sur sa lancée et se précipita à demi enragé vers ses ennemis.

Vasco et Espérance ne furent pas épargnés par la douleur. À un mètre de Dolorès, le Cri était comme un foyer radioactif. Il s'infiltrait partout, parasitant tout ce qui pouvait émettre une pensée. Malgré la protection de la puce, la pression fut écrasante et ils regrettèrent de ne pas être restés en arrière. D'autant que Franky ne semblait nullement indisposé par le Cri, juste gêné par la souffrance des autres. Quand le Cri eut cessé, ce fut d'ailleurs le seul à pouvoir s'approcher des corps inconscients sans tituber. Vasco et sa sœur en étaient encore à tenter de retrouver une vision moins floue.

Ce fut ce moment que choisit Jhaved pour déboucher du premier étage, cimeterre au poing et l'air enragé. Dans leur état, ni Vasco ni Espérance n'arrivèrent à dégainer l'arme spéciale dont ils étaient pourtant équipés. Leurs doigts étaient gourds, leurs réflexes lents, leurs yeux brouillés. Monsieur Noir et monsieur Blanc, qui ne souffraient nullement de ce malaise, dégainèrent et tirèrent comme un seul homme sur le vampire qui se précipitait sur eux. En fait, ils vidèrent même leur cartouche et les impacts firent reculer Jhaved de plusieurs mètres.

– Balles pour gros gibier, commenta monsieur Blanc en éjectant le chargeur et en piochant une recharge dans son holster.

– Très efficaces contre les prédateurs, ajouta monsieur Noir en mimant son collègue.

Plaqué au sol, Jhaved voyait son sang couler par une multitude de plaies et imbiber le tapis épais de l'hôtel. Il avait déjà été blessé, à de très nombreuses reprises, mais jamais par de tels projectiles. Il repoussa la douleur et se redressa en s'appuyant sur le cimeterre qu'il n'avait pas lâché malgré sa chute. La colère le poussait en avant. Revoir le visage d'Averroès déformé par la souffrance suffit à lui insuffler une nouvelle bouffée de rage.

Petit à petit, ses blessures se refermaient, il le sentait, mais il avait perdu beaucoup de sang et la Soif vint s'ajouter à sa fureur. Dehors, il capta les pensées des hommes du commando qui s'était mis en branle. Une grande faiblesse l'envahit soudain et il se retrouva à genoux sans se souvenir du moment où ses jambes avaient flanché. Des petits points noirs flottaient devant ses yeux et il eut la certitude qu'il allait s'évanouir.

Les deux tireurs le mettaient en joue, se préparant pour une deuxième salve.

Au sommet du toit
Hôtel des Deux Mondes

Larme se précipita à la suite de Jhaved alors même que des coups de feu retentissaient à l'étage en dessous. Moustafa et Averroès, chargés à présent de Framboise, ne pouvaient rien faire d'autre qu'attendre.

Averroès avait ressenti la colère de Jhaved quand Dante les avait alarmés de l'intrusion. Puis ce cri mental d'une puissance jamais égalée les avait terrassés. Quand l'étau s'était enfin desserré, la colère de Jhaved était revenue doublée d'un désir de violence. Il avait dévalé les deux étages, des coups de feu l'avaient interrompu dans sa course – c'était certain, elle avait ressenti sa douleur à chaque impact – puis sa conscience avait vacillé. Larme était intervenue à temps pour lui éviter une seconde salve. Elle avait *repoussé* les deux tireurs et avait empoigné la centaine de kilos de muscles de Jhaved pour le charger sur son dos et s'échapper. D'un coup de poing, elle avait brisé la fenêtre la plus proche et s'était jetée à l'extérieur *enjoignant* Averroès, toujours à l'écoute, de faire la même chose un étage plus haut.

Moustafa brisa une fenêtre au bout du couloir, sauta seul, et se retourna pour réceptionner Framboise qu'Averroès lança comme si elle ne pesait rien. La vampire enjamba à son tour le garde-corps et se reçut lestement au sol tandis que Larme les rejoignait. Un seul regard sur le blessé suffit à Averroès pour comprendre l'urgence de la situation. Jhaved avait été criblé de balles perforantes quasiment tirées à bout portant au thorax mais surtout il avait dû perdre beaucoup de sang. Beaucoup trop. Averroès leva les yeux vers Larme qui lui répondit avec un rictus qui découvrit ses canines.

– Espérons qu'il ne reprenne pas conscience trop tôt.

La proximité des agents de l'Université les fit s'éloigner au plus vite. Ils parcoururent plusieurs pâtés de maisons et laissèrent le commando à bonne distance. Une fois certains qu'ils étaient trop loin pour être repérés, ils observèrent les alentours. Ils s'étaient arrêtés dans un calme quartier résidentiel bordé par un profond canal. Moustafa identifia une péniche d'où n'émanait aucun signe de vie. Il sauta sur le pont et força discrètement la porte de la cabine. Les deux vampires, aussi furtives que des ombres malgré leur fardeau respectif, le rejoignirent aussitôt.

Plongé dans la pénombre, l'habitacle de la péniche était équipé de quelques meubles solides et confortables quoique patinés par l'usage. Framboise fut allongée dans un canapé et Jhaved sur une table en bois massif située un peu plus loin dans le coin cuisine. Pendant ce temps, Moustafa fit le tour des hublots vitrés qui servaient ici de fenêtres pour les calfeutrer avec des couvertures et ainsi empêcher le moindre rayon de soleil de s'infiltrer.

Bien que nyctalopes, les vampires avaient, comme les félins, une vision très mauvaise une fois plongés dans l'obscurité totale. L'intérieur de la péniche, désormais d'un noir d'encre, allait nécessiter un minimum de lumière pour ce qu'ils s'apprêtaient à faire : opérer Jhaved dans les plus brefs délais. Car il était hors de question de laisser le guerrier vampire avec toutes ces balles dans le corps. Son opération promettait d'être longue et compliquée, son organisme ayant déjà cicatrisé toutes les plaies et enfermé les projectiles à l'intérieur des chairs.

La péniche n'était pas raccordée au réseau électrique, aussi Moustafa fut-il envoyé dans la minuscule salle des machines. Il revint en annonçant qu'il avait branché la batterie et qu'ils disposaient à présent d'une douzaine d'heures de lumière.

– Plus, si on fait tourner le moteur. Ce que je déconseille fortement parce que ça nous ferait repérer par les gens du voisinage. Cette péniche a été préparée pour l'hivernage, ça veut dire que ses propriétaires ne reviendront pas avant la saison chaude. Tout changement dans son aspect paraîtra suspect. Déjà, notre poids enfonce la ligne de flottaison de quelques centimètres et un œil aguerri ne s'y tromperait pas. Heureusement, nombre de péniches alentour sont désertées. Il fait trop froid pour les humains sur l'eau en hiver.

Hall de Réception
Hôtel des Deux Mondes

Monsieur Noir et monsieur Blanc ne prirent pas la peine de poursuivre les fuyards. Le plus urgent pour eux était de ramasser Dolorès qui avait chu de son fauteuil quand Larme avait projeté les tireurs en arrière. Avec maintes précautions, comme s'ils manipulaient une poupée de porcelaine, ils assirent la petite fille bien droite, les mains gracieusement croisées sur monsieur Lapinou.

Autour d'eux, le monde recommençait à tourner selon un rythme beaucoup plus soutenu. Le commando s'était précipité, dès l'extinction du Cri, aux trousses des vampires manquants mais leur rapidité d'intervention n'avait pas suffi : la plupart des vampires s'étaient échappés. Vasco fulminait, invectivait ses agents mais il était déjà trop tard pour rattraper l'échec partiel de la mission.

Le spectacle des corps inconscients que l'on préparait au transport calma petit à petit sa fureur pour laisser la place à une rigueur professionnelle de mise. On avait fait amener des caissons isolants qui protégeaient les vampires de la lumière du jour et les confinaient aussi efficacement que des cercueils. Le corps sans vie de Vincent fut enfermé dans un premier caisson, puis Vasco vint s'occuper en personne de celui de Dante. Avec l'aide de Franky, il souleva le vampire et le glissa dans la longue boîte hermétique. Le revêtement intérieur épousa automatiquement la forme du corps, se resserrant autour de son torse, son crâne, ses bras et ses jambes plus solidement que n'importe quelle camisole. Un cauchemar pour claustrophobe.

Mais Vasco ne voulait pas en rester là.

– Je veux lui laisser un souvenir personnel. Ce traitement est trop doux pour le traître qu'il est. Il faut qu'il souffre. Il se vante d'être plus humain que nous. J'aimerais voir ce qui lui restera d'humanité quand il se réveillera.

Il se dirigea dans l'arrière-cuisine du restaurant et en revint avec un couteau de boucher, une bouteille de vinaigre et quelques serviettes de table. Il découpa des bandes de tissus dans les serviettes et les imbiba au maximum de vinaigre. Retournant vers le caisson de Dante, il se pencha vers le corps inconscient et lui ouvrit profondément les deux poignets. Le sang coula aussitôt, tachant le revêtement, puis le flot commença rapidement à tarir alors même que la plaie cicatrisait. Vasco noua les bandes imbibées de vinaigre autour de chaque poignet et versa sur chacune d'elle le reste du contenu de la bouteille. L'acidité du liquide empêcherait ainsi toute cicatrisation et laisserait la coupure à vif. Enfin, Vasco ferma le caisson et laissa ses consignes :

– Une fois chez Avenir, vous le balancez dans une cellule sans lui apporter de soin. Je passerai vérifier si mes instructions ont été respectées. Pas de soin, pas de sang. On verra où est l'animal et où est l'homme.

Les corps sans défense de Tristan et Mélusine furent chargés dans des civières et emmenés dans un fourgon noir. Ils feraient partie du convoi vers Avenir. Même s'ils ne subiraient pas le sort de Dante, le leur ne serait pas forcément plus enviable. Prisonniers de Shiva, on les droguerait afin de créer une camisole chimique qui les rendrait plus malléables que du papier mâché. Un long travail de suggestion commencerait, et ce lavage de cerveau les transformerait impitoyablement en soldats sans scrupule de l'Université.

Dans la péniche
Quartier résidentiel inconnu

Au bout d'une heure, Framboise se réveilla avec un furieux mal de crâne. Elle souffrait tellement que le moindre mouvement oculaire semblait provoquer un écho lancinant dans son cerveau. Les pulsations de son sang faisaient du tambour à l'intérieur de sa tête. Non, pas vraiment du tambour, plutôt de la grosse caisse, celle avec une cymbale au sommet qui fait BOUM CLING BOUM...

– Bois ça.

Quelque chose de mouillé et de tiède se posa sur ses lèvres. On lui souleva un peu la tête pour qu'elle puisse boire. Se souvenait-elle comment déglutir? Elle en doutait avec un cerveau transformé en fanfare. Elle avala une fois, deux fois, trois fois, surprise de sentir son corps réagir d'instinct. Qu'est-ce que c'était? Elle n'arrivait à isoler ni le goût ni la consistance. Ses papilles avaient dû être déconnectées, elles aussi. Son centre nerveux devait être réduit à l'état de légume tant elle semblait insensible de toute part. Est-ce qu'elle risquait de rester dans cet état légumineux à vie? Un navet baveux qui porterait des couches parce qu'elle ne contrôlerait plus ses intestins? Non, elle avait réussi à avaler, et puis elle avait entendu quelqu'un.

Framboise demanda à ses yeux de s'ouvrir. Ses paupières répondirent à l'ordre et se soulevèrent de deux millimètres. Trop grand ! La lumière pénétra en force et irradia son nerf optique jusqu'au cerveau. Elle ferma aussitôt les yeux et sentit des larmes perler sous ses cils. Au moins, elle pouvait à peu près déterminer où était son visage, à défaut de pouvoir le toucher.

Les larmes lui firent du bien. Elles calmèrent le feu que la lumière avait fait naître. C'était un peu les mêmes sensations qu'après une anesthésie générale, la douleur en plus. Quand on lui avait retiré les amygdales, elle s'était réveillée par palier mais c'était la douleur qu'elle avait sentie en dernier, contrairement à aujourd'hui. À l'époque, complètement désorientée, elle s'était retrouvée dans un corps qui ne lui obéissait plus. Ses bras ne voulaient pas fonctionner, ils pesaient des tonnes et retombaient comme un membre mort quand elle parvenait à les soulever un peu. Ses sens aussi étaient revenus les uns après les autres : le toucher d'abord (sa tête lourde sur l'oreiller, la couverture pesante), puis l'ouïe (le bip régulier de l'appareil qui surveillait sa respiration), la vue (la chambre blanche et floue de l'hôpital), l'odeur et le goût de ce tube enfoncé dans sa gorge qui l'empêchait de déglutir. Elle serra la gorge au cas où quelqu'un aurait eu aujourd'hui encore l'idée de l'intuber dans son sommeil. Rien, ouf ! En même temps, ça l'aurait rassurée d'être dans un hôpital parce qu'elle ne se souvenait plus du tout de l'endroit où elle était censée se trouver.

Il fallait qu'elle réfléchisse malgré l'océan de migraine dans lequel elle était plongée. Elle devait procéder méthodiquement, sans bouger la tête, sans ouvrir les yeux pour garder la douleur la plus éloignée possible.

Un : elle était allongée. Ça, c'était certain. Dans quelque chose de mou et de confortable, qui plus est.

Deux : donc quelqu'un était là qui l'avait installée. D'après la voix, une femme. Maman peut-être… Mais à cette dernière réflexion, une intuition vint s'interposer. Non, pas sa mère. Des souvenirs avancèrent, lugubres et porteurs de frustration. Une bouffée de tristesse en amena d'autres.

Trois : Université, vampires et tout le tralala. Punaise, elle aurait préféré oublier cette partie-là.

Quatre : hôtel, chocolat chaud, vampires (encore) et puis… le trou noir.

Cinq : la douleur… la douleur ?

Framboise tourna la tête très légèrement et eut la surprise de ne ressentir aucune souffrance. Juste le petit tiraillement d'une douleur qui s'en va. Elle essaya d'ouvrir un œil. Le gauche. Rien qu'un petit peu. Sa paupière se souleva : il y avait de la lumière mais pas assez pour heurter sa photosensibilité. L'œil droit suivit. Chouette, plus mal du tout.

Elle observa le décor dans la pièce. Table basse devant son lit, qui devait à la réflexion être un canapé. Une femme blonde était assise sur cette table, le visage tourné vers la partie de la pièce la plus éclairée. Averroès. Son visage blanc était aussi figé que celui d'une statue : pas un battement de cil, pas un souffle, pas un mouvement ne venait troubler cette immobilité.

Framboise dirigea son regard dans la même direction qu'Averroès. De sa position allongée, elle ne voyait pas tout. Larme et Moustafa étaient plongés dans une discussion chuchotée à bâtons rompus. Ils tournaient autour d'un obstacle qui accaparait toute leur attention.

Framboise eut un petit bruit de gorge. Tous se retournèrent vers elle. Averroès reprit vie et son visage s'anima à nouveau. Elle lui fit un sourire en posant dans un geste très maternel la main sur le front de la jeune fille.

– Ça va mieux, affirma-t-elle.

Framboise hocha la tête. Elle se redressa avec l'appréhension d'un regain de migraine mais rien. Elle étira un peu ses bras, remua le cou pour détendre ses cervicales et pas une once de douleur ne l'interrompit. Elle fut soulevée par un profond soupir de soulagement. Elle se sentait bien. Vraiment bien. Pas de courbature, de tension musculaire ou de maux d'estomac. Son corps bougeait comme une mécanique bien huilée. Quelle différence avec les abîmes qu'elle avait connus quelques minutes auparavant !

À voix basse, Averroès lui fit un rapide topo des événements passés, en commençant par l'arrivée de Dolorès et en terminant par la réalité brutale et sans concession : sur la table gisait le corps de Jhaved qui avait perdu une quantité de sang mortelle pour un humain. Pour l'instant, le vampire était toujours inconscient, grand bien leur fasse à tous car, quand il se réveillerait, il n'aurait plus grande ressemblance avec le calme guerrier que Framboise avait connu.

– Un vampire qui a subi une exsanguination doit absolument trouver du sang pour remplacer celui qu'il a perdu. C'est une question de survie pour lui et son instinct prend le pas sur la raison. Il se rapproche dangereusement de la créature mythique que tu peux trouver dans les romans fantastiques : un monstre avide et redoutable. S'il se réveille maintenant, où crois-tu que Jhaved ira boire ce sang ?

Averroès attrapa Framboise par la main et la força à se lever et à s'approcher de la table. Jhaved était allongé, torse nu, et il aurait tout aussi bien pu être mort. Pas un souffle ne soulevait sa poitrine et sa peau noire avait blanchi comme si elle avait été délavée. Ça doit être à ça que ressemble un cadavre, se dit Framboise.

– Je ne sais pas ce que t'a dit Dante sur notre peuple mais, connaissant sa pudeur, ça ne devait pas être assez.

J'achèverai donc ton éducation. Je t'ai déjà expliqué que deux agents avaient vidé leur chargeur sur Jhaved pourtant tu vois bien que son torse ne porte aucune trace d'impact. Alors, où sont les balles ?

– Elles ont traversé ? hasarda Framboise qui se sentait nerveuse à la proximité de ce monstre endormi.

– Non. Elles sont encore à l'intérieur. Son corps a cicatrisé et effacé ensuite les cicatrices. Mais son organisme a perdu beaucoup de sang car ces balles sont conçues pour faire de gros dégâts et le fait de refermer et réparer autant de blessures a épuisé les ressources restantes. Pose ta main sur son torse et dis-moi ce que tu sens.

Framboise obtempéra du bout des doigts, intimidée. Sous la peau, elle sentit une multitude de petites boules dures coincées dans la chair. Des balles ?

– Oui, ce sont les balles et il va falloir les extraire, confirma Averroès. Une par une. Si on les laisse, elles vont l'empoisonner petit à petit. Mais on ne peut pas l'opérer sans renouveler son sang. Et je ne vais pas te demander de donner le tien, rassure-toi.

Framboise soupira de soulagement.

– Je vais te demander d'aller en chercher.

La jeune fille se figea de surprise. Elle qui adorait les escapades en solitaire se sentait désormais angoissée à l'idée de sortir. Elle avait vécu trop de choses horribles en trop peu de temps. Le monde extérieur lui paraissait à présent peuplé de monstres, de sang et de violence. Elle regarda la femme vampire en secouant vigoureusement la tête d'un air suppliant. Elle ne voulait pas aller dehors.

– Il fait jour depuis une demi-heure et aucun de nous ne peut plus sortir, argumenta Averroès. Le soleil nous brûle, notre organisme fonctionne au ralenti et nous devons lutter à chaque instant contre la fatigue.

– On pourrait attendre ce soir.

– Il serait trop tard. Ce sang devient urgent.

– Mais je ne suis pas totalement remise. Cette migraine était atroce, tenta à nouveau Framboise.

Averroès soupira bruyamment et conduisit Framboise jusqu'au canapé où elle la força à s'asseoir. Elle s'installa à son tour sur la table basse, posa ses mains sur les genoux de la jeune fille et la regarda dans les yeux. Ceux-ci étaient d'un bleu si clair qu'il en était presque troublant.

– Comment te sens-tu en ce moment ? demanda la femme vampire.

Framboise haussa les épaules en guettant les signaux que son corps lui envoyait. Elle allait bien : plus de migraine, ni de douleur ni même de courbature. En fait, ça faisait longtemps qu'elle ne s'était pas sentie…

– Aussi bien ? C'est normal. Tu n'auras pas de séquelle de l'attaque de Dolorès. Je t'ai fait boire un peu de mon sang pour te guérir.

– Quoi ?! Votre sang ! s'étouffa Framboise.

– Écoute, de l'aspirine ou du paracétamol n'auraient pas réglé les choses. C'était plus qu'une migraine, c'était une attaque cérébrale. Ton cerveau était touché et saignait en de multiples endroits. Tu étais en train de mourir. Tu voulais que je ne fasse rien ? Que j'assiste à ta fin alors que tu te tordais de souffrance ? Et si, par miracle, tu t'en étais sortie, comme je t'entends le penser, tu serais maintenant un légume lobotomisé incapable de communiquer qui se serait bavé dessus jusqu'à la fin de ses jours. C'est ça que tu voulais ? Non, bien sûr. Alors, il n'y avait pas d'autre solution. Mon sang était le seul remède dans la mesure où je ne dispose ni d'un bloc opératoire ni d'une équipe chirurgicale. Tu es définitivement soignée et c'est maintenant que nous avons besoin de toi.

Framboise hocha la tête avec reconnaissance, soulagée d'avoir été sauvée et prête à accomplir sa mission. Puis, une nouvelle idée saugrenue vint perturber ses pensées.

– Non, ce n'est pas parce que tu as bu mon sang que tu vas devenir un vampire, rassure-toi, intervint Averroès en allant au-devant de sa question. Il aurait fallu que tu sois aux portes de la mort.

– Je l'étais.

– Oui, c'est vrai. Mais il aurait aussi fallu que je te vide d'une bonne partie de ton sang et que je te fasse boire plusieurs litres du mien. C'est un long processus qui ne s'offre que dans de très rares cas.

– Vous avez été créée comme ça ?

– Non, soupira-t-elle profondément. Je vois que Dante ne t'a quasiment rien dit. Je vais tout te raconter mais avant toute chose tu vas faire les courses pour moi.

– Vous répondrez à toutes mes questions ?

– Dans la mesure de mes connaissances, toutes. C'est promis.

– Croix de bois, croix de fer...

– Croix de bois, croix de fer.

– Ce que je promets est gravé dans la pierre... Allez-y ! Répétez !

– Par ma rapière, ce que je promets est gravé dans la pierre. Satisfaite ?

– Oui. Totalement.

– Voilà une liste de ce que tu dois ramener. Au dos, tu as notre contact à l'Hôpital Bonne Nouvelle. Il s'appelle Juan. Juan Ramirez. Ça, c'est de l'argent pour le taxi, et ça, c'est le chemin qu'il faut suivre pour entrer dans le service de Ramirez sans être repérée. Au retour, tu retrouveras la péniche grâce à son nom : *Synecdoque*. Ne fais aucune excentricité, sois gentille avec Ramirez et surtout ne bifurque pas de ta mission. C'est une grosse responsabilité et je compte vraiment sur toi. J'ai appelé un taxi, il t'attend devant. Va maintenant !

Dans la péniche
Quartier résidentiel inconnu

Framboise fourra l'argent dans une poche, la liste et le plan dans l'autre. Elle entrebâilla la porte et se glissa sur le pont baigné d'un pâle soleil matinal. La péniche lui apparut dans toute sa longueur et son cœur se serra à cette vue. Dire qu'avec Françoise, elles avaient toujours rêvé de vivre sur une péniche.

Elle n'eut pas le temps de rêvasser car le taxi attendait déjà sur le quai, le moteur au ralenti. Elle grimpa la petite échelle et s'engouffra dans le taxi en annonçant « Hôpital Bonne Nouvelle ». Le chauffeur lui accorda à peine un regard avant de démarrer en trombe. Le trajet dura une quarantaine de minutes. À la station de taxis de l'hôpital, Framboise paya le prix indiqué sur le compteur. Avant de sortir, elle se sentit obligée de se justifier : « Je vais voir ma mamie tombée dans les pommes, au revoir, monsieur. » Le chauffeur empocha l'argent, ne fit aucun commentaire et repéra bien vite un client qui le hélait de la main.

Restée seule, Framboise déplia le petit plan qu'Averroès avait griffonné à son attention. Elle repéra la station représentée par un T et suivit les flèches et les instructions :

Prendre à gauche le long de la station de taxis

Avancer sur 500 mètres

Prendre l'entrée de service devant laquelle les infirmières font leur pause cigarette

Se glisser dans le long couloir bleu et blanc

Prendre à droite et encore à droite pour trouver les escaliers

Descendre au sous-sol et suivre le couloir de droite jusqu'aux doubles portes battantes

Le bureau de Ramirez est le deuxième à gauche.

Framboise s'arrêta devant les deux portes battantes. Elles portaient des inscriptions qu'elle aurait préféré ne pas lire :

PERSONNEL AUTORISÉ UNIQUEMENT
MORGUE – CRÉMATORIUM

Il n'y avait pas un chat dans les couloirs gris chichement éclairés par de petites ampoules nues. On sentait qu'ici, l'hôpital se fichait bien de la déco. Les morts n'étaient pas difficiles de toute façon. Quant à leur famille, elle était interdite de séjour en ces lieux. Qui sait ce qui se tramait derrière ces portes.

Des images de cadavres qui remuent sous des draps d'hôpital surgirent dans l'esprit de Framboise. Elle secoua la tête, prit une grande inspiration pour museler son imagination galopante, poussa doucement le battant de gauche et se glissa sur la pointe des pieds à l'intérieur. Même ambiance dépouillée si ce n'était quelques brancards heureusement vides qui traînaient çà et là. Pas de zombie. Pas de drap qui respire.

Elle avança à pas de velours, comptant la deuxième porte à gauche, et s'arrêta pour frapper. Aucune réponse. Plutôt que d'attendre à la vue de tous dans le couloir, elle appuya sur la poignée, poussa la porte qui n'était pas fermée et entra dans un bureau obscur et désert. Elle referma la porte derrière elle et observa les lieux. Le bureau n'était pas dans le noir complet grâce à la lumière qui filtrait à travers deux de ses murs qui n'étaient autres que des parois en verre. Cet endroit n'était en fait qu'une toute petite partie d'une pièce beaucoup plus grande qui prenait vraiment vie de l'autre côté de ces murs vitrés et qui ressemblait à s'y méprendre à un décor de série policière. C'était une salle de médecine légale, là où on découpait les cadavres. Il y avait deux tables d'autopsie en acier inoxydable brillant striées de rigoles pour l'écoulement des liquides, un sol et des murs carrelés en blanc, de grosses lampes comme chez le dentiste et puis des chariots pleins de tiroirs surmontés de plateaux gris argenté. L'odeur puissante du désinfectant, présente partout, cherchait à cacher quelques fragrances plus épicées, plus métalliques. L'odeur du sang, peut-être.

Heureusement pour elle, aucun cadavre ne venait défigurer les lieux. Elle ne s'en serait pas remise, c'était certain.

L'un des murs en verre du bureau avait une porte qui permettait d'accéder à la grande salle, mais Framboise n'avait aucune envie de la franchir. Alors qu'elle se triturait l'esprit, se demandant comment trouver le contact d'Averroès, un homme entra en sifflotant par les doubles portes battantes de la grande salle. Une peau caffe-latte, des cheveux bruns réunis en gros dread-locks par un foulard rouge, un bermuda beige et un tee-shirt jaune recouverts par une blouse verte d'hôpital, il poussait un chariot chargé d'outils chirurgicaux de toutes tailles et de toutes formes. Ses pieds nus étaient scratchés dans des sandales à semelle épaisse, spéciale hôpital.

En plein milieu de la salle et de sa chanson sifflée, il se figea et se tourna vers le bureau vitré en regardant Framboise droit dans les yeux.

– Qui êtes-vous ? La pédiatrie c'est au cinquième étage.

Il avait une façon agréable de rouler les *r* et Framboise se força à bouger et à ouvrir la porte vitrée pour se présenter.

– Est-ce que vous êtes Juan Ramirez ?

– Je ne pense pas que tu aies besoin de mes services. Tu es beaucoup trop jeune et beaucoup trop en vie.

Il se désintéressa d'elle aussitôt. Lui tournant ostensiblement le dos, il amena ses outils près d'un chariot à tiroir et entreprit de ranger chaque instrument à sa place. Il avait une gigantesque tête de lion dessinée dans le dos de sa blouse verte.

– Ce n'est pas de moi qu'il s'agit. On m'envoie à vous.

– Répète ça ! ordonna-t-il d'un ton sévère en se retournant pour la fusiller du regard.

Il ne semblait pas avoir plus de 25 ou 30 ans estima Framboise. Pourtant, malgré ses locks et sa tenue rasta, il se para d'une immobilité menaçante qu'elle n'avait jusque alors observée que chez les…

– Vous êtes un vampire ! s'exclama-t-elle presque malgré elle.

– Moins fort ! Tu veux me faire virer ou quoi ! Dis donc, ma jolie, tu es au courant de pas mal de choses qu'une personne normale ignore. Et tu dis qu'on t'envoie à moi ? Mais alors, quel est ton nom ?

– Bah, Framboise. Pourquoi ?

Un sourire béat apparut sur le visage de Ramirez si bien qu'on aperçut la pointe de ses canines.

– Framboise… répéta-t-il comme s'il se délectait de son nom. J'ai quelques amis qui me doivent des services mais si je m'attendais à un paiement de cette nature. C'est la première fois qu'on m'envoie une Bloody Mary !

– Une quoi ?… s'étrangla Framboise avant d'être interrompue par son interlocuteur qui se rapprochait dangereusement.

– Tu es de quel groupe ? Non, attends, laisse-moi deviner à ton odeur, s'exclama-t-il, ravi.

En un battement de cœur, il fut à un mètre d'elle, inspirant à grande bouffées l'air qui l'entourait.

– Ah, tu sens divinement bon ! Un groupe peu courant, probablement AB.

– Je sens bon ? Non, attendez… vous jouez à quoi, là ?

– Si tu savais depuis combien de temps je ne me suis pas nourri à même la source ! Je suis redevable à ton expéditeur jusqu'à la fin de mes jours !

Centimètres après centimètres, Juan avançait, prenant de grandes inspirations comme quelqu'un qui se régale d'un fumet appétissant. Ses gestes étaient ralentis, comme ceux d'un fauve qui ne veut pas effrayer sa proie et ses yeux à moitié fermés ne quittaient pas le regard de Framboise qu'ils avaient capturé.

La jeune fille tenta vainement de parler mais aucun son ne sortit de sa bouche. Elle était paralysée, incapable d'empêcher l'approche du vampire qui franchit en toute impunité les frontières de son périmètre de sécurité. Il tendit le cou et enfonça son nez dans le creux de l'épaule de la jeune fille en inspirant profondément.

– Averroès ! hurla Framboise.

Ramirez se redressa, la tenant par les épaules et la regarda d'un air interloqué. Visiblement, c'était la dernière personne dont il s'attendait à entendre le nom.

– Quoi ?!

– Averroès, répéta Framboise. C'est Averroès qui m'envoie !

Puis, comme cela semblait avoir figé le vampire, elle continua sans pouvoir s'arrêter.

– Il fait jour alors elle ne peut pas sortir pour vous voir en personne. C'est pour ça qu'elle m'envoie. Mais il faut que je revienne le plus vite possible avec plein de choses pour guérir Jhaved qui a été blessé par des agents de l'Université. Mais je ne les ai pas vus parce que je me suis évanouie à cause d'un cri mental qui a eu raison aussi de Mélusine et Tristan et puis ils ont été enlevés. Et c'est la même chose pour Vincent et Dante qui sont prisonniers, et Larme est très inquiète parce que William s'est absenté dans la nuit et maintenant il est introuvable et elle a peur qu'il se soit lui aussi fait capturer, et puis...

– Attends, attends... l'interrompit Ramirez dont l'expression affamée avait laissé place à un air d'incompréhension.

Il libéra les épaules de Framboise et posa doucement ses grandes mains sur chaque tempe de la jeune fille.

– Tu permets?

Avant qu'elle ne puisse répondre, Framboise sentit la présence du vampire envahir son esprit. Il fouilla sans ménagement dans ses souvenirs récents et passa en revue les événements comme il aurait effectué un zapping sauvage. Zip, zap, on passait d'un plan à un autre en un clignement de cerveau. Zip, Averroès dans la péniche. Zap, Jhaved mourant. Zip, Larme et Framboise dans la chambre. Zap, la Confrérie des Heures obscures partageant son sang. Zip...

– Arrêtez! Arrêtez ça! hurla-t-elle en poussant aussi fort que possible.

Le contact fut rompu alors même que Ramirez était projeté à travers la pièce. Il percuta le chariot d'outils qui se répandit au sol. Comme si ce qui venait de se passer était anodin, il se redressa presque aussitôt en râlant sur le travail de stérilisation qu'il allait devoir refaire. Mettant de l'ordre dans ses vêtements fripés, il reprocha à Framboise de ne pas l'avoir averti qu'elle était Voleuse.

– Alors, vous! Vous êtes gonflés! Je viens ici pour rendre service à des amis à vous et c'est limite si je ne me fais pas violer! Et puis d'abord, c'est quoi une Bloody Mary?

Ramirez se mit à fixer ses orteils d'un air de petit garçon surpris à faire une bêtise. Il répondit d'une voix quasiment inaudible :

– Une victime consentante.

– Une quoi ? Je ne comprends pas, insista Framboise.

– Une victime consentante. Les Bloody Mary sont des personnes qui connaissent l'existence des vampires et sont d'accord pour se laisser mordre. Pour qu'on les identifie, elles portent toutes des noms de fruits rouges. D'où ma… hum… confusion.

– Il y a des filles qui… Non ! N'en dites pas plus. C'est dégoûtant ! s'indigna Framboise en s'empourprant. Et vous m'avez pris pour l'une d'elle !

– Tu as dit que quelqu'un t'envoyait ! Tu as dit t'appeler Framboise ! C'est le code de rigueur pour identifier les Bloody !

– Mais Averroès..

– Averroès n'est pas du genre à engager des Bloody Mary. Elle répugne les gens qui y font appel, reconnut Ramirez avec un geste qui le fit paraître beaucoup plus vieux que son aspect.

– Vous, ça n'avait pas l'air de vous gêner.

– Je travaille dans une morgue, je te signale. Peu de choses me gênent. Et je ne suis pas Averroès. Je n'ai ni son âge, ni sa profonde sagesse. Surtout ne lui raconte pas ce qui vient de se passer. S'il te plaît, s'il te plaît, s'il te plaît. Sinon, elle va encore se comporter avec moi comme si j'étais un moins que rien.

– Remplissez votre rôle et je tenterai d'oublier. Tenez, voici la liste des choses dont j'ai besoin de toute urgence. Vous comprenez le sens du mot urgence, n'est-ce pas ? UR-GEN-CE !

Ramirez s'empara de la liste en jetant un regard dédaigneux à Framboise. Il lut rapidement deux fois la commande, froissa le papier et le jeta à la jeune fille.

– Mouais, facile. Je reviens

Il franchit les portes battantes et disparut, laissant Framboise seule et un peu flageolante dans un décor de carrelage blanc. Pour occuper ses mains tremblantes et garder la tête froide, elle réunit les outils qui avaient volé avec l'atterrissage de Ramirez et les aligna sur une des tables d'autopsie : des petites scies, des trucs qui devaient vachement bien couper du genre scalpel, des machins comme des petits tire-bouchons, des sortes de tournevis acérés, un truc qui ressemblait à un casse-noisettes. Tout un attirail de spécialiste de salle de torture.

Elle en profita pour fouiller dans les tiroirs des autres meubles et découvrit des appareils dignes d'un rayon bricolage : perceuses, marteaux, burins, ciseaux du plus fin au plus épais, fioles vides, bols en inox, et encore plein d'autres choses très intrigantes dont il ne valait mieux pas imaginer ce qu'on pouvait en faire.

Ramirez revint en un temps record, une petite caisse à outils à bout de bras.

– C'est pas une caisse à outils, c'est une glacière… avec des outils dedans, marmonna-t-il.

Il se figea devant les alignements que Framboise avait érigés sur la table.

– Tu as contaminé la table d'autopsie ! Bon sang, est-ce que tu connais la durée d'une procédure de stérilisation ! J'espère que tu n'as touché à rien d'autre.

– Eh bien… commença Framboise en pensant aux tiroirs.

– Le chariot à tiroirs aussi ? Tous les chariots à tiroirs ! Bon sang, j'étais sur le point de me taper une bonne sieste avant que tu n'arrives mais voilà que je vais devoir m'enfiler trois heures de stérilisation forcée. Et moi qui déteste travailler dans la journée ! Tiens, prends cette mallette et dégage. Je ne veux plus sentir ton odeur. Et surtout ne dis rien à Averroès sinon je te retrouverai et je m'appliquerai à faire réellement de toi une Bloody Mary.

Framboise attrapa la glacière que Ramirez venait de lui coller dans les bras, tira la langue au vampire rasta et s'empressa de rebrousser chemin. Elle se précipita dans un taxi à la station et énonça la destination à voix haute grâce au petit pense-bête d'Averroès. Heureusement que cette femme vampire avait pensé à tout

Dans la péniche
Quartier résidentiel inconnu

Le soleil venait de passer son zénith quand Framboise atterrit lourdement sur le pont, déséquilibrée par le poids de la glacière à outils. Elle frappa trois petits coups et se faufila à l'intérieur en prenant soin de laisser entrer le moins de lumière possible.

Dedans, rien n'avait changé. Averroès somnolait sur une chaise au plus prêt de Jhaved tandis que Larme et Moustafa se reposaient dans le canapé, les yeux fermés.

Framboise laissa tomber la mallette sur la table basse. Ce seul mouvement réveilla les trois vampires qui l'accueillirent avec soulagement.

– Enfin! s'écria Larme. J'ai cru qu'il t'était arrivé quelque chose et que j'allais être obligée d'arracher sa tête de rasta à Ramirez.

– Ça a bien failli. C'est un cinglé. Il m'a pris pour une Bloody-machin-chouette.

– Une Bloody Mary! Tu entends ça, Averroès. Framboise, une B… Oh! s'exclama-t-elle quand elle réalisa le lien entre Framboise et une véritable Bloody. Je comprends ce qui l'a induit en erreur… Nous aurions dû envisager cette possibilité, avec un nom comme le tien, Framboise.

Averroès ouvrit la glacière et en déballa le contenu sur la table basse: cinq poches de sang O positif, des feutres et des instruments chirurgicaux, des compresses, pansements, bandes collantes, des bouteilles de désinfectants divers et un papier blanc plié en quatre. La vampire déplia ce dernier pour le lire à haute voix:

– *Très sage et respectée Averroès,*

Excuse-moi auprès de ta petite humaine envers laquelle je ne me suis pas comporté avec toute la déférence qu'il se doit. C'est une gamine courageuse et prometteuse. Elle n'a eu de cesse de conserver sa mission comme une priorité. J'espère qu'elle saura me pardonner.

Que la paix soit avec toi, ton clan et ta Confrérie.

Éternellement redevable,

Juan Ramirez

– Trop gentil de sa part, grimaça Framboise.

– Bien. Nous disposons de tout le matériel. Nous pouvons commencer. Moustafa?

Ce dernier avait déniché un plateau dans la cuisine, l'avait recouvert d'un torchon et avait disposé dessus les outils qu'Averroès avait sorti de la glacière. Il prit une poche de sang et l'accrocha à une des poutres d'acier de la péniche. Puis, il se saisit d'un cathéter, sorte d'aiguille creuse prolongée par un tuyau souple en plastique, et l'enfonça dans la veine du bras de Jhaved. Puis il connecta poche de sang et cathéter en ouvrant le petit robinet de plastique qui bloquait le passage du flux sanguin. Le liquide presque noir coula à l'intérieur du tuyau translucide jusqu'à la perfusion du bras.

Moustafa hocha la tête.

Larme et Averroès s'approchèrent tandis que Framboise s'apprêtait à regagner le canapé.

– Toi aussi, Framboise.

– Quoi, moi aussi?!

– Nous allons nous placer sur chaque longueur de la

table d'opération, en binôme. Framboise, tu travailleras avec moi. Larme et Averroès ensemble. D'abord, tout le monde enfile des gants.

Framboise vint se poster à côté de Mous et tira une paire de gants sur ses mains. Ils étaient un peu trop grands pour elle car ses doigts n'en atteignaient pas le bout.

– Je n'ai jamais fait ça. Je sais à peine poser un pansement.

– Tout s'apprend. Maintenant tout le monde se munit d'un feutre chirurgical. Le but de cette première phase est de repérer les emplacements des balles. Tu passes ta main sur la peau de Jhaved et tu fais une croix là où tu sens une bosse. Je n'ai pas vu l'arme des agents mais Larme m'a raconté qu'ils avaient tous les deux vidé leur chargeur. Ce qui fait une quarantaine de balles à eux deux. Si on table sur le fait qu'ils sont de bons tireurs, il faut estimer qu'il y a autant d'impacts. Nous n'avons pas les moyens de faire une radio alors essayons d'identifier l'emplacement d'un maximum de balles. À vous de jouer.

Framboise promena sa main sur la peau froide de Jhaved. Elle fit une croix blanche chaque fois que ses doigts butaient sur une boule suspecte. Au bout de cinq minutes, ils avaient identifié 28 impacts. La poitrine du vampire blessé ressemblait à présent à une mystérieuse constellation. Framboise s'étonna de l'extraordinaire résistance du guerrier alors qu'il aurait fallu une seule balle pour venir à bout de sa vie à elle.

– Pour la suite, il me faut votre concentration la plus absolue. Framboise, je m'occupe des pinces et tu gères le scalpel. Tu entailles la peau à l'emplacement des croix, j'enfonce la pince pour extraire la balle et, dès que j'ai fini, tu poses sur la plaie une compresse imbibée de désinfectant. Puis on passe à la croix suivante. Les filles en face, pareil. Croix, scalpel, pince et compresse. Tout le monde a compris ?

– Oui, répondit tout le monde.

Moustafa montra une première fois comment se servir du scalpel et comment inciser proprement une coupure assez profonde pour que la pince puisse entrer, saisir la balle et ressortir sans déchirer la plaie. Puis Framboise s'y colla avec le plus grand sérieux. Elle incisait au-dessus de la balle, s'écartait légèrement pour préparer une compresse et laisser Moustafa travailler, puis appliquait le petit carré de tissu blanc. Les balles qu'extrayaient Moustafa et Larme tombaient en tintant dans un petit saladier en inox au fond duquel une petite quantité d'alcool se tintait inexorablement en rouge.

Il fallut changer deux fois la perfusion de sang du blessé. Framboise ne sentait pas son cœur mais Moustafa lui assurait qu'il battait de plus en plus vite à mesure qu'il reprenait des forces. Bientôt, il y eut 26 balles dans le bol en inox. Pour les deux autres, profondément enfoncées dans l'humérus et dans une côte, le matériel manquait. Il aurait fallu briser l'os ou creuser autour pour les libérer. Elles resteraient donc en place.

Framboise était épuisée par l'opération et n'aspirait qu'à s'écrouler dans le canapé. Ce que Moustafa ne l'autorisa à faire qu'une fois le matériel nettoyé et rangé. Lui-même affichait des cernes impressionnants. Larme et Averroès, qui n'étaient pas en reste, semblaient avoir des difficultés à garder les yeux ouverts. Averroès décréta une sieste pour tous jusqu'au coucher du soleil.

Niveau Terre 10
Complexe Avenir
Shiva

Quand Dante se réveilla, il ressentit d'abord la souffrance. Elle vrillait son cerveau et courait sur chaque centimètre carré de sa peau. Puis vint une autre forme de tourment plus profond: la Soif, pressante et aliénante.

Il sentit un tiraillement à ses poignets quand il essaya de déplacer ses mains et il comprit. C'était par là qu'on l'avait vidé de son sang. Il toucha la coupure qui avait fini par se refermer. Une cicatrice boursouflée était restée. Son corps saigné à blanc n'avait pu en faire plus.

Il fallait qu'il fasse un point sur sa situation, qu'il ouvre les yeux et qu'il analyse son nouvel environnement mais cet état profond de faiblesse l'en empêcha. Il était encore trop tôt pour tenter quoi que ce soit. Son cerveau travaillait au ralenti et ne lui réclamait qu'une seule chose: du repos. Ce qu'il s'accorda aussitôt, trop épuisé pour résister.

Quand il reprit connaissance, la souffrance ne fut plus la première à l'accueillir. Ce fut la Soif. Il n'allait bientôt plus pouvoir la contenir. Elle allait prendre possession de son esprit tout entier, l'animaliser jusqu'à ce qu'il trouve un lieu où elle pourrait se repaître.

Il ouvrit les yeux. La lumière, éclatante, le blessa. Il se força à examiner les lieux et reconnut une cellule de Shiva.

La même qu'il avait pu découvrir sur les vidéos de Zora laissées à son intention sur Internet. Trois murs blancs, un horizon barré par une vitre qui ne lui renvoyait que sa propre image : un être prostré en position fœtale, au visage et aux mains presque aussi blafards que l'alcôve blanche dans laquelle il était allongé, aux vêtements tachés de sang séché, son sang, et aux cernes immenses et gris qui entouraient des yeux de fou. Ses pupilles trop dilatées lui donnaient déjà un air animal que renforçaient ses cheveux emmêlés. Il ferma les yeux.

Il se força à rester immobile tandis que la Soif le serinait de se lever et de chercher une faille à la cage. Dante savait qu'il n'y en avait aucune, mais la Soif lui assurait du contraire.

Il se força à ne penser à rien, à ne pas chercher de présence autour de lui, à ne bouger aucun muscle. Tout ce qui inciterait la Soif à se faire plus forte.

Derrière la glace sans tain, Vasco fulminait.

Il voulait avoir son spectacle de vampire déchaîné et pour l'instant ce minable ne faisait que dormir. Il voulait rester et attendre mais son rôle de Commandeur le rappelait sur l'île de l'Université. Son portable accumulait déjà les messages auxquels il n'accordait toujours aucune attention. Pour renforcer un peu plus ce sentiment que tout le monde se liguait pour rendre sa présence en ces lieux insupportable, son grand frère Ulysse, ne le lâchait pas d'une semelle. Il ne cessait de lui répéter qu'il n'était ici qu'un visiteur, que son rôle dans cette affaire était terminé et qu'Avenir saurait accueillir ses invités comme il se doit.

– Si je pars, j'emmène les enfants avec moi. C'étaient nos ordres, rappelle-toi : les vampires pour Avenir, les dissidents pour l'Université. Moitié, moitié. Seulement je ne veux pas m'effacer comme ça. Je veux donner une leçon à Tristan et Mélusine. Je veux qu'ils comprennent pourquoi c'était une erreur de s'acoquiner avec des vampires.

– Doucement avec Tristan. C'est un gosse sympa.

– Un gamin qui n'en fait qu'à sa tête, oui ! Il aurait pu être un chasseur de vampires des plus efficaces, sans pitié pour ces monstres. Mais à la place, il rejette la vengeance et il va jusqu'à faire ami-ami avec eux. C'est pathétique.

– C'est un non-violent.

– C'est une fiotte !

– Je ne veux plus discuter avec toi. Fais-moi signe quand tu décides de quitter le complexe. Je serai dans mon bureau.

– Tu ressembles trop à Mère. Va te réfugier dans ses jupes pendant que je m'occupe de tout.

Ulysse haussa les épaules sans daigner répondre à son petit frère. C'était un colérique et il irait mieux dans quelques jours, une fois la pression retombée.

Une fois seul, Vasco convoqua deux gardes et distribua les ordres. Après tout, il était Commandeur et, s'il n'avait pas vraiment de légitimité chez Shiva, il n'en était pas moins une haute autorité de l'Université. Nombre d'agents ou de gardes œuvrant ici avaient été élèves sur l'île et continuaient d'être intimidés par la carrure et le caractère du Commandeur Vasco.

Il fit déplacer les corps de Vincent, Mélusine et Tristan, ordonna qu'on les dépose dans la cellule de Dante puis qu'on ne laisse entrer personne dans le laboratoire. Les gardes quittèrent la pièce sans broncher comme de bons petits soldats. Resté seul, Vasco s'assura du bon fonctionnement du système de surveillance et le coupa du réseau principal. Nul besoin qu'Ulysse ou Père soit témoin de ce qu'il projetait de faire. En revanche, il fit en sorte que la cellule de Dante soit filmée sous tous les angles et enregistrée uniquement sur le logiciel de vidéo-surveillance interne du labo.

Il approcha le fauteuil le plus confortable qu'il put dénicher dans le laboratoire et s'installa devant la paroi de verre de la cellule, juste au milieu, à bonne distance pour ne rien rater. Voilà, c'était mieux qu'au cinéma.

Sur le territoire de la Soif

Cette fois, c'est la Soif qui le réveille.

Une odeur entêtante lui parvient, un fumet exquis porteur de mille promesses. Cette fragrance exaltante l'obnubile. Elle flotte autour de lui et renforce la Soif. Elle le fait gronder comme un fauve.

Il ouvre les yeux. Quelque chose a changé dans le blanc de la cage. Il y a là-bas trois intrus qui se serrent dans un coin. Intrigué, il déplie son corps et l'extrait lentement de la couchette. Une fois debout, il a la satisfaction de ne plus éprouver ni douleur ni étourdissement. La Soif le rend étrangement léger, dépouillé de tout ce qui l'alourdissait avant. Satisfait, il s'étire lentement et sourit aux inconnus en dévoilant ses crocs.

Dans le groupe de trois là-bas, la plus petite est secouée par un frémissement qui laisse flotter jusqu'à lui un effluve de peur grisant. Il sent la Soif s'embraser et franchit d'un bond la distance qui le sépare de sa proie.

Avant qu'il parvienne à poser la main sur son butin, une force invisible le repousse brutalement vers l'arrière, lui faisant percuter la paroi de la cage. Il se ramasse brièvement sur lui-même et brise la résistance qui s'évertue à l'éloigner. En s'accroupissant avec des gestes mesurés, il toise la menace qui lui fait face et laisse échapper un grondement sourd.

– Vincent, c'est impossible, ce n'est pas réel.
– J'aurais préféré, Tristan.
– Il va attaquer de nouveau, gémit Mélusine, pétrifiée par la peur.
– Il faut faire en sorte qu'il nous reconnaisse. C'est la seule solution. Je n'ai pas le choix. Vous restez en arrière et vous n'intervenez sous aucun prétexte.

Vincent avança à pas lents vers Dante, tout comme il aurait approché un fauve. Puis il eut un geste étonnant : il releva sa manche et, d'un coup d'ongle, il s'ouvrit la peau tendre de l'intérieur du bras. Le sang coula. Dante se précipita et planta ses crocs dans la chair de son ami. Vincent le laissa faire avec une petite grimace douloureuse. Il murmurait à voix basse à son compagnon :

– Là, mon ami, reviens-moi. Ne les laisse pas te manipuler. Sois fort, mon frère. Nous avons encore du chemin à faire ensemble. Dante, est-ce que tu m'entends, mon ami ?

Au bout de deux minutes qui parurent des heures, Dante s'écarta de lui-même et s'assit à même le sol.

– Vincent ?
– Oui, mon ami. Je suis là, répondit Vincent avec soulagement, la main serrée sur la plaie que les dents de Dante avaient ouverte.
– Qu'est-ce que j'ai fait ?
– Toi, tu n'as rien fait, mon frère. C'est l'Université qui est en cause. (Il se tourna vers le miroir.) Vous vous êtes bien amusé, j'espère. Parce que le spectacle est terminé.

Derrière le miroir, Vasco tapa du poing sur l'accoudoir de son fauteuil. Il ne répondit pas à la provocation de Vincent. Oui, il s'était bien amusé. Il avait eu exactement ce qu'il recherchait. Voir Dante transformé en bête féroce l'avait ravi, voir les fiers traîtres à l'Université se ratatiner de frayeur aussi. Cet enregistrement allait dissuader les étudiants réfractaires, les fortes têtes et les épris de liberté d'aller voir ailleurs et de faire confiance au premier vampire venu.

Dommage que Dante n'ait pas blessé, même légèrement, l'un des deux enfants, se surprit-il à penser. Non, se contredit-il aussitôt, il n'était pas un sadique. Il ne voulait pas leur mort en direct, juste une bonne leçon gravée dans le roc par la peur. Il récupéra la puce de l'enregistreur fixé à la table de vidéo-surveillance derrière lui et sortit d'un pas leste du labo. Le système de sécurité resta en pause, coupé du réseau général et attendant une nouvelle puce et de nouvelles instructions.

– Il est parti. Je ne capte aucune autre présence à proximité. Il faut agir maintenant tant qu'ils se reposent sur leurs lauriers. Approchez, vous autres, ordonna Vincent dont le bras à présent couvert de sang séché avait déjà cicatrisé

– Dante, tout va bien ? demanda Tristan sans esquisser un pas.

Dante sourit faiblement. Un air de folie s'égarait encore sur ses traits mais au moins ses yeux s'éclairaient d'une lucidité bienvenue.

– Voyons... J'ai été assommé par une fillette utilisée comme une arme, vidé de mon sang au point que mes poignets ressemblent à des tranchées, séquestré, rendu fou par la Soif. J'ai attaqué une jeune fille sans défense et je me suis nourri sur mon meilleur ami qui affiche à présent une aussi sale tête que moi. Je peux affirmer sans trop me fourvoyer que j'ai déjà été beaucoup plus en forme. Mais je ne vais pas me jeter sur vous, si c'est ce qui vous inquiète. Même si je trouve encore votre odeur très appétissante.

– Notre odeur, grimaça Mélusine.

– Oui. Désolé, notre odorat est extrêmement développé. N'oubliez jamais que nous, vampires, ne sommes après tout que des prédateurs.

– Et vous n'êtes que des proies, ajouta Vincent. Votre peur elle-même est délectable. C'est pour cette raison que Dante s'est jeté d'abord sur toi, Mélusine. Tu étais la plus effrayée et donc la plus vulnérable. Enfin, disons qu'il a essayé de se jeter sur toi.

– À ce propos, merci, mon frère. Si je l'avais saignée, ou même blessée, je m'en serais terriblement voulu.

– Pas de souci. Nous avons tous vécu ce genre de… désagrément. Être assoiffé nous enlève toute humanité. Je ne te reproche rien. Allez, il faut qu'on s'organise maintenant et qu'on prévoit un peu la suite des événements. Que tout le monde se rapproche. Nous allons passer en mode furtif. Il n'y a aucune raison que les caméras captent ça. *Voilà comment les choses vont se dérouler…*

Dans la péniche
Quartier résidentiel inconnu

Le petit groupe s'était réveillé au crépuscule et avait eu la bonne surprise de voir Jhaved émerger en même temps qu'eux. Les perfusions de sang et l'extraction des balles lui avaient apporté une guérison accélérée. Il était encore fragile mais en parfaite possession de ses moyens. Il présenta ses remerciements à tous ceux qui étaient présents et enlaça Averroès en lui demandant de ne plus s'inquiéter.

Framboise était contente du bonheur de tous mais il y avait un problème : elle avait faim. Ça faisait vingt-quatre heures qu'elle n'avait rien avalé et le besoin de faire un vrai repas se faisait sentir. Elle voulut aborder le sujet quand tous les vampires se figèrent tout à coup, comme des fauves aux aguets.

– Quoi ! souffla la jeune fille à Moustafa, aussi immobile que les autres.

– *Quelqu'un vient de sauter sur le pont de la péniche. Tu n'as pas senti la vibration ? Ne bouge plus.*

Elle s'efforça de se figer et un vieux souvenir de parties de 1-2-3-soleil surgit brusquement. Son cerveau avait toujours le don de la surprendre. Elle était en danger et voilà qu'elle pensait à un ancien jeu de récré. N'importe quoi, cerveau de Framboise.

Puis Larme se détendit en lançant à la ronde :

– C'est William !

Elle ouvrit la porte derrière laquelle le vampire dandy patientait. Toujours tiré à quatre épingles, il tenait dans une main sa canne, dans l'autre un carton à pizza ainsi qu'une valise noire en bandoulière à l'épaule.

– Livraison de pizza pour enfants mortels ! lança-t-il en pénétrant dans la cabine.

Il laissa Larme le serrer dans ses bras tandis qu'il envoyait valser le carton à pizza en direction de Framboise qui l'attrapa avidement comme si sa vie en dépendait. La jeune fille se posta sur un coin de la table et ouvrit l'emballage pour découvrir une pizza débordante de garniture (peu enclin à savoir ce qu'une adolescente appréciait de manger, William avait pris la dernière pizza de la liste, celle qui s'appelait La Terrible Super Complète). Nullement gênée par la monstrueuse pizza, Framboise commença à piocher avec délectation dans la garniture.

William expliqua qu'il avait quitté l'hôtel comme ça avait été convenu avec Mous et Dante. Quand il était revenu vingt-quatre heures plus tard, il manquait beaucoup de monde et il y avait à la place des agents de l'Université. Qu'à cela ne tienne, il avait pénétré en douce dans les lieux et avait tant bien que mal reconstitué le déroulement des événements. Ce qu'il n'avait pas compris, il l'avait pioché dans la tête des agents qui montaient la garde avec une totale inutilité. Puis il avait suivi leur piste mais avait dû s'arrêter pour trouver une planque à l'ombre où passer la journée. Sitôt le soleil couché, il avait continué son chemin et aboutit à la péniche. Après un détour par la pizzeria la plus proche, il était enfin arrivé.

William tendit la sacoche noire à Mous qui la regarda les yeux brillants comme si c'était Noël.

– Tu y as pensé !

– En fait, puisque tout notre plan dépend de ton talent de hacker*, il paraît essentiel de ne pas oublier l'outil principal : ton ordinateur.

– Alors ça y est, on peut commencer.

Mous s'installa à côté de Framboise, sortit son portable de la housse noire et le déplia sur la table. L'ordinateur ronronna en soufflant silencieusement, alluma son écran et présenta son bureau constellé de raccourcis.

– Recherche de connexion… Mise en route des programmes… Les choses sérieuses commencent maintenant, monologua Moustafa, les yeux rivés sur l'écran, les doigts déjà en action.

Niveau Terre 10
Complexe Avenir
Shiva

Dans leur cellule, Dante et Vincent expliquaient silencieusement à Mélusine et Tristan le déroulement des prochains événements. Il y avait de très forts risques pour que l'Université intervienne pendant leur réunion. Ce n'était qu'une question de temps, car la Confrérie se savait surveillée. Plusieurs plans avaient été échafaudés, dont un incluant un commando d'agents plutôt bien entraînés. Il s'était avéré que l'Université était bien mieux armée que Moustafa ne l'avait estimé. Normalement, Dante aurait dû être le seul capturé. Aujourd'hui, il remerciait le destin de ne pas l'avoir été, car il aurait été incapable de mener ce plan à terme.

Dante s'interrompit et porta sa main à l'oreille pour en presser fortement le lobe avant de continuer. Il allait forcément être fouillé avant d'être jeté en cellule, il ne pouvait donc emmener aucun matériel électronique sur lui. En revanche, il pouvait toujours en transporter à l'intérieur de lui. Moustafa lui avait donc apporté quelques… améliorations. Derrière son oreille était implantée une puce qu'il venait d'activer d'une pression. Mous avait ainsi implanté dans son oreille interne un capteur microscopique qui recueillait les vibrations de son tympan et les transmettait à cette puce qui était elle-même un émetteur-récepteur à très faible puissance. On allait tout de suite voir si ça marchait.

– Mous, est-ce que tu me reçois ?

Après vingt secondes de silence, Dante perçut la réponse de Moustafa aussi clairement que s'il s'était tenu à côté de lui.

– Cinq sur cinq, Dante. Heureux et soulagé de t'entendre. Tout va bien de votre côté ?

– Les choses pourraient être mieux. Mais elles pourraient aussi être pires. Nous sommes tous les quatre réunis dans une cellule carrée composée de trois murs aveugles et d'une vitre sans tain en guise de quatrième paroi. Cette cellule est elle-même située dans un laboratoire équipé de plusieurs cellules identiques à celle-ci.

– Oki doki*, je tente de te localiser... Ne bouge pas.

– Je ne peux pas aller très loin, de toute façon.

Dante faisait des pauses chaque fois que Moustafa lui parlait. Sourds aux réponses du berbère, Mélusine, Tristan et Vincent avaient l'impression d'assister à un monologue de schizophrène.

– Bon... mauvaise nouvelle. Tu dois être dans un niveau sous-terrain, ou même sous-marin puisque nous avons vu avec Tristan qu'Avenir cumulait les deux. Je ne peux pas te localiser, trop de roche entre nous. Il va falloir que tu te connectes au réseau informatique.

– Pour ça, il faut que je sorte d'ici.

– Bien vu, Einstein. Mais là, c'est à toi de jouer. Vous êtes quatre dans une cellule prévue pour une seule personne. Faites marcher vos méninges. Et soyez tranquilles. il y a peu de personnel chez Avenir parce que nous sommes samedi et qu'il est deux heures du matin. Seuls quelques gardes pourraient poser problème. On doit limiter nos contacts parce que la sécurité va finir par se poser des questions sur cette transmission parasite. La prochaine fois que nous nous contactons, c'est *via* le réseau informatique. Tu sais ce qu'il te reste à faire, mon grand. Au boulot.

– Ne m'appelle pas mon grand.

Mais Moustafa avait déjà coupé la communication. Dante résuma aux autres leur discussion et leur but immédiat : sortir d'une cellule à laquelle il n'y avait ni barreau ni serrure, juste une paroi de verre.

Mélusine alla toquer à la vitre pour évaluer sa résistance et ne réussit qu'à se faire mal aux phalanges. Tristan appuya et poussa de toute la force de ses bras. Mais la paroi vitrée ne bougea pas d'un cil.

Dans la péniche
Quartier résidentiel inconnu

Moustafa avait coupé la communication alors que Framboise terminait la moitié de sa pizza. La jeune fille repéra la minuscule cuisine et déposa le carton d'emballage rempli de la moitié restante sur le plan de travail. Il était rarissime qu'un vampire pense à la nourrir alors elle devait économiser les denrées.

Au moment où elle se rassit à table à côté de Moustafa, plongé corps et âme dans ses calculs informatiques, Averroès apparut et s'installa en face d'elle.

– Je t'ai promis ce matin de répondre à tes questions. Nous avons un peu de temps alors j'écoute.

Framboise prit une grande inspiration, réfléchit quelques secondes les yeux dans le vague, se gratta la tête puis se lança :

– Comment devient-on un vampire ?

Averroès esquissa un sourire.

– Il y a deux possibilités parce qu'il y a deux lignées. Soit tu nais vampire, soit tu le deviens. Si tu prends mon exemple, je suis un sang-pur. Mes parents étaient tous deux vampires. Ils se sont aimés, ma mère est tombée enceinte et douze mois plus tard je voyais le jour.

– Douze mois ! Mais les humains restent neuf mois dans le ventre de leur mère !

– En effet. La gestation du vampire est un peu plus longue. Le fœtus se développe plus lentement mais voit le jour plus abouti, moins fragile. Il naît avec toutes ses dents de lait, les canines viennent plus tard avec les dents définitives. Il se nourrit du lait de sa mère et marche à six mois environ.

– Un bébé vampire…

– C'est un fait assez rare. Une femme vampire ne met en général au monde qu'un ou deux enfants au cours de toute son existence. Et rappelle-toi que nous vivons très vieux. Les croyances disent que la mère vampire meurt quand elle met son enfant au monde parce que celui-ci la dévore de l'intérieur. C'est totalement stupide. Ce ne sont que des superstitions visant à nous rendre monstrueux.

Pour ma part, j'ai vécu en compagnie de mes parents pendant près d'un demi-siècle. Cinquante ans au cours desquels nous avons voyagé à travers l'Europe et la Russie, découvrant mille merveilles, croisant mille fleuves, s'instruisant de mille rencontres. Notre curiosité et notre invulnérabilité nous entraînaient au contact de peuplades redoutées à cause de leurs mœurs cannibales ou guerrières. Une fois notre soif d'aventure comblée en Europe, nous nous aventurâmes en Afrique où nous croisâmes une multitude de cultures.

Là-bas, j'ai rencontré celui qui allait changer ma vie. Jhaved Sy.

Il était sang-pur comme moi, mais contrairement aux miens qui avaient choisi le nomadisme, ses parents vivaient comme des dieux, recevant de différentes tribus de quoi se loger, se nourrir et se parer. Ils tenaient office les nuits de pleine lune, rendant la justice de façon équitable puisqu'ils lisaient dans l'esprit des plaignants et des coupables. Si leur crime était avéré, ces derniers ne revoyaient ni famille ni village car ils étaient sacrifiés aux Dieux-Lions, comme on les appelait dans cette région.

Jhaved n'avait jamais vu de Blanc avant moi et mes parents. Il supposa que je venais de la lune puisque j'avais sa couleur. Une ingénuité et une curiosité partagées nous rapprochèrent. Nous ne parlions pas la même langue aussi n'échangions-nous que par la pensée. Je restais des heures en sa compagnie, l'écoutant parler de son pays, le laissant me guider dans la savane ondoyante. Un matin, le soleil nous surprit loin de son village. Il creusa un trou à même le sol et nous dormîmes blottis l'un contre l'autre dans la fraîcheur de la terre.

Mes parents voulaient continuer leurs pérégrinations, moi je voulais retourner en Europe pour faire découvrir à Jhaved les lieux de mon enfance. Nous quittâmes nos parents pour tracer notre propre route.

Jhaved avait rejoint la table et écoutait Averroès, un air affectueux dans le regard. Framboise essayait de deviner à quelle époque tout ça pouvait bien se passer et quel âge avait aujourd'hui la vampire. Cette dernière précisa avec candeur :

– J'avais déjà vécu plus d'une vie humaine quand j'assistai au couronnement de François Ier dans la cathédrale de Reims. J'ai été témoin des grandeurs et des décadences de l'humanité, j'ai connu le faste de Versailles sous le règne du Roi-Soleil, le raffinement de l'ère Edo au Japon, la Russie des Tsars et de trop nombreuses guerres.

– Vous ne pouvez pas être aussi vieille ! Vous avez l'air d'avoir 30 ans !

– Ma chérie, tu dois savoir que les vampires ne meurent pas de vieillesse. Ils sont en général assassinés. C'est l'homme qui signe leur trépas, intervint Larme qui avait rejoint la table à son tour.

– Ou les accidents. Le soleil est un très mauvais ami,

surtout pour les jeunes vampires peu précautionneux, ajouta William à ses côtés.

– Cela concerne surtout les sang-mêlés, rappela Larme.

– Et les sang-mêlés, qu'est-ce que c'est? en profita Framboise.

– C'est l'autre lignée des vampires, si l'on peut parler de lignée, expliqua Averroès en reprenant la parole. Ce sont des êtres humains transformés en vampire. En général, un sang-pur arrête son choix sur un humain, ça peut être par amour ou bien par intérêt, et le transforme. Ainsi que je te l'expliquais hier soir, le sang-pur boit quasiment tout le sang de l'humain, jusqu'aux berges de l'inconscience. Puis il nourrit le mourant de son propre sang. Cet échange qui est considéré par tout mon peuple comme un rituel, certains scientifiques l'expliquent prosaïquement par la transmission pure et simple d'un virus dont le vampire serait l'hôte. Toujours est-il que cet acte reste très intime et tisse des liens forts entre le changeur et le changé.

À la fin de la nuit, le nouveau sang-mêlé s'endort. Son inconscience peut durer plusieurs jours. Quand enfin il se réveille, il a changé, car il n'est plus humain. Ses canines se sont allongées, ses sens se sont affinés et sa soif est presque insupportable. Son créateur doit être présent et l'initier à sa nouvelle existence. Il doit lui inculquer les règles de survie, la peur de la lumière du jour, la prudence en toutes circonstances.

– Et si son créateur n'est pas là à son réveil, que se passe-t-il?

– La Soif est la plus forte et il perd vite pied. L'instinct de prédateur l'envahit et il part se nourrir. Rien d'autre que du sang ne pourra alors le satisfaire, animal ou humain.

– Mais, vous ne pouvez pas manger de la viande rouge?

Un bon steak bien saignant ? Ou du tofu, avec plein de protéines ?

– Je ne peux pas manger. Enfin… ce n'est pas totalement exact. Je pourrais manger mais ça ne serait pas capable de me nourrir. Et puis, ça… Écoute, c'est un peu gênant comme sujet de discussion.

– Vous avez dit toutes les questions.

– Oui je l'ai dit. (Elle soupira.) Et je tiens toujours mes promesses. Donc, en fait, ingérer de la nourriture solide remet en marche le transit intestinal du vampire qui est en latence le reste du temps.

– Vous voulez dire que d'habitude vous n'allez pas aux toilettes ? Mais que si vous mangez, votre corps l'absorbe et le digère comme le ferait n'importe quel humain ?

– Exact.

Averroès était écarlate de gêne tandis que les quatre autres vampires semblaient hilares, souriant de toutes leurs canines.

– Il m'est plusieurs fois arrivé d'ingérer de la nourriture pour détourner l'attention d'humains trop observateurs. La première fois, c'était avec mes parents. Je n'étais encore qu'une adolescente et nous visitions la Corse. C'était une île fière et, en cette période de fin du Moyen Âge, pétrie de superstitions. Nous nous étions enfoncés jusqu'au cœur escarpé de l'île, là où les villages semblent résister à la gravité en s'accrochant de toutes leurs griffes au flanc de la montagne. Les vallées et les hauteurs abruptes n'étaient pas un obstacle pour nous et nous progressions plus vite que n'importe quel humain, sans bagage ni guide. Les escales non plus n'étaient pas un problème : il nous suffisait d'embrouiller un peu l'esprit des villageois voire des taverniers quand il y en avait pour bénéficier d'un endroit où dormir dans la journée. Mais plus nous nous enfoncions au creux de l'île, plus les villages étaient distants. Quand le soleil nous surprenait loin de tout hameau, nous nous réfugions dans le giron accueillant et obscur de la roche.

Nous venions de quitter la grotte où nous avions passé la journée et je ne rêvais que d'un bain et d'une chambre confortable quand nous pénétrâmes dans ce petit village, perché entre un gouffre vertigineux et de prodigieuses aiguilles de pierre. L'endroit était splendide et mes parents suggérèrent d'y faire une halte de plusieurs nuits. Par chance, un petit refuge fréquenté par les bergers pouvait accueillir les voyageurs et leur offrir une paillasse pour la nuit (c'était toujours mieux que le sol d'une grotte). Idéalement situé en abord du village et sur les berges d'un torrent bondissant, tout en pierre et sans fenêtre pour isoler de la chaleur du soleil, l'endroit semblait parfait pour passer nos journées. Dans la pièce unique, quelques bergers étaient déjà attablés autour du gardien du refuge et d'un repas chaud. Tous se retournèrent à notre entrée, interloqués. Mon père interpella la tablée. Il devait manipuler l'esprit des hommes assemblés juste assez pour nous faire passer pour un groupe de bergers. Mais dès le premier essai, il sentit une résistance l'empêcher de poursuivre son laïus. Comme en réaction, nous perçûmes cinq personnes se rapprocher à grand pas du refuge et l'encercler. Dès lors, plus aucune manipulation mentale ne fut possible sur les bergers et le gardien, pourtant loin d'être des Penseurs. Ceux du dehors l'étaient en revanche bel et bien. Ils nous invitèrent poliment par la pensée à sortir et à les suivre.

Car ce que nous allions découvrir, c'est que ce village, si éloigné des autres, était aux mains d'une vieille femme que tous surnommaient Caragnatta*. C'était une Penseuse puissante à la descendance nombreuse et douée. Sa famille régnait sur le village de façon fort astucieuse : entre chaque membre (frère/sœur, cousin/cousine, tante/oncle, fille/fils) était tissé un fil de pensée. Entrer dans le village c'était comme poser le pied sur une toile dont l'araignée n'était autre que Caragnatta.

Ce système de tissage était, même pour trois vampires puissants, redoutable. Il ne pouvait nous-mêmes nous influencer mais il pouvait manipuler les gens qui nous entouraient tout en bloquant nos propres tentatives. Nous fîmes profil bas et obtempérâmes. Les cinq Penseurs nous emmenèrent à travers le village jusqu'à la demeure la plus élevée fabriquée en pierre noire : la maison de Caragnatta. La vieille nous attendait sur le seuil de sa demeure, son visage ridé plongé dans le crépuscule. La vue d'ici était magnifique. Je me souviens encore parfaitement des nuages violets surplombant les aiguilles de roche acérée, du gouffre que même les mouflons les plus impétueux devaient avoir du mal à franchir, de l'odeur du thym et de la marjolaine sauvage que nos pieds frôlaient. Je n'avais pas peur, mes parents étaient là pour me protéger et eux non plus ne semblaient pas inquiets, juste circonspects.

La vieille nous précéda à l'intérieur de sa maison et nous pénétrâmes à sa suite dans une pièce fraîche et accueillante. Un feu tranquille brûlait dans une cheminée en pierre et éclairait chichement des bancs, un fauteuil et une table copieusement garnie : figues fraîches, coppa, lonzu, brocciu, canistrelli, pain noir et miel de châtaignier. Nos cinq gardes du corps s'installèrent sur les bancs et se servirent de généreuses tartines. La vieille se posa dans le fauteuil et nous invita à nous joindre à eux.

Je regardai mon père pour connaître la conduite à tenir. Il glissa à ma mère et moi :

– *Ne les contrarions pas car ils sont très nombreux et dominent tout le village. Ne les laissons pas douter que nous sommes plus que des Penseurs. Il viendra un moment où nous pourrons fuir en toute discrétion.*

Nous prîmes place à table et mon père donna l'exemple en mangeant une tranche de coppa avec l'air de se régaler.

La vieille hocha la tête d'assentiment et prit la parole d'une voix chevrotante.

– Bienvenue, jongleurs de pensées, car j'espère que c'est bien ce que vous êtes. Il est rare de croiser des compatriotes si loin de la côte. Les Pinzuti n'aiment pas les hauteurs d'habitude. Vous êtes à Tilacica, mon village et celui de ma famille

Toute cette nourriture exposée me dégoûtait : le miel trop sucré, le pain trop dense, la charcuterie trop grasse et trop salée. Je m'efforçai de faire abstraction de mes papilles sachant qu'il fallait qu'on sorte de là.

– Votre fille n'a pas beaucoup d'appétit, fit remarquer Caragnatta.

– Vous savez comme les jeunes filles sont difficiles à cet âge, plaisanta mon père.

La vieille femme sourit à peine, trop occupée à nous observer et à guetter la moindre faiblesse de notre part.

– Tiens, jeune fille, goûte mes canistrelli. Ils sont réputés au village, dit-elle en poussant son petit panier de biscuits devant elle.

Au moment où je piochai un biscuit, je sentis ses pensées chercher une faille dans mon esprit, en vain. Je croquai dans la friandise en prenant soin de ne pas dévoiler mes canines.

– Nous ne pouvons rester longtemps car la fatigue nous guette. Nous avons voyagé toute la journée et le chemin qui mène à votre village n'est pas facile à emprunter, plaida mon père.

– Vous voyagez bien légèrement, fit remarquer Caragnatta. Où sont donc vos bagages ?

Elle savait que quelque chose clochait chez nous mais elle n'arrivait pas à mettre le doigt dessus.

– Ah ! mentit effrontément ma mère avec l'air de se lamenter. Un torrent de montagne a emporté nos paquetages, il y a trois jours de cela, nous laissant assez démunis.

– Vous devez être affamés alors ! Prenez, mangez ! Vous êtes mes hôtes.

Nous nous resservîmes avec empressement et mon père remercia la sollicitude de la vieille en lui mentant de plus belle. Il raconta la mésaventure du torrent avec tant de détails que moi-même je nous voyais très bien sécher nos vêtements sur une pierre plate au soleil après avoir échappé à la noyade. Les talents de conteur de mon père et notre appétit vorace nous sauvèrent des suspicions de Caragnatta. Nous nous éclipsâmes en fin de nuit alors que le sommeil gagnait même les Penseurs chargés de surveiller les abords du village. Nous passâmes la journée dans un petit vallon boisé orienté vers le nord, dormant mal et restant à l'affût du moindre signe de traque de l'araignée et des siens.

Ce qu'on nous raconta au village suivant, à trois jours de marche, confirma nos soupçons. Tilacica était un village que tous évitaient avec prudence. Stella, notre interlocutrice et hôtesse, se signa à plusieurs reprises en expliquant que Caragnatta et sa famille étaient des Mazzeri, une sorte de chaman corse qui servait de lien entre l'au-delà et le monde des vivants. On allait les consulter en dernier recours, mais le prix à payer était lourd et parfois la personne ne revenait jamais.

Nous n'avions rien à craindre de la vieille tant qu'elle nous croyait inoffensifs. Mais nous gardâmes un souvenir vif de cette escale, car la nuit suivant notre départ de Tilacica fut terriblement douloureuse pour nous trois. Notre ventre était parcouru de spasmes et de crampes. Certains organes endormis revenaient à la vie pour digérer et éliminer ce que nous avions ingéré. C'était le prix à payer pour que Caragnatta nous croit humains. Ça me vaccina de l'envie de recommencer.

– Mince alors, c'est le monde à l'envers. La nourriture vous fait souffrir.

– La digestion, plus précisément.

– Mais alors, la douceur du chocolat, la chaleur du piment, le sucre de la fraise tout juste cueillie, le croquant du poulet rôti avec des patates. Vous ne connaissez pas tous ces plaisirs ? À quoi vous sert votre goût ?

– Parce que tu crois que tous les sangs ont le même goût ? Chaque personne possède un sang différent et donc un fumet différent. Ça dépend de ce qu'ils ont mangé, de l'endroit où ils vivent, de leur santé, de leur origine. Une texture pour chaque sang, une histoire différente à chaque…

– Euh. OK, OK. Je vous crois. Revenons à des choses moins dégoûtantes. Humm, on parlait des vampires créés. On a dit qu'ils avaient besoin d'un guide pour leur montrer le droit chemin. Est-ce que c'est parce qu'ils sont plus « perturbés » que les sang-purs ?

– Ils sont plus fragiles, plus assoiffés, plus caractériels.

– Un peu comme des ados vampires, en quelque sorte.

– Oui ! C'est une excellente comparaison. Ils veulent tout faire, tout essayer mais ils ne réalisent pas les risques ni le danger constant qui les entoure.

– Hé, un peu comme Framboise ! remarqua Moustafa.

– Ouais, un peu comme moi, s'amusa Framboise.

En voyant les vampires assemblés sourire eux aussi à la blague de Moustafa, Framboise fut saisie par cette étrange impression d'être avec des gens normaux et même en bonne compagnie. Ce que lui racontait Averroès ne l'inquiétait peut-être pas autant que ça aurait dû. Les vampires avaient un mode de vie différent du quotidien mais étaient-ils pour autant si dangereux ?

– Oui, nous le sommes, affirma Averroès qui avait suivi ses pensées. Ne va pas croire que nous sommes inoffensifs. Comme chez les êtres humains, il y a du bon et du mauvais en chacun des vampires. Certains humains sont incapables de résister à leurs pulsions de violence, c'est la même chose pour mon peuple. Sauf qu'il n'y a pas de prison pour nous. Il y a un jugement qui aboutit à la relaxe ou à la mort.

– Vous avez une Cour de Justice des vampires ?

– Nous sommes une société organisée même si nous sommes disséminés aux quatre coins du globe. Certains sont des solitaires, d'autres ne peuvent vivre qu'en groupe.

– Attends, attends. Qu'est-ce qui empêche un vampire d'en créer plein d'autres et de se mettre en guerre contre les humains ?

– Qui irait guerroyer contre de la nourriture ? rétorqua William.

– Quoi !? C'est comme ça que vous nous voyez ! Comme une banque du sang !

– Allons, du calme. Il te taquine, apaisa Averroès en jetant un regard contrarié à William.

– Non ! Dites-moi la vérité ! C'est ce que vous aviez promis. La vérité ! Pas de jolies histoires de vampires aromatisées au marshmallow mais la vérité pure, simple et sanglante ! Est-ce que nous sommes de la nourriture pour vous ? Un troupeau de vaches engraissées et parquées comme une belle réserve de chasse ?

– Ce serait tellement simple si vous n'étiez que ça, intervint Jhaved d'un ton grave. Mais vous, les humains, vous êtes aussi des prédateurs. Vous vivez le jour et pas nous. Vous êtes de plus en plus nombreux et nous le sommes de moins en moins. L'Université est un concurrent sérieux qui a appris à nous combattre. Ils nous ont décimés. Tu comprends ce que ça veut dire ? Décimés. Notre population a été réduite de trois quarts. Ils ont engagé la guerre parce qu'ils ne supportaient pas notre longévité et notre force. Ils la jalousaient. Ils auraient voulu être comme nous ! N'est-ce pas risible ? C'est bien le propre de l'homme de détruire ce qui le fascine et ce qu'il craint. Un destructeur.

– Mais vous aussi vous tuez.

– Pour nous nourrir ! Et encore n'y sommes-nous pas contraints. Je peux me nourrir sur un humain sans le tuer et je peux lui effacer la mémoire pour qu'il n'en garde aucun souvenir. Je peux contrôler ma rage et ma soif.

– Mais tous ne sont pas comme vous.

– Il y a du bon et du mauvais en chacun. Oui, il m'est arrivé de tuer, j'ai été élevé comme un guerrier. Mais il m'est aussi arrivé de ne pas le faire.

– Je suis un peu perdue… Si je me fie à mes émotions, je sens que je peux vous faire confiance à tous. Celle qui a agressé, c'est l'Université. Celle qui m'a retirée à ma vie d'avant, c'est encore l'Université. Mais il y a des gens bien là-bas. Il y a des innocents, des gens qui sont devenus mes amis. Pourquoi tout est aussi compliqué ?!

– Tu grandis, Framboise. C'est le monde qui est ainsi. Il va falloir t'y trouver une place.

Niveau Terre 10
Complexe Avenir
Shiva

Le nez collé au verre sans tain, Vincent énumérait ses caractéristiques : alliage spécial, impossible à perforer, impossible à briser. Dante tournait en rond tel un fauve trop longtemps enfermé. Tristan le regardait passer et repasser devant lui, et Mélusine paraissait plongée en pleine réflexion. Depuis toute petite, elle raffolait des énigmes et ne perdait jamais une occasion de s'y confronter. Son cerveau tournait à toute allure, alignant les hypothèses. Puisqu'ils ne pouvaient prendre le problème de face, pourquoi ne pas le prendre de côté, finit-elle par conclure en s'approchant du mur droit de la cellule.

Prise d'une soudaine intuition, Mélusine appela Dante et lui demanda de frapper le plus fort possible au centre du mur. Interloqué, le vampire obtempéra et la peinture s'écailla sur toute la surface de l'impact laissant apparaître une couche de plâtre. Mélusine sourit comme après chaque résolution d'énigme. Les deux vampires comprirent ce qu'elle attendait d'eux et se mirent à frapper chacun leur tour.

Au bout de dix minutes d'acharnement, ils avaient réussi à percer un trou de la taille d'un poing entre les deux cellules. Mais le mur était épais, la couche de plâtre cachait un cœur de béton. Leurs phalanges étaient à vif, la fatigue s'affichait sur leur visage. Tous deux manquaient de sang et allaient bientôt devoir se nourrir.

Encore cinq minutes et le trou fut assez large pour que Mélusine puisse s'y faufiler. Tristan lui fit la courte échelle et elle disparut de l'autre côté sans dire un mot. Quelques secondes s'écoulèrent avant que la porte de la cellule ne glisse silencieusement sur elle-même, laissant apparaître Mélusine, blanche de plâtre, le sourire aux lèvres. Ils se précipitèrent hors de la cage et Dante comprit qu'ils se trouvaient dans ces fameux laboratoires expérimentaux : salle carrelée de blanc, tables d'autopsie, paillasses, placards, microscopes et compagnie.

Sur le mur opposé aux cellules, trônait un écran tactile fin comme un miroir sur lequel s'affichait pour l'instant le logo de Shiva. Non loin, était accrochée une longue armoire en inox équipée de quatre petites portes en verre opaque, chacune marquée d'une lettre O, A, B, AB que Mélusine désigna avec l'air soulagé.

– Génial ! s'exclama Vincent en ouvrant l'armoire des O. Shiva pense même à notre déjeuner ! Je n'aurai finalement pas le loisir de me nourrir sur l'un de vous.

– Je trouve ce genre de plaisanterie extrêmement malvenue après ce qui vient de se passer, grommela Tristan.

– Oh, ça va ! Rabat-joie. C'est une blague pour détendre l'atmosphère.

Vincent attrapa deux verres doseurs sur une étagère et entreprit de vider une poche de sang dans chacun. Il en tendit un à Dante qui l'attrapa avec une main tremblante et un air lugubre.

– Tu as vraiment une sale tête, Dante. Bois et récupère car il nous reste encore du chemin. *Campaï*, mon frère.

Dante leva son verre et but à longues gorgées. Rassasié,

il alla s'asseoir sur un tabouret face à une paillasse et demanda à Tristan de lui trouver un scalpel. Le jeune homme ouvrit plusieurs tiroirs avant de dénicher un couteau aussi épais qu'un stylo, à la lame courte et pointue. Il revint vers Dante et le tendit au vampire.

– Non, refusa Dante. J'ai besoin que ce soit toi qui fasses le travail parce que Vincent est trop faible et Mélusine trop émotive. Moustafa a dissimulé une puce à l'intérieur de mon bras, c'est du matériel de hacker destiné à pirater le réseau de Shiva. Dans l'immédiat, il faut la sortir de sa cachette. Tu dois inciser jusqu'au muscle de mon avant-bras aussi j'ai besoin que ta main soit sûre, sans tremblement. Uniquement des gestes francs.

Dante remonta sa manche et posa son bras gauche sur le carrelage blanc. Sur la chair tendre du bras, se dessinait un tatouage composé de spirales s'entrelaçant. Dante indiqua le centre de l'une d'elles en lui intimant d'appuyer fermement.

Avalant laborieusement sa salive, Tristan approcha une main tremblante et posa le scalpel au cœur de la spirale.

– Je ne suis pas sûr de...

– C'est à toi que je l'ai demandé alors vas-y!

Tristan appuya le bistouri et un sang rouge se mit à poindre alors même que la lame affûtée entaillait la peau. Dante lui ordonna d'élargir l'ouverture et le jeune homme incisa le bras sur une dizaine de centimètres. Le sang coula aussitôt, inondant la blessure.

– Compresses, ordonna Dante comme si ce n'était pas son bras qui saignait.

Mélusine fouilla dans les placards, dénicha une boîte en carton notée «100 compresses stériles» et en vida le contenu sur la paillasse. Dante en attrapa une poignée de sa main valide et épongea le sang qui remplissait la plaie et coulait sur le carrelage.

– Ça ne coule presque plus. Je vais bientôt commencer à cicatriser. Il faut couper un peu plus profond, dans le muscle lui-même. Vincent, trouve-moi une pince !

Tristan incisa un peu plus et perçut un éclat argenté entre deux fibres musculaires.

– Je l'ai vue ! Donnez-moi la pince ! s'écria-t-il.

Vincent lui tendit l'instrument et Tristan écarta les deux lèvres de la plaie pour enfoncer la pince. Dante fut secoué par un spasme de douleur. Il grinça des dents en lui enjoignant de se dépêcher. Tristan réclama de nouvelles compresses qui absorbèrent le sang et repéra précisément la puce. Il referma la pince dessus et la sortit rapidement pour la poser sur une compresse. Elle était à peine plus grande qu'un ongle.

Mélusine rapprocha les deux bords de la coupure avec toutes les précautions qu'elle put et fixa le tout à l'aide de strips qu'elle avait trouvés dans le placard à compresses. Vincent posa affectueusement la main sur l'épaule du blessé et lui tendit un nouveau verre doseur de sang. Dante l'accepta avec reconnaissance et but lentement, la main tremblante.

– Et tu comptais t'opérer tout seul ! railla Vincent.

– Je n'avais pas prévu d'être vidé de mon sang. Je vais mettre des jours à m'en remettre. On peut dire que Vasco a fait du bon travail. Mélusine, est-ce que tu peux rincer doucement la puce sous l'eau et la sécher soigneusement. Il faut qu'elle soit impeccable pour que l'ordinateur puisse la lire.

La jeune Penseuse glissa la puce dans le lecteur situé sur le côté de l'écran tactile. Le logo de Shiva disparut au profit d'une liste du personnel du complexe. L'ordinateur, suivant les instructions de la puce, annonça l'enregistrement d'un nouveau membre du personnel. La photo de Moustafa apparut et le vampire fut déclaré « Personnel autorisé tout accès et tout niveau de sécurité ».

Moustafa intervint de nouveau dans l'oreille de Dante, fier de son nouveau jouet. Il détailla rapidement la liste des prisonniers de Shiva en annonçant que la quasi-totalité était d'origine vampirique. Quelques-uns étaient même de véritables célébrités de la guerre. Il déclencha l'ouverture des portes des cellules et précisa avec enthousiasme :

– Tous ces vampires en liberté et ces chercheurs paniqués, ça me fait diablement penser à un scénario de jeu vidéo.

Dante se contenta de répondre par un soupir excédé et profita de quelques secondes de silence de Moustafa pour reprendre une gorgée de sang. Vincent s'était posté à l'entrée du laboratoire histoire de protéger leurs arrières, Mélusine et Tristan parcouraient les informations que pouvait leur apporter l'écran tactile. Une exclamation de Mous retint l'attention de Dante.

– J'ai trouvé l'emplacement de la cellule de Zora. Dante, elle est toute proche !

– Est-ce que tu es sérieux, Moustafa ?

– Je suis on ne peut plus sérieux. Il s'agit tout de même de ta femme et de ma sœur. Écoute-moi bien : vous êtes au niveau T10, un étage dédié aux expériences et composé de laboratoires et de cellules. Vous devez vous rendre au niveau T14, plus bas encore sous terre. Contactez-moi une fois là-bas. Et pour finir, je vous conseille de passer une blouse que vous trouverez dans le vestiaire et de vous coller une pierre en guise de troisième œil au milieu du front.

– Alors que tu viens de libérer des dizaines de vampires qui vont chasser le chercheur, tu veux qu'on passe une blouse ? Je n'ai pas le temps de parlementer avec les uns et de me faire passer pour les autres.

– OK, OK. Je trouvais juste ça cool de passer un petit camouflage. Dans MGS*, ça marche tout le temps.

– Moustafa, on n'est pas dans un jeu vidéo ! Colle-toi ça dans le crâne sinon je coupe la communication.

Dante entendit grommeler dans son oreille. À force de rester derrière son écran, le hacker avait du mal à dissocier le réel du virtuel. Dante guida ses compagnons vers les escaliers de secours car Moustafa avait déclaré les ascenseurs occupés.

Au cours de la descente des quatre étages, Mélusine expliqua qu'elle avait trouvé sur l'ordinateur un plan du complexe. Cet endroit ressemblait à une tour gigantesque qui s'élevait dans les airs et plongeait dans l'eau puis dans la terre sur plus de soixante étages. D'où les différents noms de niveaux : Air, Mer et Terre.

Une alarme se mit à résonner dans tout le bâtiment. Les lumières se tamisèrent automatiquement, ne laissant que quelques lampes de secours rouges pour veiller à la visibilité. Ils atteignirent enfin le quatorzième sous-sol, indemnes. La voix de Moustafa retentit dans l'oreille de Dante. D'après lui des chercheurs avaient déclenché l'alarme après avoir trouvé des cadavres exsangues dans plusieurs couloirs. Le moustachu paraissait très fier de lui, ce qui eut le don d'agacer Dante.

– Et ça t'amuse ? La sécurité va doubler, Moustafa. Je comptais faire une sortie discrète, pas en fanfare. Pourquoi as-tu lâché des vampires assoiffés dans la nature ?

– Des vampires assoiffés ? gémit Mélusine d'une petite voix.

– Je ne fais pas de distinction, vois-tu, protesta Moustafa. Et je connais un grand gaillard qui ne devrait pas en faire non plus car il n'était pas au meilleur de sa forme il y a une heure encore. Alors, je libère nos frères et je suis désolé si certains ne savent pas se contrôler. Les chercheurs ont les moyens de se défendre !

Dante garda le silence, il s'inquiétait avant tout pour leur sécurité.

– Ne t'inquiète pas, continua Moustafa. J'ai fait en sorte que l'alarme ne soit qu'interne. Ce qui signifie que le réseau ne l'a absolument pas étendue à d'autres services de Shiva. Aucun risque de voir débarquer des commandos armés jusqu'aux dents. Soit cool. Ton hacker préféré s'occupe de tout.

Le quatorzième étage était composé exclusivement de cellules. Toutes étaient ouvertes mais, certains détenus n'étaient pas sortis. Soit ils étaient trop mal en point pour le faire, soit ils étaient morts, expliqua Vincent en demandant aux enfants de rester près de lui.

Malgré sa faiblesse, Dante allongea le pas et passa en revue les cellules. Il se figea devant l'une d'elles en tout point semblable aux autres. Sur la couche en alcôve était allongée une femme diaphane, une cascade de boucles châtain clair autour de la tête. Elle semblait dormir mais sa peau était trop blanche, si fine qu'on pouvait deviner le réseau des veines sous-cutanées. Hors de l'alcôve pendait un bras décharné dont les doigts fins frôlaient le sol.

Dante eut un sursaut en la reconnaissant. Tristan comprit à l'air choqué de Vincent que Zora avait dû beaucoup changer. Dante se précipita dans la cellule et se mit à genoux devant le corps de sa femme.

– Viens, allons faire le tour des autres cellules, dit Tristan en attrapant Mélusine par la manche.

– Et les vampires assoiffés ? protesta la jeune fille.

– Viens, Mélusine, insista Tristan en la regardant droit dans les yeux. Viens, laissons-les seuls.

Vincent regarda les deux adolescents s'éloigner avant de reporter son attention sur Dante. Ce dernier passa la main dans les cheveux de sa femme et souffla « Zora ? ». Aucune réponse ne lui parvint. Il souleva son bras avec d'infinies précautions et répéta son nom.

– Zora ? Est-ce que tu m'entends, mon amour ?

– Dante... commença Vincent avec embarras.

Il n'osait pas encore intervenir mais il était sûrement trop tard.

Son compagnon lui lança un regard déterminé.

– Son cœur bat encore, Vincent.

Puis, comme si le moindre effort lui coûtait, Zora laissa échapper un souffle.

– Dante ?

– Oui, c'est moi. Je suis venu te chercher.

– Oh ! Je pensais que je rêvais encore.

– Je suis là. Je t'emmène avec moi.

– Tu pleures ? demanda-t-elle en levant le bras pour passer la main sur la joue de Dante. Tu as l'air malade. Tu m'avais promis de prendre soin de toi.

– Regarde-toi. Tu n'es pas non plus au mieux de ta forme, lui reprocha Dante.

– J'ai peut-être un peu maigri, c'est vrai.

– Maigri ? explosa Vincent. Maigri ! J'ai déjà vu des cadavres mieux portants. Mais qu'est-ce qu'ils t'ont fait ? Ils n'ont donc aucun respect des Droits de l'Homme. Il existe des lois pour les prisonniers ! C'est ignoble !

– Ah ! Je suis contente de voir que tu n'as pas changé, dit Zora en se tournant vers Vincent.

– Tu es contente ! Mais tu devrais être pleine de rancœur ! Nous aurions dû te délivrer bien plus tôt. Ou pleine de colère envers ceux qui t'ont fait subir ça.

– Je ne suis pas prisonnière, Vincent. Je suis un cobaye. Ils testent des choses sur moi. Ils me portent aux frontières de la mort puis ils m'en ramènent.

Ses yeux se mirent à papillonner comme si elle allait s'évanouir.

– Zora ? s'inquiéta Dante.

– Dante, murmura-t-elle. Il va falloir que tu me portes parce que je ne suis pas sûre que mes jambes marchent encore.

Dante serra les poings de colère rentrée. La souffrance de Zora le rendait fou.

– Je m'occupe de toi, glissa-t-il à voix basse à Zora tout en passant ses bras sous elle et en la soulevant doucement.

– Tu veux que je la porte ? proposa Vincent à Dante qui refusa d'un signe de tête.

– Bon sang, Vincent. Elle ne pèse rien !

Zora appuya sa joue contre la poitrine de Dante et sourit.

– J'entends ton cœur, s'amusa-t-elle d'une voix douce.

– Et moi, je n'entends pas assez le tien.

Niveau Terre 14
Complexe Avenir
Shiva

Tristan et Mélusine s'éloignèrent de quelques couloirs. Partout, le même décor les entourait : une enfilade de cellules uniformes aux murs blancs sans mobilier. Pour Mélusine, qui n'avait jamais vu de prison avant, le choc était rude. Elle s'imaginait à la place d'un détenu, enfermée sans soin, sans compagnie, sans lumière du jour. De quoi perdre la raison en quelques dizaines d'heures.

Depuis son réveil, Mélusine avait de toute façon l'impression de vivre un cauchemar éveillée. Tout ce sang, ces crocs, cette violence, c'était trop pour elle. Elle sentait ses nerfs vaciller à chaque coin de couloir et essayait de toutes ses forces de ne pas craquer devant les autres. Elle attendrait d'être seule, enfermée dans les toilettes, pour relâcher toute cette pression et éclater en sanglots. Pour l'instant, elle devait tenir et affronter la réalité : les vampires n'étaient pas juste des Penseurs/Voleurs plus doués que la moyenne, c'étaient aussi des êtres instinctifs qui vivaient grâce au sang et pouvaient basculer du côté obscur dès que le manque se faisait sentir. Ils avaient été nombreux à être enfermés ici, transformés en cobayes par Shiva. Moustafa les avait tous libérés et ça n'avait pas été sans faire de dégâts, constata-t-elle en observant une longue traînée rougeâtre sur le mur du couloir qu'elle longeait avec Tristan. Il y avait un chariot renversé un peu plus loin, des seringues encore pleines gisaient au sol. Barbarie, pensa-t-elle en shootant dans l'une d'elle. Comment des êtres humains avaient-ils pu se permettre de telles atrocités ? Les vampires étaient leurs égaux, ni plus ni moins. Pourquoi l'Université n'avait-elle pas cherché à intégrer les vampires à leur cursus ? Vincent avait fait un terrible professeur, drôle et passionnant. Elle était persuadée que Dante pouvait l'être aussi, du moins tant qu'il savait se contrôler. Elle frissonna en se souvenant de son allié, son protecteur, transformé en prédateur. Ça n'était pas sa faute, se répéta-t-elle pour la centième fois au moins.

Ils passèrent un angle et se retrouvèrent face à un décor digne d'un film d'horreur : deux gardes avaient été abattus, sûrement par d'ex-détenus vampires. Les hommes avaient dû essayer de se débattre parce qu'il y avait du sang partout sur le sol et les murs. Beaucoup trop de sang au goût de Mélusine. Elle n'avait même pas besoin de s'approcher pour constater qu'ils étaient morts, leur gorge béante ne laissait aucun doute. Elle ne pouvait aller plus loin. Elle sentait que si elle voyait encore plus d'horreurs, elle craquerait. Elle laissa Tristan continuer le long du couloir. Le jeune homme contourna les corps sans leur accorder plus d'un regard. Ça ne semblait pas le déranger outre mesure. Il semblait même plutôt à l'aise comme si le fait de subir un stress permanent était habituel chez lui.

Tristan revint rapidement. Il avait trouvé deux cellules mais leurs occupants ne bougeaient plus et ne respiraient pas vraiment non plus. Ils retournèrent auprès des vampires. Zora était dans les bras de Dante, d'une maigreur poignante, les os saillants aux articulations. Ses pommettes proéminentes faisaient paraître ses yeux plus grands et plus bleus. Elle s'endormit sans les avoir vus.

– Comment va-t-elle ? chuchota Mélusine en approchant.

Trop tôt pour le dire. Elle est vivante en tout cas.

Dante s'interdit d'en dire plus pour ne pas laisser échapper sa colère.

Dans la péniche
Quartier résidentiel inconnu

Assis à la table de la cuisine, Moustafa jouait avec son ordinateur. Maintenant qu'il avait un mouchard dans le réseau, tout devenait aussi simple qu'un jeu d'enfant. Il pouvait visualiser le plan de chaque niveau et identifier chaque petit point sur les cartes. Car, dans sa manie de tout contrôler, Avenir avait implanté à tous ses chercheurs une puce d'identification. Même chose pour tous ses cobayes qui apparaissaient, miracle de la technologie, dans une couleur différente. En positionnant sa souris sur un point de couleur, il obtenait l'immatriculation de la personne ainsi que son nom. Et s'il cliquait dessus, le programme ouvrait un onglet affichant le profil de la personne sélectionnée. Un jouet vraiment merveilleux ! Chaque ascenseur, chaque porte était aussi contrôlé par ce même programme. Moustafa pouvait à loisir ouvrir n'importe quelle section. C'est ainsi qu'il avait repéré la position de Vasco et l'avait coincé dans les toilettes pour hommes d'un niveau souterrain. Porte scellée. Aucun moyen de sortir.

Il avait œuvré de la même façon pour chaque dignitaire, chaque chercheur d'Avenir, les claquemurant dans leur bureau ou leur laboratoire. Et pas question de réclamer de l'aide à l'extérieur. Toute liaison était coupée alors que, à la vue des autres branches de Shiva, tout semblait parfaitement normal.

Moustafa était un dieu régnant sur un complexe de verre et d'acier plongeant avidement dans la mer puis sous la terre. Il ouvrait les portes à ses semblables les guidant vers la liberté. Il les faisait emprunter les Suzi*, ces fameuses capsules de sauvetage sous-marin qui devaient servir en cas d'incendie ou de contamination mais trouvaient toute leur utilité ici. Elles pouvaient contenir deux ou trois personnes tout au plus et étaient éjectées vers la surface en quelques secondes grâce au principe de la poussée d'Archimède.

Ne pouvant contrôler ce qui se passait hors du complexe, Moustafa espérait que tous ces fuyards allaient s'en sortir une fois à l'extérieur. Ces pensées le ramenèrent vers sa sœur et Dante toujours dans les entrailles d'Avenir. Dante lui expliqua qu'il avait pris les escaliers comme il le lui avait suggéré. Mais l'ascension était rude.

– OK, arrête-toi au prochain étage. Je vous envoie un ascenseur.

Moustafa s'amusait beaucoup de cette inversion des rôles. Aujourd'hui Dante était le vampire affaibli et lui le tout-puissant. Ça lui faisait un bien fou. Il essayait de ne pas en profiter, mais la tentation était grande. Il avait omis de préciser à Dante que les ascenseurs étaient libres à nouveau. Deux étages de grimpette ne pouvaient de toute façon pas lui faire grand mal.

– Mais tous affichent un message d'erreur, protesta Dante. On ne peut pas… Attends, c'est toi qui les as mis HS ? Tu aurais pu nous prévenir qu'on ne se lance pas dans l'ascension des escaliers.

– Tu n'avais qu'à me demander ! Ton cerveau est mal oxygéné ou quoi ?

– Moustafa, je ne suis peut-être pas en forme en ce moment mais ça ne va pas durer. Alors surveille tes paroles et balance cet ascenseur.

– No problemo !

Complexe Avenir
Shiva

L'ascenseur arriva en clinguant*, et Vincent, Dante, Zora, Tristan et Mélusine s'y engouffrèrent. L'appareil monta avec légèreté, diffusant une brise d'eucalyptus et une joyeuse interprétation des *Quatre Saisons*.

– Mous, appela Dante. Tu peux couper la musique de l'ascenseur ?

Le silence s'installa bientôt. Les portes s'ouvrirent vingt secondes plus tard sur un décor de cantine : tables et chaises un peu partout, glissières et chariots de self, distributeurs d'eau… Mais il semblait avoir soufflé là un vent de panique car le mobilier était renversé et des plateaux gisaient un peu partout, vomissant leur contenu sur le sol carrelé de noir. Le niveau lumineux était encore à son minimum donnant aux lieux une atmosphère bleutée de fin du monde.

De la cabine de l'ascenseur, surgit une voix familière :

– Vous êtes au dernier niveau de la section Mer, niveau M8. Comme vous pouvez le constater, c'est un étage entièrement consacré au repos et au repas. Cet ascenseur ne va pas plus haut. En sortant, allez sur votre gauche.

Ils suivirent les instructions de Mous et arrivèrent rapidement au pied d'une paroi en verre gigantesque. De l'autre côté, une masse d'eau s'étendait sans autre obstacle que quelques rochers autour desquels tournait une dizaine de poissons égarés.

Zora choisit ce moment pour se réveiller. Elle poussa un petit cri de surprise en découvrant la mer devant elle. Tristan s'approcha de la paroi et posa sa main à la surface. Il avait l'impression de se tenir face à un aquarium géant. C'était tout bonnement incroyable. Une petite pression contre ses pensées le fit se retourner. Zora le fixait d'un regard curieux.

– *Qui es-tu ?* sonda-t-elle gentiment.

– *Un compagnon de voyage,* se présenta timidement Tristan en coulant un œil vers Mélusine.

Zora suivit son regard, découvrit la jeune fille et s'extasia sur sa beauté avant de lui poser la même question.

– Je suis Mélusine. Bonjour madame.

– Madame ? Non, non, je ne suis pas une dame.

– Tu es beaucoup plus vieille qu'eux, ma femme.

– Goujat ! s'exclama-t-elle en donnant un petit coup de poing dans la poitrine de Dante.

– Ouille ! gémit ce dernier.

– Menteur ! Je n'ai plus une seule force. J'ai l'impression d'être une brindille.

– Oui, mais tu es ma brindille.

– D'où viennent ces enfants ? demanda Zora en reprenant peu après le fil de ses pensées et de la conversation.

Dante soupira, c'était une longue histoire. Mélusine expliqua qu'ils étaient des résistants à l'Université et qu'ils avaient rejoint la Confrérie des Heures obscures.

– Des humains dans la Confrérie ? Il y a eu des progrès pendant mon absence.

Moustafa, qui avait reconnu la voix de sa sœur, hurla dans l'oreille de Dante qui sursauta de douleur. Il résuma à Zora les mots de son frère. Il l'embrassait et voulait la revoir au plus vite.

– J'en déduis qu'il va bien. Il me manque lui aussi, soupira-t-elle en posant sa tête contre l'épaule de Dante. Je crois que je vais dormir encore un peu.

– Je serai là à ton réveil.

– Hum… Quel bonheur de ne plus être seule. Je suis si heureuse.

Elle s'endormit.

– Moustafa, sors-nous de là.

Le moustachu expliqua son plan. Il leur suffisait d'emprunter les Suzi rangées dans une galerie verticale de chaque côté de la paroi de verre. Dante trouva bien les rails métalliques, mais il ne put que constater l'évidence : les galeries étaient vides. Il en référa à Moustafa qui bafouilla d'embarras.

Le hacker chercha une capsule disponible dans les autres niveaux sous-marins avant de se souvenir : les fugitifs qu'il avait libérés avaient tous été guidés vers les zones de secours les plus proches, autrement dit, vers les Suzi. Il avait mal calculé son coup. Dans un jeu, il aurait trouvé un cheat-code* pour débloquer un plus grand nombre de sous-marins mais là, que pouvait-il faire ? Consterné par son manque de prévoyance, il devint muet.

– Moustafa ? Je ne t'entends plus. Comment sort-on d'ici ? s'inquiéta Dante.

– Tu ne pourras pas sortir par la mer, il n'y a plus de Suzi, répondit le hacker d'une voix misérable. Je suis désolé mais il ne vous reste qu'une seule solution : monter jusqu'au sommet de la tour et vous évader par la lande. Il y a des ascenseurs au fond de la salle qui vous emmèneront à la surface.

Dante s'inquiéta des gardes et des chercheurs qui pouvaient demeurer au sein du complexe mais Moustafa lui assura qu'il maîtrisait la situation. Considérant l'état de fatigue de chacun, Dante espéra sincèrement que pour une fois Moustafa ne gafferait pas.

Tout près de la surface
Complexe Avenir
Shiva

L'ascenseur montait paisiblement dans les étages quand Mélusine appuya sur le bouton d'urgence. La cabine stoppa dans un tremblement. On était au niveau Air 5.

– Mais qu'est-ce que tu fais ?! râla Vincent.

– Ouvre les portes ! cria Mélusine, presque hystérique.

Vincent haussa les sourcils de surprise et s'exécuta. L'ascenseur était un peu décalé et l'étage en dessous était visible sur quelques centimètres au bas de la cabine.

– Il faut qu'on sorte d'ici ! hurla Mélusine.

Alarmés par le changement soudain de comportement de la jeune fille, tous se regardèrent et obtempérèrent en franchissant la marche créée par le plancher décalé. Mélusine ne les avait pas attendus et progressait dans le couloir, l'air paniqué.

– Par là, indiqua-t-elle en s'enfonçant dans un couloir à la moquette épaisse.

Qu'est-ce qui lui prend ? pensa Tristan à l'attention de Dante.

Celui-ci s'abstint de répondre et suivit la jeune fille qui semblait parfaitement savoir où elle allait. Elle s'arrêta enfin devant une double porte dont elle clencha l'un des battants. Ils pénétrèrent dans une gigantesque salle de conférence dont un des murs n'était autre que la paroi en verre qui donnait ici juste au niveau de la surface de l'eau. Le plancher de la pièce semblait ainsi flotter au niveau des vagues. Le ciel au-dehors était étoilé, la mer secouée par un faible clapot.

Au fond de la salle, un homme était assis devant un écran d'ordinateur et faisait défiler des dossiers, le doigt sur la souris.

– Qu'est-ce que… commença Vincent.

– Je suis à vous tout de suite, l'interrompit l'homme toujours de dos.

Dante coucha Zora dans un des canapés qui s'alignaient le long du mur. Après s'être assuré de son confort, il croisa les bras et attendit, le regard figé sur l'homme.

– Nous ne pouvons pas partir, lança-t-il à ses compagnons sans les regarder.

– Comment… réfléchit Tristan.

– Vous avez envie de sortir, vous ? Moi, pas. Je ne quitterai cette pièce pour rien au monde. Je n'en ai pas du tout envie.

– Moi non plus ! comprit Tristan. C'est lui qui nous en empêche.

– M'enfin ! protesta Vincent. Si on nous obligeait à faire quelque chose contre notre gré, on s'en rendrait compte. Nous sommes opaques à la suggestion.

– Sors alors !

– Nan ! Je ne veux pas ! s'indigna Vincent. Mais qui est ce type ?

– Il est comme vous, comprit Mélusine qui avait repris ses esprits. C'est un vampire.

La porte de la salle s'ouvrit brusquement pour laisser le passage à trois personnes dont la seule vue glaça Tristan et Mélusine : Vasco, Ulysse et Père. Dante et Vincent furent aussitôt sur leur garde mais les nouveaux venus avaient l'air aussi surpris que ceux qui leur faisaient face.

Au fond de la salle, l'homme se redressa et s'approcha d'un pas tranquille. Il était très grand, probablement deux mètres, et sous ses vêtements banals – jeans et tee-shirt – on le devinait maigre et musclé. Un nez busqué et des cheveux en bataille donnaient du caractère à son visage doux. Ses lèvres affichaient un sourire satisfait sous une barbe naissante.

Artémus hoqueta en le reconnaissant et s'exclama :

– Fondateur !

– Allons, allons. Passons à des relations plus familières. Appelez-moi Sophocle et permettez-moi de retirer ce manteau d'invisibilité dont je me suis paré.

Il déplia son aura et la laissa reprendre sa véritable envergure. Tous furent écrasés par cette sensation. Cet homme était indubitablement vieux et imposant alors même qu'il ne semblait pas avoir plus de 30 ans.

Mélusine et Tristan eurent le souffle coupé par une telle présence. Dante et Vincent comprirent qu'ils avaient effectivement affaire à un congénère vampire mais dix fois, vingt fois plus vieux et plus puissant qu'eux.

– Ahh, voilà qui est mieux. Je me sens toujours étriqué quand j'essaie de passer inaperçu. Mais il était nécessaire de vous attirer ici sans vous effrayer, alors j'ai rétréci cette aura jusqu'à la taille d'une coquille de noix. Bref. Artémus me connaît, Vasco et Ulysse se doutent de mon identité à cause de la réaction de leur père et du nom dont il m'a affublé : le Fondateur. Si je vous ai réunis ici, c'est pour qu'aujourd'hui les choses changent. Il faut pour cela que vous compreniez qui je suis. Alors voici mon histoire :

Je suis un vampire, c'est l'entière vérité. Et je suis vieux, très vieux. Vivre autant vous met parfois à l'agonie. Vous observez le temps qui passe, les êtres qui naissent, grandissent, vieillissent, décrépissent et meurent. Vous, vous n'avez pas changé. Votre corps ne porte aucun stigmate des années. Vous êtes figé. Même les rochers, les paysages évoluent et s'érodent avec le temps. Mais pas vous.

Alors, il vous vient l'idée de mourir. Mais pas brutalement, plutôt comme ces humains qui subissent les effets du temps. Une vie de 80 voire 90 ans qui se termine paisiblement par un abandon.

Mais comment faire ? Je ne suis pas homme, je suis vampire. Comment passer de l'immuable à la mortalité ? Dans ma tête, trottait une théorie que je ressassais depuis plusieurs années. Une nuit d'hiver, en flânant dans les rues comme à mon habitude, je surpris les cris de douleur d'une femme en couches. À cette époque déjà plongée dans la modernité, il était rare d'entendre encore ces bruits dans les maisonnées. J'entrai dans la demeure de cette malheureuse et assistai au spectacle troublant de la naissance. Le petit être, un garçon, hurla aussitôt. Il avait l'air plus vivant que je ne l'avais jamais été et c'est à cet instant que je compris que j'avais là l'occasion d'appliquer ma théorie. Ce serait lui. J'allais faire de ce nourrisson le réceptacle de mon âme. J'allais abandonner mon corps et transférer mon esprit à la place de la petite flamme d'à peine quelques heures. Je rassemblai donc mon être en un ensemble compact et quittai mon ancien moi pour investir le nouveau.

L'expérience ne fut pas aussi concluante que je l'espérais. Une vie de plusieurs siècles avait créé des liens puissants entre mon âme et mon corps et je ne réussis pas à m'en détacher. Je fus littéralement déchiré en deux : une moitié avait trouvé place dans l'esprit de l'enfant, l'autre s'était agrippée à l'ancien corps et y était restée. Ma part d'esprit qui avait investi le nourrisson perdit aussitôt le souvenir de qui il était face à la difficulté à vivre qu'éprouvait l'enfant : un déferlement de sensations, une faiblesse jamais ressentie et une dépendance vitale.

Je ne supportai pas cet échec et souffris pendant plusieurs mois de cette perte. J'avais créé un clone spirituel et l'avais abandonné dans un corps criard et affamé. La femme qui l'avait enfanté, sa mère, avait trop souffert. Elle donna un nom à l'enfant et s'éteignit peu après. Je n'ai jamais compris les raisons qui l'avaient amenée à accoucher seule sans assistance, mais elle paya cette solitude très cher.

Je ne pouvais décemment pas abandonner l'enfant à son propre sort maintenant qu'il était devenu une partie de moi. Je trouvai un orphelinat et y laissai le bébé avec une lettre de recommandations et une épaisse liasse de billets qui me désignaient comme le généreux mécène soucieux du devenir d'Artémus.

À l'évocation de son nom, Artémus flancha et s'effondra sur une chaise. Ulysse et Vasco étaient blafards. La vérité déchirait peu à peu le vernis réconfortant de leur univers.

Sophocle regarda sereinement le vieil homme quelques secondes avant de poursuivre :

– Artémus se révéla porteur de grands pouvoirs psychiques. Il grandit dans une famille d'accueil, que mes fréquents dons rendaient généreuse. L'enfant ignorait totalement qui il était mais gardait une conscience aiguë de la fragilité de l'être humain. Ses éducateurs le trouvaient trop mature pour son âge, ils étaient parfois même effrayés par sa précocité. Car il n'avait pas eu besoin d'apprendre à lire ou à écrire, il lui avait juste suffi d'attendre que son corps lui en donne les moyens. Il comprenait les choses sans apprentissage, tout lui semblait déjà connu. Seul son corps lui paraissait finalement étranger, sans qu'il comprenne pourquoi. La perte de ses dents de lait avait été un véritable choc pour lui. La moindre blessure, la plus petite coupure le mettait dans une colère folle. Plus il avança en âge et plus il maudit cette faiblesse humaine, ces maladies, cette mortalité.

Il fut émancipé à ses 14 ans, reconnu majeur par une poignée d'experts fascinés par sa maturité. Ce jour-là, je me présentai à lui comme mécène. Quels que soient ses projets, je le soutiendrai et y contribuerai.

Il avait découvert quelques années auparavant qu'il n'était pas le seul doué de télépathie. Il avait réussi à maîtriser très naturellement son don et à le porter à son plein potentiel mais il prit conscience qu'il était un cas à part. Aussi décida-t-il de créer une université où tout enfant « Potentiel », comme il appela ses élèves, aurait sa chance. Il fit l'acquisition d'une medersa abandonnée car perdue sur une île au large de l'Afrique du Nord. Il la réhabilita en compagnie de ses amis et décida d'en faire un lieu d'enseignement et de transmission du savoir. Ils étaient six au commencement : Artémus, Galilée, Nicholas (le seul Voleur du groupe), Indira, Tirso et Akbar.

Leur but était noble à l'origine, mais certains comprirent aussi que le don de Penseur pouvait mener à de grandes choses. Ils ne pouvaient pas crier sur les toits de quoi ils étaient capables et, en même temps, il leur fallait bien recruter des élèves en dénichant des Potentiels. Ils étendirent leur zone d'influence et simplifièrent les admissions. Les parents posaient problème ? Ils ne se souviendraient plus de l'existence de leur enfant qui resterait dans la seule famille qui l'accepterait tel qu'il était : l'Université.

Puis Artémus découvrit l'existence des vampires.

Il ignorait qui et ce que j'étais puisque je n'apparaissais que quelques minutes, la nuit, tous les cinq ou six ans, me contentant la plupart du temps de verser régulièrement de l'argent sur son compte en banque. Il se mit à jalouser les vampires sur lesquels le temps n'avait aucune prise. Lui se voyait inexorablement vieillir et avait toujours une peur panique de la mort. Il fit donc en sorte que l'Université s'associe à Shiva et lui apporte son contingent de Penseurs. En échange, Shiva devait poursuivre des recherches assidues sur la nature spécifique des vampires et synthétiser le gène responsable de leur immortalité.

Voyant une partie des siens transformés en cobayes, le peuple vampire déclara la guerre à l'Université. Il y eut de nombreux morts des deux côtés. Puis un compromis fut signé afin de retrouver un semblant de paix. Bref, les événements continuèrent à glisser inéluctablement, rendant les choses de plus en plus ironiques au fur et à mesure que j'en étais le spectateur.

Un ersatz d'âme de vampire ne désirant que l'immortalité alors qu'il a été créé pour mourir. C'est pathétique et j'en suis le malheureux instigateur. J'ai laissé les choses se déliter et j'ai voulu me rendre compte par moi-même jusqu'où Shiva portait le vice pour satisfaire Artémus. Je me suis donc fait enlever par une faction de l'Université et évidemment, j'ai atterri ici, confié à Avenir pour servir de cobaye. Il y a déjà quelques mois que je suis cloisonné dans une cellule et utilisé comme rat de laboratoire. Je suis désespéré par ce que j'ai vu s'y dérouler.

L'humanité gagne en technologie, en espérance de vie et en progrès scientifique. Elle peut aller sur d'autres planètes, elle peut créer la vie en laboratoire. Et pourtant, elle est toujours aussi stupidement cruelle et animale. Elle a peur de l'inconnu et de la mort. Elle s'autorise toujours à torturer ce qui est différent, à détester ce qui est autre.

Artémus, je pensais que tu serais meilleur. Tu es une partie de moi pourtant tu es resté trop humain. Tu es mon échec le plus cuisant.

– Ton échec ? réagit Artémus d'une voix étranglée. De quel droit te places-tu en juge de ma vie ? Si tu ne voulais pas me voir vivre, il fallait m'ôter la vie. Mais je suis une partie de toi, tu ne peux pas. Si tu m'avais offert cette immortalité que je brigue, je ne me serais pas lancé dans cette quête désespérée.

– Non. Tu n'auras pas cette malédiction. Tu mourras en t'accrochant à la vie. Ce sera ton châtiment et c'est ce pour quoi je t'ai créé.

– Trop généreux de ta part.

– Et vous, Vasco et Ulysse. Vous allez faire en sorte de réparer les dégâts que votre père a commis. Plus de prisonniers vampires et plus d'enlèvements d'enfants. Vous allez arrêter ces petits secrets qui vous donnent tant de pouvoir. En premier lieu, vous allez révéler au monde l'existence de l'Université et vous allez recruter avec l'autorisation des parents. Plus d'effaçage de mémoire, plus de manipulation des Penseurs et des Voleurs. Et vous allez travailler avec les gouvernements de tous les pays sur une législation. Shiva sera bien utile puisqu'elle a déjà un pied sur chaque continent. Qu'est-ce que tu en penses, Dante ?

Surpris d'être pris à partie, le vampire eut quelques secondes de réflexion.

– Je pense que c'est la meilleure solution. Supprimer le secret, c'est supprimer le pouvoir qu'on exerce grâce à lui. L'Université pourrait être une école bénie par des centaines d'enfants si elle intégrait une certaine normalité.

– Et si nous faisions la même chose pour les vampires ? railla Vasco. Révélons votre existence à la Terre entière !

– J'y venais... commença Sophocle.

– Quoi ? s'exclama Vincent. Vous n'y pensez pas ! C'est trop d'un seul coup pour les humains ! Ça déclencherait une chasse aux sorcières !

– J'ai dit que j'y venais, reprit Sophocle. Vincent a raison. Chaque chose en son temps. Je ne l'exclus pas dans quelques décennies quand le fait d'être Penseur sera devenu aussi banal que de se révéler gaucher ou doué en maths. De toute façon, je ne peux pas être le seul à prendre cette décision. En tout cas, j'espère que j'ai été clair en ce qui concerne l'Université. Je sais que vous êtes arrogants mais ne vous croyez pas plus puissants que vous ne l'êtes. Vous ne faites pas le poids. Je suis plus vieux que vous ne l'imaginez et plus fort aussi. Le soleil ne me blesse quasiment plus, aussi mon temps est-il très long. Vous et votre mission sont mes nouvelles distractions du moment. Je ne vous quitterai pas des yeux. Je serai votre épée de Damoclès. Qu'il en soit ainsi.

Sophocle se tourna vers les vampires et les deux adolescents.

– Il reste quelques heures avant l'aube. Quittez cet endroit de cauchemar et trouvez-vous un refuge aussi loin que possible. Les choses risquent d'être un peu chaotiques dans les premiers temps.

Il posa son regard sur Tristan et Mélusine.

– Bientôt, je vous contacterai et nous pourrons envisager votre avenir. En attendant, profitez de votre vie comme il vous plaira. Voyagez, apprenez, découvrez et soyez heureux. C'est le meilleur conseil que je puisse vous donner. Allez, partez maintenant.

Sans mot dire, Dante, Zora au creux de ses bras, Vincent, Tristan et Mélusine quittèrent la pièce sans se retourner. Ils furent d'un silence pensif pendant tout le trajet qui les mena à la surface. Les portes de l'ascenseur s'ouvrirent sur un décor érodé de brins d'herbe rabougris et de lichens. Le vent soufflait par rafales comme s'il cherchait à les pousser vers le vide.

Debout sur la route bitumée qui serpentait vers la terre, se tenait une silhouette solitaire qui ne laissa pas Mélusine sans réaction. Grand, les épaules larges, un dos arrondi par l'âge, un crâne chauve, l'homme se retourna et toisa le groupe avec un air de défi caractéristique.

– Papy ! s'écria Mélusine, autant dubitative qu'heureuse.

Elle s'approcha de son grand-père au ralenti, paralysée par la peur qu'il ne la reconnaisse pas. Dante la laissa faire dans un hochement de tête, le vieil homme ne semblant pas être une menace. Après avoir regardé stoïquement Mélusine approcher pendant plusieurs mètres, le vieillard laissa son visage s'éclairer d'un franc sourire.

– Mélusine, ma petite princesse.

La jeune fille n'hésita plus et se jeta dans les bras de son grand-père. Des larmes coulaient sur ses joues sans qu'elle cherche à les retenir. Alioth la serra tendrement contre lui puis la ramena auprès de ses compagnons.

– Tu as réussi à te faire des alliés puissants, ma petite. Je suis fier de toi. Sophocle m'a raconté une partie de l'histoire, j'espère que toi et tes amis combleront mes lacunes, déclara-t-il en serrant fermement la main des trois hommes qui accompagnaient Mélusine. Je suis Alioth, vous avez protégé ma petite-fille et je vous suis redevable. Vous permettez que je me joigne à vos rangs ?

– Vous êtes le bienvenu. Maintenant quittons ce lieu de folie et rejoignons la Confrérie.

ANNEXES

The News

Un nouveau maillon de l'évolution humaine

Avez-vous déjà eu l'impression de deviner les phrases de votre interlocuteur avant même qu'il ne les prononce ? Avez-vous déjà réussi à influencer le comportement de votre conjoint par quelques phrases bien appuyées ? Votre enfant vous a-t-il déjà surpris en exprimant tout haut ce que vous pensiez tout bas ?

Si vous répondez par l'affirmative à ces questions, il y a de fortes probabilités que vous ou votre enfant soyez doués de télépathie. Une capacité qui ressemblait encore il y a peu à une arnaque digne d'un numéro de cirque et qui est aujourd'hui une réalité.

En effet, hier, au cours d'une conférence de presse organisée par Shiva, l'omniprésente multinationale, un chercheur du secteur Avenir a fait une annonce qui fait l'effet d'une bombe au sein du monde scientifique et qui va changer la face de l'humanité tout entière : la télépathie est un fait avéré.

Aux côtés du chercheur, se tenait un homme qui s'est présenté sous le nom de Commandeur Vasco. Aujourd'hui responsable de la seule école pour Potentiels, comme il les appelle, il est lui-même télépathe. Aucun doute là-dessus car il a étayé ses dires d'une petite démonstration fort bien sentie. Plusieurs journalistes en ont fait les frais et se sont vus révéler des détails plus ou moins intimes de leur vie personnelle : prénom de leur mère, de leur super-héros préféré, de leur première petite amie, lieu de leurs prochaines vacances, etc. Il suffit d'être bien renseigné, me diront les plus méfiants, de questionner les collègues pour obtenir un bon tour de passe-passe. C'est aussi ce que je pensais avant que ce ne soit mon tour.

Le Commandeur Vasco me demanda de penser à un lieu. Je cherchai un endroit impossible à déduire pour un arnaqueur et me rappelai la balançoire rouge du jardin de mes grands-parents. À peine l'image eut-elle surgi dans ma mémoire que le Commandeur réussit à me décrire dans les moindres détails le jardin, racontant, sans me questionner, quelles fleurs aimait ma grand-mère, me rappelant comment mon grand-père adorait me pousser fort pour que je m'envole vers le ciel dans la petite balançoire en bois, et quel goût avait la tarte au citron que l'on mangeait au goûter. Tous ces souvenirs enfouis au fond de moi et qui se cachaient derrière la balançoire rouge, cet homme avait réussi sans le moindre effort à les faire émerger et je dois confesser que j'ai versé une larme à l'évocation d'un passé heureux.

Non content de nous avoir convaincus de l'existence des « Penseurs » comme il les appelle, il nous a aussi décrit une seconde forme de pouvoir, moins courante semble-t-il, qui s'apparente à la télékinésie. Pour prouver ses dires, rien n'a été plus simple pour lui que de soulever à un mètre du sol un de mes collègues photographes aussi surpris que le reste de l'assistance.

Le Commandeur Vasco nous a donc conviés à une visite prochaine de l'Université pour Penseurs et Voleurs (ceux doués de télékinésie) et il a annoncé que se tiendraient un peu partout dans le monde des examens de passage gratuits ouverts à tous ceux qui pensent détenir l'un de ces pouvoirs. Si le nombre des Potentiels se révèle supérieur à ses pronostics, nul doute que s'ouvriront sous peu d'autres écoles spécialisées.

The Weekly International

Les Penseurs :
nouveaux pouvoirs, nouveau rouage de la mécanique gouvernementale

La totalité des membres de l'ONU s'est réunie aujourd'hui pour débattre de l'utilité d'employer des télépathes au sein des gouvernements dans les années à venir. En effet, la plupart des membres ont déclaré se sentir rassurés par la présence d'un « Penseur » à chaque conférence ; celui-ci pouvant ainsi certifier la véracité des dires des différents interlocuteurs. De ce fait, on verrait disparaître les langues de bois, les fausses promesses et les mensonges à demi-mot.

Intégrer les Penseurs à la vie politique, c'est également légiférer sur leur situation et leur donner un statut juridique. Être Penseur, c'est dorénavant un métier qui mérite une rémunération.

Un Bureau Psy a ainsi été créé. À la manière d'une ONG, il peut mettre ses pouvoirs aux services d'un État pour démêler le vrai du faux. Mais il reste indépendant, non assujetti à l'autorité d'un pays. L'Allemagne, la Suède, l'Australie et le Canada ont d'ores et déjà intégré au sein de leur gouvernement plusieurs Penseurs.

En outre, un contingent de Penseurs a aussi été affecté aux Enquêtes Criminelles Internationales. La durée d'un interrogatoire se voit divisée par dix quand c'est un télépathe qui le mène et nombre de crimes irrésolus ont enfin trouvé une issue par ce biais. Le coupable ne peut cacher sa responsabilité face à quelqu'un qui lit dans ses pensées. Les chiffres du FBI le prouvent. La quantité d'affaires irrésolues est passée en quelques mois de 15 à 3 %.

Mais comment échapper aux dérives que génère un tel pouvoir? Comment peut-on être sûr qu'un Penseur ne manipulera pas un homme d'État, ou ne forcera pas un innocent à avouer un meurtre? Au sein du Bureau Psy, un Conseil composé des meilleurs télépathes vient d'être formé dans cette optique. Il examinera chaque rapport suspect et cherchera les éventuelles fraudes. Une fois par an, tous les Penseurs en activité devront se présenter devant ce Conseil qui jugera si leur poste est reconductible pour un an de plus.

Encore à leurs balbutiements, ces projets doivent faire leurs preuves. Accepter un Penseur comme collègue n'est pas forcément évident. Peut-il s'abstenir de lire dans les pensées de ceux qui l'entourent? Ou de les influencer? Peut-on garder un secret en sa présence?

Ce sixième sens est un pouvoir terrifiant et espérons que leurs usagers auront une morale sans faille.

Le Journal du Geek

Vous en rêviez ?
L'évolution l'a fait !

Si je vous dis professeur Xavier, Matt Parkman ou monsieur Spock, à quoi pensez-vous ? Bravo ! Je lis dans votre esprit que vous avez trouvé ! (OK, OK, j'admets auprès des Vulcains les plus invétérés qu'il faut que Spock soit en contact avec ses victimes pour lire leurs pensées. Ne me noyez pas sous les mails de récrimination.)

Les télépathes ont toujours peuplé l'imaginaire de nos auteurs et le nôtre du même coup. Mais imaginez que ce dont vous ne faisiez jusqu'à maintenant que rêver est désormais possible.

En effet, il s'avère aujourd'hui que certains parmi nous lisent dans les pensées ! Oui, chers lecteurs. De vrais télépathes qui peuvent entrer dans votre tête et y piocher ce qui les intéresse. Des Penseurs, comme on les a appelés.

Et ce n'est pas tout ! Car un autre tout petit nombre, une rareté, est capable de déplacer des objets par la pensée. Des télékinésistes ! Vous imaginez ça !

Alors essayez, vous aussi ! Il n'y a aucune raison que certains y arrivent et pas nous ! Entraînez-vous et repoussez les limites imposées par la société ! Nous pouvons le faire !

Geeks de tous les pays, concentrez-vous !

NOTES

* ***Eadem mutata resurgo*** : maxime du mathématicien Jacques Bernoulli (1654-1705) au sujet de la spirale logarythmique et de ses propriétés d'invariance. « Même changée, je renais à l'infini. »

* **Défragmentation** : pas très agréable. Destruction volontaire des barrières mentales d'un Penseur par un autre Penseur. La victime ne peut plus se protéger des sensations parasites qui se précipitent en nombre dans sa tête. La Défragmentation conduit à une perte d'identité passagère et (heureusement) une perte de conscience.

* **Désintégration** : procédé qui vise à faire disparaître un Potentiel de son ancien environnement. Il ne doit plus rester aucune trace du nouvel élève autre part qu'à l'Université. La Désintégration est effectuée par les brigades d'Intervention et de Suggestion.

* **Yakusa** : nom de la mafia japonaise. Particulièrement puissante, elle contrôle de nombreux commerces illicites et n'hésite pas à se montrer extrêmement violente. Elle coupe le petit doigt de ceux qui l'ont trahie afin de ne plus jamais accorder sa confiance une deuxième fois.

* **Tuteur** : l'universitaire de niveau 2 se voit confier la charge d'un élève pendant un an plein. Le Tutorat est assez contraignant puisque l'étudiant et son élève ne se quittent pas. Ils dorment ensemble, mangent ensemble. Du moins pendant les six premiers mois.

* **Penseur** : doué de télépathie. Personne capable de lire et de pénétrer dans l'esprit des non-Penseurs. Le Penseur peut imposer sa volonté à autrui, lui faisant ainsi accomplir des actes indépendants de ses pro-

pres désirs. Le Penseur se protège des pensées parasites en érigeant une barrière mentale qui lui permet ainsi d'être tout seul dans sa tête. Ce qui est quand même plus confortable.

* **Voleur**: qui maîtrise la télékinésie. Personne capable de déplacer les objets par la pensée. Le Voleur peut donc faire léviter des choses matérielles comme un stylo, une télé ou une voiture. Plus la masse de l'objet est importante, plus celui-ci est délicat à déplacer. Le Voleur peut aussi faire voler des êtres vivants, mais ceci demande une maîtrise exceptionnelle du don (sauf si la santé de l'être en question importe peu à celui qui le déplace. On voit que vous n'avez jamais vu ce que pouvait devenir une souris blanche transportée par un débutant. Quelque chose comme de la bouillie rouge).

* **Vagalam**: maladie de l'âme des Penseurs qui peut éventuellement contaminer les Voleurs. Mélancolie provoquée par des souvenirs du temps d'avant l'Intégration.

* À propos de **Mary**: en tant qu'étudiante, Mary ne se sentait pas à la hauteur des missions imposées au cours de sa formation. Elle a alors exprimé son Refus. Sa scolarité s'est arrêtée là et on lui a confié un travail à la hauteur de ses compétences: responsable du Foyer. Elle est libre de son emploi du temps mais ne peut, en revanche, espérer quitter l'île un jour.

* Les **medersas** sont d'anciennes universités arabes, laïques ou religieuses, des lieux d'excellence et de transmission du savoir. Les étudiants habitaient sur place pour pouvoir se consacrer exclusivement à l'apprentissage.

* **Shiva** (acronyme de Sécurité Humanité Information Vie Avenir): agence privée (non gouvernementale) à but pacifique et humanitaire. Shiva est le mécène de l'Université invisible.

* **Newbie**: terme anglais du langage informatique utilisé dans les jeux de rôle massivement multijoueurs pour désigner le débutant totalement inexpérimenté et donc très encombrant.